U0702649

本書獲
河南大學學術著作和教材出版基金資助

宋會要輯稿·崇儒

苗書梅等　點校
王雲海　審訂

河南大學出版社

圖書在版編目（CIP）數據

宋會要輯稿·崇儒／苗書梅等點校，王雲海審訂
—開封：河南大學出版社，2000（2004.5重印）
ISBN 7-81041-732-0

Ⅰ.宋…　Ⅱ.苗…　Ⅲ.①政書-研究-中國-宋代
②儒學-研究-中國-宋代③宋會要-校勘　Ⅳ.
D691.5

中國版本圖書館CIP數據核字（2000）第23078號
點　　校／苗書梅等　　責任編輯／陳紹虞　　責任校對／辰　晟
審　　訂／王雲海　　裝幀設計／王四朋　　技術編輯／龍　王明
出版發行／河南大學出版社
地址：河南省開封市明倫街85號　郵政編碼：475001
網址：www.hupress.com　電話：0378-2865100（傳真）
排　　印／河南第一新華印刷廠
地址：鄭州市經五路　郵政編碼：450002
版　　次／2001年9月第1版　　印　　張／17.125
印　　次／2004年5月第2次印刷　　印　　數／1001—2000冊
開　　本／890×1240　1/32開　　定　　價／38.00元
字　　數／444千字

（本書若有印裝質量問題，請與出版社發行部聯系調换）

點校宋會要輯稿·崇儒説明

宋代朝廷設立會要所，不斷調集檔案，將檔案節文分門别類按年月日順序編成會要，所載本朝典制資料，既完備又便於檢閲，在當時就成爲處理政務的根據。紹興九年（一一三九），起居舍人王鉌上言稱：

國朝會要，備載祖宗以來良法美意，凡故事之損益，職官之因革，與夫禮樂之文，賞罰之章，憲物容典，纖細畢具，粲然一王之法，永貽萬世之傳。今朝廷討論故事，未嘗不遵用此書（宋會要輯稿·崇儒四之二五）

正因爲有這樣的使用價值，宋政權特别重視給會要所提供資料。程俱在麟臺故事卷二職掌中説：

朝廷每有討論，不下國史院而常下會要所者，蓋以事各類從，每一事則自建隆元年以來至當時，因革利害，源流皆在，不如國史之散漫簡約難見首尾也。

由此可見，宋會要本來就具有記事系統，材料豐富可靠，而又便於查閲之特點，可惜原書早已散佚，現在所能見到的，只是從永樂大典中零星輯出，未經徹底整理的殘稿，盡管它仍然是現存部頭最大的宋代官修本朝史事的典籍，但和原書相比，已經差别很大。整理此書與整理一般古籍，難度要大一些。

首先是原書的編排體例已被打亂。永樂大典是一部大型類書，它的編排體例，是根據洪武正韻，

「用韻以統字，用字以繫事」，在字下設事目，每一事目下按時序備録諸書有關文字。所採宋會要的文字，多者整門，少者一兩句，皆按事目的需要節取，原書體例已被打亂。影印本宋會要輯稿，雖經前人依玉海所載慶曆國朝會要的二十一類類目加以歸併，類下也按照記事内容分門編入，但在分門别類方面，還存在不少問題，尚須作必要的調整。

其次，稿本幾經轉抄，舛誤甚多。宋會要原書既佚，無本可校，永樂大典也存留極少，每條皆須遍查諸書進行他校。宋會要的記事往往較其他史籍偏詳，而且有些記事在現存其他史籍中不見記載，因而進行他校，也會受到限制。

這些都是比校勘一般古籍困難之處，加以宋會要輯稿篇幅甚大，約近千萬言，因而決不是少數人短時間所能完成的。多年來結合研究生「校勘學」課程，我們校點了該書崇儒一類，現將校勘中遇到的問題及處理意見，擇要分類介紹如下：

一、調整門類

徐松從永樂大典中輯出宋會要之後，曾經作過部分整理，根據玉海所載慶曆國朝會要的類目，編入各門的記事，並在文字上作了不少的校訂工作。此後，廣雅書局的屠寄，嘉業堂的劉富曾，北平圖書館的葉渭清等均曾作過整理校勘的工作。徐松之後的整理工作，在編排上大體尊重徐松原來的意見；但也有不少地方作了改動。其中與崇儒類有關的改動，如宋會要輯稿·帝系九之一頁，詔群臣言事門篇首，有徐松筆跡的眉批云：「帝系·帝治：詔群臣言事、優禮大臣、賜功臣字、守法、經筵、觀賞、卻貢、罷貢、存先代後、録諸國後、出宫人。」意謂，在帝系類下設帝治一門，門下設上述十一個小目。影印本中有關上述篇目，也多有相應的眉批。如崇儒七之三九頁，批有「帝系·帝治·觀賞。」崇儒七之七七頁，批有「帝系·帝治·出宮人」等。即將這十一個事目合併爲帝治一門編入帝系類。但後來的整理者，皆未接受這一處理方法，而是將事目作爲一門，分別編入有關各類，在類的歸屬上也不一致。影印本的崇儒類中，編入了其中七個事目，分別作爲一門，今將歷次編排的意見列表如下：

篇目 ＼ 歸屬類目 ＼ 編排者	徐松	屠寄	劉富曾	葉渭清
詔群臣言事	帝系帝治	帝系附録	儀制	帝系
優禮大臣	帝系帝治	賓禮	賓禮	賓禮
賜功臣字	帝系帝治	嘉禮	嘉禮	嘉禮
守法	帝系帝治	帝系附録	儀制	帝系
經筵	帝系帝治	崇儒	崇儒	崇儒
觀賞	帝系帝治	嘉禮	嘉禮	崇儒
卻貢	帝系帝治	帝系附録	食貨	崇儒
罷貢	帝系帝治	帝系附録	食貨	崇儒
存先代後	帝系帝治	帝系附録	賓禮	崇儒
録諸國後	帝系帝治	帝系附録	賓禮	崇儒
出宮人	帝系帝治	帝系附録	後妃	崇儒

此表中徐松的意見據宋會要輯稿·帝系九之一頁眉批。屠寄的意見據湯中宋會要研究卷三所録廣雅書局排整後之原輯稿目録。劉富曾的意見據嘉業堂編定之清本目録。葉渭清的意見據影印本。表中反映葉渭清意見的影印本，是我們整理此書使用的底本，其編入崇儒類的七門應如何調整，就是一個必須解決的問題。這七門原會要屬於何類，已無法查到，它們在永樂大典中的狀況，也只能在永樂大典目録中看到一個輪廓，今表列如下：

篇目	永樂大典卷數	韻字	事目
經筵	四八四六	筵	經筵二
觀賞	一一八五七	賞	事韻
卻貢	一三〇九七	貢	卻貢
罷貢	一三〇九七	貢	罷貢
存先代後	一九三二三	後	事韻一
録諸國後	一九三二三	後	事韻一
出宮人	二九九〇	人	事韻十八

由上表可知，這七篇的標題，有三篇是永樂大典的事目，其他四篇是永樂大典的小目還是原會要的門目也難以確定，更解決不了歸類的問題。這樣就只好根據記事的性質，並參考唐會要、五代會要等宋人所編會要體史籍，來確定應編入的類別了。

「經筵」，是爲皇帝講讀經史的制度，所記皆與崇儒有關，徐松以後，歷次整理之意見皆同，可保存在崇儒類中。

「觀賞」，記載皇帝召集近臣共同觀賞御製及書畫、禮器、麥、稻、粟等事物，以兹提倡，並顯示對近臣的尊崇，仍可按葉渭清的意見保留在崇儒類中。

「卻貢」、「罷貢」，重點在記述皇帝的德政，與崇儒没有直接關係，雖與食貨有關，却非正常的財政制度，故以編入帝系類爲宜。

「存先代後」、「録諸國後」，表示對前朝及諸割據政權統治者後代的寬容，也屬帝王德政的記事。雖然前人參照宋史·録周後的體例，主張編入賓禮，但會要體的帝系類和紀傳體的本紀不同，在本紀中難以修入無關大局的記事。會要體的帝系類，却可以作爲一門編入，無須仿宋史而入賓禮。故以編入帝系類爲宜。

「出宫人」一門，徐松、屠寄均置之帝系類，是作爲皇帝的德政處理的。但參照宋初王溥所修唐會要及五代會要，其「出宫人」一門，皆置於皇后、内職諸門之後，因而編入后妃類，比較符合宋人修會要的體例。

根據以上理解，決定將經筵及觀賞兩門留在崇儒類中，其餘五門調入其他類中。

此外，崇儒六之三八至三九頁敕置守墳及崇儒六之四〇頁堯陵，皆調到禮類。

影印本選舉一七之一至四頁，原批「教授」一門，屬永樂大典卷二一九五八，據大典目録，在「學字韻「郡縣學」事目中，所記爲孝宗、光宗朝事，與崇儒二之二至四頁同屬一個事目，卷數與記事相連，今移置此門之後，併爲一門。

二、删去今存非宋會要的文字

崇儒五之一頁一二行至一七頁，引崇文總目二行、李燾續資治通鑑長編五行、熊克九朝通畧注文一行、鄧名世姓氏辨證注文六行、周必大文苑英華序三八行、文苑英華目録一六頁有餘。目録不及今本之詳，其他引文皆出自周必大纂修文苑英華事始（見中華書局影印本文苑英華卷首，序又見周必大文忠集卷五五平園續稿一五），而脱去原引三朝國史・藝文志注、陳騤等中興館閣書目各一段。舊批云：「自此下皆非會要，宜銷」。今從舊批。

崇儒一之一頁，玉海注文二行； 崇儒一之三一頁，玉海注文一行； 崇儒二之二一頁，玉海注文二行； 崇儒二之三四頁，玉海注文九行，皆見今本玉海卷一一二。 崇儒一之一六頁，文獻通考注文四行，見今本文獻通考卷五七。 崇儒一之九頁，文獻通考注文五行； 崇儒一之三八頁，文獻通考注文二行，皆見今本文獻通考卷四二。 崇儒二之三三頁，文獻通考注文五行； 崇儒二之三八至三九頁，文獻通考注文一四行；崇儒三之四二頁，文獻通考注文一〇行，皆見今本文獻通考卷四六等。這些注文，皆是修永樂大典時附入的，既非宋會要的原文，其書又皆有傳本，今删去以省冗文。

三、補入徐輯稿之遺文

崇儒六之九，空三行，見宋會要輯稿補編八之九頁上，今補入。

四、校訂文字

1. 證舊批之是

崇儒三之二頁一六行，「六月十一日」條，闕年次。舊批云：「大典附崇寧三年之後」，又「渭清按，六月十一日，即前之書學門，徽宗崇寧三年六月十一日」。檢群書考索・後集卷三〇、續資治通鑑長編拾補卷二四，舊批是，據補。

崇儒三之三頁五行，「三年三月十八日」條，闕年號，舊批：「疑是大觀」，又「渭清按，是大觀三年，宋史禮志八『文宣王廟』下有載」。檢宋史卷二〇、卷一〇五及玉海卷一一三，舊批是，據補。

崇儒三之二八頁七行，「□□三年」，闕年號。舊批：「查玉海，系慶曆」。檢玉海卷一一三、續資治通鑑長編卷一四一，舊批是，據補。

崇儒三之三六頁四行，「二年二月八日詔」條，闕年號，舊批補「乾道」二字，據玉海卷一一二，舊批是，據補。

2. 舍舊批之誤

崇儒三之七頁一七行，「三月二十七日」條，闕年次，舊批據文獻通考補作「熙寧七年」。檢文獻通考卷四二、玉海卷一一二、續資治通鑑長編卷二四四，此條均係「熙寧六年」。則不提舊批，隻據所檢書證補入。

崇儒三之三三頁八行，「三月一日」條，闕年次，舊批補「元豐」，又有眉批云：「按元豐恐誤，玉海爲紹興十六年。」檢建炎以來繫年要録卷一五五、劉時舉續宋編年資治通鑑卷六，皆繫此條於「紹興十六年」，舊批補作「元豐」誤，則據書證補入。

3. 删錯簡衍文

崇儒三之一七頁六至八行，「國子監」下「支撥，候將來兩浙路支撥到今來所乞錢糧日，於本學足用，即報國子監」共二八字，與此上兩行重復，當删去。

崇儒三之四〇頁九至一〇行，「以上分數」下「舍生元額止二十人，赴上舍試，取到六人合格，即係不及十人以上分數」共二八字，與此上兩行重復，當删去。

4. 補脱簡

崇儒三之三〇頁八行，「充武學外舍生」下，脱「六月癸丑，詔武學外舍生」共一〇字，使以下文字，與前條混在一起。據續資治通鑑長編卷三八九及長編紀事本末卷七四補。

崇儒三之三一頁四行，「及一年」下，脱「公試弓馬、策議皆入優等，不曾犯五等罰，令保明聞奏，量材録用，仍每年不得過一名」共三三字，據續資治通鑑長編卷三八三補。

崇儒三之三二頁一〇行，「等第分數」下，脱「而中的獨爲缺文，則貼廣三尺二寸，而的又十之一，其工拙不同明甚」共二七字，據群書考索·後集卷二九補。

5. 注文誤作正文

崇儒六之一七頁一七行，「立皇太子詔」下，「叙宣和末策立淵聖皇帝事，因及罪己奏天」。按此一七字，乃修會要者解釋「立皇太子詔」内容的注釋文字，應是小字旁書。

崇儒六之三二頁七至八行，「賜耆德處士」下，「此據政和七年五月高郵軍奏狀，不得其時」。按此一七字爲會要編者注明此條依據及所缺材料，不當作爲正文。又檢職官七七之六一，高郵軍奏狀在政和七年「五月九日。」

6. 正人名誤字

崇儒四之五頁一八行，「李防請雕印四時纂要及齊民要術。」「李防」原誤作「李昉」，因偏旁抄誤而成另外一人。據續資治通鑑長編卷九五及宋史卷三〇三本傳改。

崇儒四之一六頁一至二行，「錢惟治以鍾繇、王羲之、唐明皇墨跡凡七軸獻」。「錢惟治」原誤作「錢惟演」，因一字之誤而易人。據玉海卷四三、宋史卷四八〇本傳改。

崇儒四之四頁一六行，「張鎰」原誤作「張鑑」，據玉海卷四三、宋史卷二〇五、直齋書録解題卷三、舊唐書卷一二五本傳改。

崇儒六之三〇頁三行，「章惇」原誤作「張惇」，據宋史卷一八、卷四七一本傳改。

7. 補人名及人名脱字

崇儒三之七頁二至三行，「夏侯陽」原脱「夏」字，據文獻通考卷四二、宋史卷一五七選舉三・算學改。

崇儒四之九頁四至五行，「詔參知政事歐陽修提舉三館秘閣寫校書籍」。原脱「歐陽修」人名，據續資治通鑑長編卷一九六、玉海卷五二補。

崇儒六之一八頁二至三行，「湖州守臣秦棣」，原脱「棣」字，據建炎以來繫年要録卷一四八補。

8. 正官名之誤

崇儒四之二三頁三行,「左承奉郎林儼」,原脱「左」字,據兩朝中興聖政卷一三、建炎以來繫年要録卷六五補。

崇儒六之二二頁四行,「虞允文,可特授正奉大夫左丞相」。「左」原誤作「右」,據宋史全文卷二五下、續宋編年資治通鑑卷九、宋史卷三八三本傳改。

9. 地名之異同

崇儒一之一二頁九行,「右監門衛大將軍、忠州防御使、權知大宗正事不愿言」,「忠州」宋史卷二四七趙不愿傳作「惠州」。「愿」原誤作「息」,據宋史本傳及葉適集卷二六故昭慶軍承宣使,知大宗正事,贈開府儀同三司,崇國趙公行狀改。

10. 正書名之誤

崇儒五之一九頁八行,「續卓異記三卷」原脱「記」字,據宋史卷三〇六樂黄目傳補。

崇儒五之二八頁一六行,「九域志」原作「九閲志」,據玉海卷一五及本條上文改。

崇儒五之三九頁一一行,「論語拾遺」原誤作「論語捨遺」,據玉海卷四一改。

11. 補正年號之脱誤

崇儒三之二八頁,篇首「置武舉」條,缺年次,續資治通鑑長編卷一〇七、羣書考索·後集卷一九、宋史卷九仁宗紀,均繫於「天聖七年」,據補。

崇儒四之一三頁八至九行,「宣和」年號下,有「十年九月十八日,秘書省校書郎衛膚敏轉一官,以校正所進書故也」。此條上眉批曰:「宣和止七年,疑有誤。」檢宋史卷三七八衛膚敏傳,膚敏於宣和六年召對，始爲秘書省校書郎，同年出使金國，七年再使金，被羈留半年，靖康初始還，進所校書，當在宣和七年出使之前。此「十年」，當係「七年」之誤。

崇儒六之三四頁一九及二二行，兩處「致和」年號，據續資治通鑑長編卷一七六、一七七，均爲「至和」之誤。

崇儒六之三五頁三及七行，兩處「致和」年號，據續資治通鑑長編拾補卷三二，兩處皆是「政和」之誤。

12. 補正年次之脱誤

崇儒三之一〇頁一二行，「（元豐）六年四月十七日」條，「六年」原誤作「八年」，據續資治通鑑長編卷三三四、群書考索·後集卷三〇、宋史卷一五七改。

崇儒三之三二頁三行，「政和元年」，「元」原作「□」，據本書選舉七之二三補。

13. 正數字差誤

崇儒四之八頁一三行，「補白本書二千九百五十四卷」，「二千」原誤作「一千」，據本書職官一八之五三、禮四五之三四，續資治通鑑長編卷一九五，文獻通考卷一七四改。

崇儒四之二五頁四行，「國初三館書裁數櫃，計萬二千餘卷」，「二千」原作「三千」，據本書職官一八之四九、文獻通考卷一七四、太平治跡統類卷二改。

崇儒四之二五頁一八行，「凡十八家」，原誤作「二十八家」，據本書崇儒四之二七、玉海卷四三改。

14. 校數字差異

崇儒一之三四頁一三至一四行，「根括到本府城外居民冒占白地錢，月得二千八百餘貫」。按建炎以來繫年要録卷一四九作「歲入三萬緡有奇」，文獻通考卷四二作「歲入十二萬緡有畸」，存異。

崇儒四之一八頁二行，「得萬七百五十四卷」。檢玉海卷五二咸平館閣圖書目録條注文所載得書卷數同此。續資治通鑑長編卷八五作「一萬八千七百五十四卷」。存異。

15. 正干支之誤

崇儒一之七頁三行，紹興十二年七月「乙卯」條，「乙卯」原作「己卯」，檢二十史朔閏表，紹興十二年七月壬辰朔，是月無「己卯」，據中興小紀卷三〇改。

崇儒六之二頁六行，天禧四年「十二月乙巳」，「乙巳」原作「己巳」，據續資治通鑑長編卷九六、玉海卷二八改。

16. 删誤增標題

崇儒三之一八頁二行，標題「附州學」。檢群書考索·後集卷三〇，載政和五年正月乙丑曹孝忠奏章，即會要此條前後所引之文，會要於一篇奏章中間誤增標題，致使前後割裂，當删去之。

17. 補脱句

崇儒三之一五頁六至七行，「上等從事郎，中等登仕郎，下等將仕郎」。原脱「登仕郎，下等」五字，據本書崇儒三之一一、群書考索·後集卷三〇補。

崇儒三之二一頁一五行，「有方脉，有針科，有瘍科。」原脱「有瘍科」三字，據本書崇儒三之一二補。

18. 正顛倒

崇儒五之二一頁一九行，「王沿上春秋集傳十五卷。」「十五」原誤作「五十」，據續資治通鑑長編卷一一四、玉海卷四〇、宋史卷二〇二改。

崇儒五之三〇頁一一行，「國朝訓典」原誤作「國朝典訓」，據玉海卷四九，建炎以來繫年要録卷四五改。

19. 回改諱字

崇儒三之四頁二二行，「張胄玄」，「玄」字原本避宋始祖玄朗諱作「元」，據隋書卷七八本傳、宋史卷一〇五禮志回改。

崇儒五之二三頁一九行、五之二四頁一四行、五之三四頁八行，「太玄經」均作「太元經」，據漢書卷八七揚雄傳、隋書卷三四經籍志回改。

20. 注、補殘文

崇儒一之二頁三行，「王宫宗子博士，位國子博士之上」。「宗」、「國」二字原爲空格，據建炎以來朝野雜記・乙集卷一三、宋史卷一六五補。

崇儒三之一五頁一七行篇尾，「吴居厚奏，檢會」，此下當有缺文，故出注以明之。

21. 注明年月差異

崇儒五之二四頁五行，至和「三年正月」條，續資治通鑑長編卷一七八繫此條於至和二年正月庚辰，玉海卷六二同會要，存異。

崇儒五之二五頁三行，嘉祐「五年五月」條，續資治通鑑長編卷一八五繫此條於嘉祐二年四月辛未，注文作「六年五月」，存異。

其他因字形相似而誤者，如以「政」爲「改」，以「雨」作「兩」，「孝」作「考」，「請」作「諸」，「詳」作

「許」等等。因字音相同而誤者，如以「禮」作「理」，「左」作「佐」，「但」作「旦」，「河」作「何」等等，皆爲數衆多，不再一一贅述。

附入的現存非會要文字、門類編排等方面，亦作了必要調整，雖不能恢復宋會要・崇儒的原狀，却糾正了影印本中的大量問題。

徐松輯宋會要原稿，歷經徐本人及廣雅書局、嘉業堂整理，特别是嘉業堂，在前人基礎上，已全部完成清本，但經前北平圖書館葉渭清審查，發現其亂改原書，存在衆多問題（詳見王雲海著宋會要輯稿研究第四章），故清本雖仍在世，而不能刊印。

校勘書籍不能不改，又最忌亂改，嘉業堂清本因亂改而失敗，我們當然應汲取其教訓，對校改部分持慎重態度，其中亦涉及删重除衍問題，故對删削文字除在校記中注明外，特附録「永樂大典本宋會要增入書籍考、宋會要輯稿重出篇幅成因考兩文，以説明删除的根據。

整理宋會要輯稿是一項繁難的工作，我們雖然作了一些努力，費了不少心力，但限於水平，難期完美，故請同行專家予以指教，以利其他門類的整理。

點校者

點校宋會要輯稿·崇儒凡例

一、底本與參校範圍

以北平圖書館影印本徐松所輯宋會要原稿爲底本。本校之外，參校前人所批校語及以下諸書：

1. 宋史（元）脱脱等纂修，中華書局一九七七年點校本。
2. 續資治通鑑長編，簡稱長編（宋）李燾撰，中華書局點校本。
3. 皇宋通鑑長編紀事本末，簡稱長編紀事本末（宋）楊仲良撰，臺灣商務印書館所印宛委別藏本。
4. 文獻通考，簡稱通考（元）馬端臨撰，中華書局一九八六年影印本。
5. 建炎以來繫年要録，簡稱繫年要録（宋）李心傳撰，文淵閣四庫全書本，中華書局一九八八年據國學基本叢書本重印。
6. 建炎以來朝野雜記，簡稱朝野雜記（宋）李心傳撰，文淵閣四庫全書本。
7. 山堂群書考索，簡稱群書考索（宋）章如愚編撰，文淵閣四庫全書本。
8. 古今合璧事類備要，簡稱合璧事類（宋）謝維新編撰，文淵閣四庫全書本。
9. 玉海（宋）王應麟輯，清光緒九年浙江書局本。

10. 九朝編年備要，簡稱編年備要　（宋）陳均撰，文淵閣四庫全書本。
11. 太平治跡統類，簡稱治跡統類　（宋）彭百川撰，文淵閣四庫全書本。
12. 太宗皇帝實録　（宋）錢若水等纂修，四部叢刊三編本。
13. 靖康要録　（宋）撰人不詳，四庫全書本，臺灣文海出版社一九六七年影印本。
14. 宋大詔令集　（宋）不著撰人，中華書局一九六二年點校本。
15. 續宋編年資治通鑑　（宋）劉時舉撰，文淵閣四庫全書本。
16. 皇宋中興兩朝聖政，簡稱中興聖政　（宋）不著撰人，臺灣商務印書館所印宛委别藏本。
17. 兩朝綱目備要，簡稱綱目備要　（宋）不著撰人，文淵閣四庫全書本。

二、行款

1. 門名低八格，門名下用小字注明原在影印本之卷、頁，及永樂大典之卷數。
2. 每年開始專作一行頂格，其下加注干支及公元。
3. 每條首行低兩格，編號置於第三格。
4. 每段首行低兩格。
5. 校改符號以國家出版事業管理局所頒校對符號及其用法爲準。

三、類别調整

宋會要輯稿是後人從永樂大典中零星輯出後分門别類排整而成，有編排不當之處，今參照宋人所修前代會要體例，並前此有關編排之意見，略作如下調整：將崇儒類中的卻貢、罷貢二門調入帝系類；存先代後、録諸國後兩門調入賓禮類；出宫人一門調入后妃類。選舉類中之教授門調入崇儒類中。各門次第大體上參考陳智超所擬目録排序。

四、分條、分段

同類同門之下，以年爲單位分編條次，一年之内有一條，編號爲1，有三條以上，編號即爲1、2、3等。一日爲一條，書「同日」者别作一條。

一般一條即爲一段，若一條中有數人上疏言同一事，即按人分段；若一人上疏論兩件以上事，則按所論之事分段；凡所引奏疏甚長，且有明顯分段標志者，亦予分段。凡分段者，不加編號，以與分條相區别。

五、標點

1. 逗號：使用時既要注意文氣，也要注意文義，避免把多重語句點成一句。凡遇月日，在「日」下加逗號。如「九日，」「三月六日，」之類。

2. 句號：使用時須考慮上下文語氣，既要避免把緊相呼應的句子從中斷開，也應避免一逗到底，把無關的内容斷在一起。

3. 頓號：用於並列名詞之間，一般可用逗號代替。

4. 冒號與引號：凡文中有轉録詔令、奏疏者用之，若引文中復有引文，則加雙引號。凡概述詔令、奏疏之意者，不用冒號、引號。引文末尾之標點，置於引號内。

5. 專名綫與書名綫：凡人名、字號、尊號、謚號等人稱，道、路、府、州、縣、城、鎮、寨等地名，宫殿等建築名，民族名，朝代名，年號等均標專名綫，而泛指性的地名如「諸路」、「逐州」等，泛指性的「胡」、「蠻」、「夷」等不用，神名、星名不用。書名、篇章名、律令名、樂章名等，均標書名綫。

6. 分號：能用句號、逗號者盡量不用分號，僅在全文緊接而並列明顯之處用之。

六、校勘與校記

1. 校記序號以〔一〕、〔二〕、〔三〕等排列。序號置於有關詞語之下，校記依次低兩格置於本條之後。校記摘引文字只取可令人理解之詞語，勿需引用過長。

2. 凡本校、他校有異文且影響文意而不能判定是非者，出異文校記；能證明底本誤者，校改後出校記；底本與他書或與本書他處有同事異文而差别不大，或底本不誤而他書誤者，均不出校記。凡有明顯訛誤而無他書可校者，可據上下文義進行理校，但須慎重，並於校記中説明理由。

3. 文字處理：凡底本中之文字筆畫小誤，字書所無，顯系誤寫者，可逕改而不出校；底本中的異體字如「他」與「佗」等，不作校改。凡影響文義的諱字及其他誤字如因諱「玄」而改作「元」等，改正之，字句顛倒者乙正之，並出校記。

4. 删重補脱：凡由誤抄而形成的衍文及脱漏字句，分别予以删補，並出校記説明之。底本有缺年次者，可據他書補入，依例出校。

5. 注文與舊批：底本有誤把正文作注文或將小注誤作正文者，須據底本體例改正出校。對於前人所批校語，凡不能説明問題及誤批者不用；批出原書之誤，經查證可靠者，作爲校改根據之一使用。

6. 凡後人附入的非宋會要原書文字，無論正文、注文，只要所引書現有通行本，如文獻通考、宋史、玉海等，一律删去，並在校記中説明所删文字的書名、卷數、篇名，及在底本中的行數。

目録

崇儒一
宗學 建中靖國元年至嘉定一七年……（一）
太學 建隆二年至嘉定五年……（三八）
崇儒二
在京小學 大觀三年至宣和二年……（七五）
郡縣學 端拱二年至紹熙五年……（七八）
鄉學 太平興國五年至景祐三年……（一四六）
崇儒三
書學 崇寧三年至宣和六年……（一四八）
算學 元祐元年至宣和二年……（一五〇）
律學 熙寧三年至靖康元年……（一五七）
醫學 崇寧二年至宣和二年……（一六四）
畫學 大觀元年……（一八一）

武　學　天聖七年至紹熙四年……（一八三）
崇儒四
勘　書　序文，淳化五年淳熙四年……（二〇九）
求遺書　藏書　乾德元年至淳熙十六年……（二三一）
崇儒五
編纂書籍　太平興國七年至雍熙三年……（二六二）
校勘經籍　淳熙四年至六年……（二六四）
獻書升秩　太平興國五年至紹熙三年……（二六五）
説書除職　講書賜予　景祐元年至嘉祐六年……（三一一）
崇儒六
御　製　真宗、孝宗、光宗　天禧四年至紹熙四年……（三一二）
御　書　淳化四年至淳熙十六年……（三一九）
録　賢　嘉祐二年至紹興三十一年……（三六一）
賜處士號　天聖八年至乾道七年……（三六七）
賜先生號　大中祥符三年至政和三年……（三七四）
賜名　賜第　熙寧三年至紹興間……（三七九）
崇儒七
經　筵　建炎二年至嘉定十四年……（三八〇）

宗學

影印本崇儒一之一至二八
大典卷二一九五二

徽宗建中靖國元年（辛巳，一一〇一）

1. 以世雄、仲爰之言，四月九日，詔復置宗學。初，元祐六年，宗室令鑠嘗乞建宗學，及畢工，以賜蔡確家。至是，令鑠之父、知大宗正事世雄及同知大宗正事仲爰言，願詔有司復依初旨〔一〕，故有是詔。

〔一〕復依初旨 「依」原作「以」，據原書帝系五之一四改。

崇寧元年（壬午，一一〇二）

1. 十一月十二日，宰臣蔡京劄子奏：「乞所在諸宮置學，添教授。逐宮各置大、小二學，宗子世符二學頌〔二〕，添置教授二員。量立考選法，月書季攷，取其文藝可稱、不戾規矩者注於籍。在外住〔二〕而願入宮學者，聽依熙寧詔書、元符試法量試推恩。其學制從本司參定，願入太學、律學〔三〕者亦

聽。應宗子年十歲以上入小學，二十以上入大學，年不及而願入者聽從便。若無故應入學而不入，或應聽讀而不聽讀者，罰俸一月，再犯勒住朝參，三犯移自訟齋〔四〕。即兩人不入學，本宮本位尊長罰俸半月，三人以上併犯者，罰一月，十人以上罰兩月，重者申宗正司奏取勅裁。」一

〔一〕宗子世符二學頌　原書帝系五之一七該劄無此句。
〔二〕在外住　原書帝系五之一七作「在外任」。
〔三〕律學　原作「集學」，據原書帝系五之一七改。又，該門此句爲夾注小字。
〔四〕自訟齋　「訟」原作「下」，據原書帝系五之一七及崇儒一之一三改。

2\. 二十九日，臣僚上言：「竊觀宗子既以三舍考校德行藝文高下，優平之法，即與內外庠序事體一同。緣本司長貳並係宗室臣僚，欲乞諸宮學別以儒臣專提舉學事，或選宗正寺長貳專以學事隸之，庶使上下相維，幾察異論，官師無苟簡之弊，以稱陛下敦叙教養甚盛之舉。」詔諸宮學差宗正寺長貳提舉〔一〕。

〔一〕以下原有玉海注文二行，見該書卷一一二，今删。

三年（甲申，一一〇四）

1. 五月，置睦親宅北宅、廣親宅大學、小學各一員，廣親北宅、睦親西宅、周王宮大學兼領小學各二員。五年，改稱某王宮〔宗〕子博士〔一〕，位〔國〕子博士之上〔二〕。靖康之亂，宗學遂廢。諸宮博士共

十三員，立三舍法。〔三〕

〔一〕宗子博士　「宗」字原脱，據宋史卷一六五、朝野雜記·乙集卷一三補。

〔二〕國子博士　「國」字原脱，據同上書補。

〔三〕以下原有合璧事類注文五行，見該書後集卷四一宗學，今删。

大觀元年（丁亥，一一〇七）

1. 十一月，承議郎、充睦親宅宗子博士勾祖武劄子：「伏見宗學昨已蒙朝廷增復博士員缺，然一學規矩，責在正、録舉行，今止以宗學爲之〔一〕，其學生類皆同宮，見屬糾正申舉之際，未免或有牽制。欲乞凡當宮學生及一百以上處，並依大學辟廱法，差命官正、録各一員，仍以宗子正、録副之。」從之。

〔一〕以宗學爲之　「學」疑爲「子」之誤。

2. 十一月八日，南京外宗正司狀：「承崇寧四年十月十四日敕：『内外宮學正、録闕，並從朝廷差命官。』續承崇寧五年二月四日敕：『内外宮學正、録，可依舊條差補，所有差命官指揮更不施行。』」

二年（戊子，一一〇八）

1. 三月戊午〔一〕，兩官仲琜〔二〕唐突，言宫學無官，宗子三經公試不中，乞特與升補内舍。有詔放罪，而大宗正司、執政當行故也。

〔一〕三月戊午　長編拾補卷二十六，大觀二年三月之注文引錢大昕朔閏考：「是月辛亥朔」，戊午當是初八日。又原書帝系五之二二作「三月八日」，與此相合。

〔二〕兩官仲琜　原書帝系五之二二作「右武衛大將軍、通州防御使仲琜」。

2. 八月三十日，詔曰：「先王寘興，萬民與教，國子之制，比嘗考之，其義不同。大司徒以六德教萬民，而師氏之教國子則三德；以三行教萬民，而於國子則三行而已。詳於訓士，而畧於治親。所教之道殊，親親之恩異故也。崇寧教養宗子法，雖未究盡，然異於天下之士者，親親之恩，有在乎是。今雖嘗倣辟廱、大學，修立制度，可參酌輕重，降於内外學法，使易以跂及，樂於勸向，以示惇宗親厚之意。」宋史長編九月己未，御筆：「宗室升貢試或不中，自今許入國子學。」初，學制局議遣歸本學，止以爲庶士。既得辟雍，不可薄於宗親。故有是詔。

三年（己丑，一一〇九）

1. 三月十六日，朝散郎、禮部尚書鄭允中奏：「乞同宗子中上舍第，而文行有稱者爲宗子學官，

庶幾各從其類，易以表率。」從之。

2. 九月二十九日，御寶批：「知大宗正、同知大宗正事官，既爲屬籍之長，兼見領管勾宗子學事，可並依宗正寺少卿例，詣學提按及簽書本學職事。」

四年（庚寅，一一一〇）

1. 八月乙酉，詔：「宗子升補上舍，係比舊日宗室應舉之人〔得〕解〔一〕，其赴貢士舉試，係比省試。今不經殿試便分三等命官。緣熙豐未有此法，可依貢士已降指揮，並留俟殿試，其上、中等人，遇唱名取旨。」

〔一〕應舉之人得解 「得」字原脱，據群書考索·後集卷三〇補。

2. 閏八月甲寅，工部尚書李圖南〔一〕上宗子大小學敕令格式二十二册。詔付禮部頒降。

〔一〕李圖南 「圖」字原誤作「啚」，據原書刑法一之二四，大觀四年閏八月十八日條，宋史卷二〇四改。

政和二年（壬辰，一一一二）

1. 四月庚戌〔一〕，禮部言：「大觀三年，貢士并宗子上舍與進士同釋褐，就瓊林苑賜宴。今合取旨。」詔宴就辟雍，仍用雅樂，差知舉蔡嶷押宴。

〔一〕庚戌　「戌」原誤作「戍」，據群書考索・後集卷三〇改。

四年（甲午，一一一四）

1. 小學生近一千人，分十齋。十二月，頒小學條制。立三舍法〔一〕。

〔一〕立三舍法　原爲小字注文。

五年（乙未，一一一五）

1. 五月，試小學生優等四人，賜〔同〕上舍童子出身〔一〕。政和學制：宗正卿揔治宗子大小學之政令，少卿貳之。

〔一〕賜同上舍童子出身　「同」字原脱，據原書崇儒二之一補。

重和元年（戊戌，一一一八）

1. 十一月九日，臣僚言：「諸宫學官，承前弊不暇升堂，則例皆傳送口義，令諸齋抄録，以爲文具而已。餘事廢弛，不言可知。欲乞嚴賜誡敕，詔令大宗正司檢察措置。今看詳宗子學官不升堂講書，合從違令笞土科罪〔一〕。今承朝旨，稱有廢慢，重寘以法。欲宗子學博士，應講書不集衆升堂者，增從杖八十科罪。」從之。

〔一〕違令笞土科罪　「土」疑有誤。

宣和二年（庚子，一一二〇）

1. 八月五日，中書奏：元豐法，在京小學止有「就傅」、「初筵」兩齋，無直學等。於是罷二舍教諭，選太學生爲之。

三年（辛丑，一一二一）

1. 六月二十七日，增置西、南外宗院教授。

高宗紹興三年（癸丑，一一三三）

1. 六月二十三日，知大宗正丞謝伋言：「臣嘗讀真宗皇帝實録，咸平間，使輔臣選醇儒授南北宅將軍以經義。其後常遴擇名德之士以充其官。比年以來，選用寖輕，至或久闕正員，簿書期會之吏得

以攝事，使宗室何視以爲模範哉。其大小學教官，欲望明詔三省遴擇儒臣，以專訓導。」詔各選一員。

四年（甲寅，一一三四）

1. 始置諸王宮大小學教授二員。隆興省其一〔一〕。

〔一〕隆興省其一　原爲大字正文。

五年（乙卯，一一三五）

1. 四月七日，同知大宗正事士㒟言：「檢準尚書省劄子，知大宗正事仲琮申請數内一項：『諸宫自來差教授官一十三員，記室一員，即今全闕。今先乞差大學教授二人，小學教授二人，伏望差注。其人從、請給，並依在京法。』有旨依，仍令吏部討論，條具申尚書省。本部將紹興重修格檢揭，即無宗子大小學教授注格。按牘取到大宗正司狀，宫學教授後來改爲宗子博士，序位立班，在國子博士之上，請給、人從，視大學博士。契勘在京係諸王宮大小學教授，今欲依大宗正司供到事理施行。」從之。

2. 二十九日，秉義郎趙公智言：「趙不凡〔二〕先係從義郎，宗學内舍生，有中等校定作免解人數，有旨特與換授宣義郎。公智先係宗學外舍，陞補内舍，若比大學罷三舍恩例，合得免解，至依趙不凡例，换授文資。」詔趙公智〔三〕特换授左承奉郎。

〔一〕趙不凡　「凡」原作「見」，據下文及宋史卷二四七趙士𢞾傳改。

〔二〕趙公智　「智」原作「知」，據上文改。

3.六月七日，禮部言：「諸王宮大小學教授錢觀復奏乞復置宮學，送禮部與所屬曹、部同共勘當，申尚書省。今據國子監狀：『祖宗朝凡宗室事，大宗正司治之，玉牒之類，宗正寺掌之。政和學制書：宗正卿總治宗子大小學之政令而掌之，少卿貳卿之職事。崇寧以來，知大宗正司、同知大宗正事兼領主管提按簽書學事。今來宮學所隸宗正司與宗正寺，即本監難以指定。欲乞取會逐處指定施行。』勘會諸宮教授自嘉祐以來設置。仍立講書、課試、規罰之法，累經兵火，元立一司條法已是散失。見今國子監有政和學制，內該載宗學法令有簡便可行於今者，欲就國子監關借，抄録奉行。所有宗學一司條法，欲乞搜訪，以備採擇合行事目條畫遵守。」從之。

4.七月六日，太常寺言：「大宗正司關稱：已修蓋大小學了當。本寺欲乞今後每遇太廟、別廟大祀，所差宗室充獻言行事前三日致齋，欲依本司條法，於學舍致齋。內前一日於本廟致齋。欲乞申明行下。」從之。

5.八月十九日，諸王宮大小學教授錢觀復等言：「今具本學條畫事件：

一、宗子昔分爲六宅，凡宅又各有學，學皆有官。今行在惟有睦親宅一處，專以居南班官，其子弟之係外官者無幾。所餘外官無宅，散在民居、邸店者，不可勝數。欲盡令入學，則睦親宅見在散居五間，除教官二員各得直舍屋一間外，餘講堂三間，更無齋舍可以容處。欲各就宗子所在講説訓導，非特與民間混雜，所居褊隘，又散漫不一，難以遍詣。欲乞就睦親宅附近踏逐空閑地基，增廣學舍，令應干到行在宗子皆得入學，庶使内外宗子均被教養。

一、契勘國朝自嘉祐三年詔諸宮置教授，治平元年添置講書及課試、規罰之法，其制未備，至崇寧、大觀間，諸宮各置博士十三員，立爲三舍，陞補與貢士一體，其法甚詳。今創復宮學〔一〕，止是行在及紹興府南班，宮邸各置教授二員，嘉祐、治平講書、課試、規罰之法，已經兵火，無有生者〔二〕。今乞删修見今合行條制，付本學以憑遵守施行。

一、宗學法合輪講書。今來宮學大學生人數至少，年格雖及，而經書全未通誦，尚須點授。若遽以大經義講説，則義難開曉，恐成躐等。欲乞且講論、孟，可使易曉，候至稍通經旨，仍舊大小經輪講，庶以漸進，不爲文具。其小學生日逐點授，或作詩對，所有大學生年雖應格，學未成就，亦乞且依小學例點授功課。其有學業稍通，自依大學法。」並從之。

〔一〕今創復宮學　「今」原作「令」，據玉海卷一一二紹興諸王宮學改。
〔二〕無有生者　「生」疑爲「存」。

十二年（壬戌，一一四二）

1. 七月。時因有宗子犯法，乙卯〔一〕，上謂宰執曰：「見宗學教官今日率宗子講書作功課，庶使用心，不爲悪事。」

〔一〕乙卯　「乙」原作「已」，據中興小紀卷三〇改。

2.十月乙亥〔一〕，上謂宰執曰：「今後宗子許於所在入學〔二〕，令與寒士同處，仍別作齋。庶盡變積習，異時文行有可取也」。

〔一〕乙亥　「乙」原作「巳」，據中興小紀卷三〇改。
〔二〕許於所在入學　「於」原作「令」，據群書考索・後集卷三〇改。

十三年（癸亥，一一四三）

1.六月十九日，西外宗正司言：「據宗學教授李若虎申，敦宗院宗學教授與諸州教授事體一同，所有就任、磨勘及薦舉等事，乞依諸州教授條例施行。」從之。

2.七月二十六日，詔：「西外敦宗院宗學教授，許禮部、國子監長貳依諸州教授體例通行薦舉。」

3.九月二日，同知大宗正事士太言：「臣仰惟朝廷崇建大學，教養多士，陞黜之法備具，甚盛典也。而宗子亦蒙遴選師儒，置學教導，其間秀俊，雖可取之人，若未加旌別，或不能自達。欲望許令宗學教官，如宗子有文藝可稱、行己修絜者，保明以聞。乞量材升擢，或賜召試，其文理優長者，特與補授文資。庶幾人人知勸，將見異材間出，以副聖主樂育之意。」上曰：「若令保舉，恐其間有人情。可令保明申尚書省，取旨引試，庶得實才也。」

*4.*十二月五日，禮部言：「知南外宗正事士㴋保明到宗子學諭李軫，在學實及二年，委是文藝卓然，衆所推譽，乞與免解。」詔免文解一次。

*5.*二十七日，禮部言：「昨在京日，有宫學教養在京睦親等宅宗室，在外就西南兩外宗學教養，每遇科場，不以已未有官，並聽赴國子監、轉運司請解，及無官、非袒免親，許赴國子監取應。本部契勘，除内外宗室須應舉取應，自合遵依見行條法指揮外，昨在京日宗子學法係行三舍，後於紹興五年六月内，復置諸王宫大小學。所有見在學教養宗子，許依進士科舉法取應，未出官者亦許入學，聽讀實及一年，方許參選出官，願就舉者聽。」從之。

十四年（甲子，一一四四）

*1.*二月二十五日，户、禮部言：「準同知大宗正事士𥚃奏，乞應行朝在外居住有官無官宗子願入學者，並許令赴宫學。仍依州學例，每日量給飲食。契勘今來應有官無官宗子並許入學，切慮本學難以辯驗指實。欲乞遇有入學宗子，須先經由大宗正司陳乞，令本司審實保明，開具年甲、三代，宫院報宗正寺行下宫學，照會收管。兼契勘在京宗子，分隸六學教養，大小生員，各有立定人額。今欲置大小學職事人各五人，大學生五十人，小學生四十人，通一百人爲額。仍將入學宗子並依州學例，日給飲

食。内在京六學宗子學制，有學規、齋規并小學規，并係增損大學之制，今來合行申嚴遵守施行。」並從之。

2. 十一月一日，禮部言：「諸王宮大小學、祖宗朝睦親等宅宗子學，舊制教授〔一〕，崇寧四年改爲博士。紹興五年復置諸王宮大小學教授，教導諸宮院宗子。宮學教授與宗子博士所掌事體一同，見今遵守。今來乞復正、録。按政和學制書所載：『宗子學正、録，以尊卑序差，即行尊而不任事者，聽以次選』。本學欲乞候修學舍就緒日，依舊制差置正、録。本部欲依所乞。」從之。先是，趙不溢乞復置宗學博士、正、録，於是禮部看詳，從其請也〔二〕。

〔一〕舊制教授　「制」疑爲「置」。

〔二〕以下原有通考注文五行，見該書卷四二宗學，今删。

十五年（乙丑，一一四五）

1. 八月六日，諸王宮大小學教授陳孝恭言：「臣竊觀陛下肇新大學，教養之法，莫不備舉。每歲春秋上丁釋奠，自大學以至郡邑，籩豆簠簋之陳，登降揖遜之節，威儀孔昭，神明顧享。儒者榮觀，莫此爲甚。然臣竊謂陛下親睦九族，建宗子學，置教授官，而每歲宗子不獲與上丁釋奠之列，以覩禮文之盛，誠闕典也。欲望睿旨應行在宗子，每遇春秋釋奠，並令散齋致齋，就太學倍位。所有諸路宗子，隨其寄遇郡邑，亦令與此盛禮，庶幾養成天枝，益見秀傑，豈小補哉！」從之。

十六年（丙寅，一一四六）

1. 六月八日，詔宗子不愦與免文解一次。以西外宗正司言在學二年，文藝卓然，衆所推譽故也。

十七年（丁卯，一一四七）

1. 七月十日，詔宗子子渙特與免文解一次。以西外宗正司言其在學日久，文藝爲衆所推故也。

二十年（庚午，一一五〇）

1. 五月七日，詔宗子學諭公迥特與免文解一次。以知南外宗正事士䛳言公迥在學，實及二年，文藝卓然，衆所推譽故也。

二十六年（丙子，一一五六）

六月十六日，通判泉州黄祖舜言：「仰惟國家祖功宗德，子孫熾昌，懷負才能，固不乏人。然不加之訓導，則雖有忠如朱虚，賢如河間，德行如東平，將無以自見矣。臣竊見仁宗皇帝朝，以吴充爲吴王宮教授，方正清謹，名重一時。嘗於宗司闢除聽事，施設講席，教導有方。秩滿，作宗室六箴以獻，當時命録賜南北宮，縉紳榮之。今西外、南外敦宗院，雖有教授，未嘗講說。宗子無課程之規，徒事虛文，無益治道。臣愚欲乞自今以往，謹擇教官，以經明行修之士充選，間日講說，課習程試如太學之制，歲終以諸生程文真卷繳申禮部，下太學司業博士看詳。詞理優長者，與免文解；文學超異者，特與推恩。教授訓導有功，亦乞量加褒擢。以此激勸，庶有成効，仰副陛下惇忠睦族之意。」從之。

二十七年（丁丑，一一五七）

1. 六月二十五日，諸王宮大小學教授陳棠言：「睦親宅南班官及其子弟講解傳授，舊制具存。向緣創復之初，有司建請，以未能通經，乞且講論、孟，至今逾二十年，唯講此二書。周而復始，學官失於申明，無有以六經講授者。況今學校科舉，正以經術爲先，而宗學講經，自有成法，特未舉而行之耳。欲望令有司檢會宗學法，將大小經仍舊講。」從之。

2. 八月四日，宗正丞吳景偲言：「伏覩陛下偃武修文，崇儒重道，學檢之設〔一〕，偏于幅員。惟是宮學興復，既已歷年，止有敝屋數間，蕭然環堵，釋菜無殿，講說無堂，逼近通衢，又無廊廡，師儒齋几，卑隘淺陋，生徒誦讀游息之地，抑又可知。豈有仙源流衍、英材衆多、傳經肄業之所，乃苟簡如此邪！邇者學官嘗有陳請，事下有司，行移會問，猶未營造。意者官司財用有限，力未能及。欲望捐內府之錢，建立黌舍，以幸宗室。乞於令宮學之側〔二〕，令臨安府計置度量修蓋。」從之。

〔一〕學檢之設　「檢」字疑爲「校」之誤。

〔二〕令宫學之側　「令」似當作「今」。

三十年（庚辰，一一六〇）

1. 孝宗爲建王時，光宗與莊文魏王就傅，以王十朋〔一〕兼小學教授。

〔一〕王十朋　「朋」原誤作「明」，據宋史卷三八七王十朋傳改。

孝宗乾道二年（丙戌，一一六六）

1. 十二月十五日，知西外宗正事趙子英言：「西外敦宗院宗學生公誂等狀，乞依南外宗學已得指揮，於宗子月給將仕郎綾紙内取撥一道，變轉價錢，專充宗學錢糧。乞下福州，依例施行。」從之。

淳熙元年（甲午，一一七四）

1. 六月十五日，西外宗正司言：「訓武郎、主管台州崇道觀趙不塵，因子姪搔擾市户，强取民財，奉旨不塵、善誘送西外，善評、汝資送南外宗學教導。今據宗學教授陶敏功申，不塵年六十六，見患風疾，竊慮醫藥飲食之類不便，别教不測，欲乞許令自便。」從之。

三年（丙申，一一七六）

1. 九月二日，知南外宗正司趙不敵言：「乞依西外宗司公使庫歲給錢數，每次給降不理選限將仕郎綾紙二道，下泉州轉變見錢三千貫文省，付本司充三歲公使，仍自今年爲始。」從之。

四年（丁酉，一一七四）

1. 五月二十一日，詔：「西、南兩外司宗子，元犯兇暴殺人至死、永鎖閉拘管之人，遇恩赦别行取旨外，其不帶『永』字、已經展年人，量元犯經重〔一〕，如已經赦，合行放免者，與放免。」從判大宗正事嗣濮王士輵請也。

〔一〕量元犯經重　「經」疑爲「輕」。

2. 十二月十九日，南外宗正司言：「本司〔一〕昨緣住罷賣酒，公使匱乏，無可支遣。乞依西外宗正司例，歲給度牒。」詔户、禮部於泉州合起發錢内支撥三千貫，其度牒更不給降。

〔一〕本司　「本」原誤作「木」。

五年（戊戌，一一七八）

1. 閏六月五日，詔大宗正司：「諸宫院醫官特令更添置小方脉一員，共三員，宿直祗應。」乾道五年八月十三日，同知大宗正事士錢言：「元差宿直醫官三員，近降指揮減罷，止差小方脉一員。乞依紹興府大宗正行司例，更存留大方脉一員。」至是，本司復請添置，故有是命。

六年（己亥，一一七九）

1. 三月二十八日，新除右監門衛大將軍、忠州防禦使〔一〕、權知大宗正事不息〔二〕言：「蒙恩特換南班，有司創置合陳請事件：

一、不息係外官換授南班，格法不同，所有請給支賜，乞依累政宗官已得指揮，依舊法全給。

一、西、南外宗司皆有公使錢物，唯大宗正司日前多是三公使相知判，各人自有歲賜、公使等物，不曾陳乞。今不息系庶官換授，若不陳請，竊慮陪費不貲。

一、在法，遥郡防禦使不該差破書表客司、抱笏殿侍，蓋爲南班，依官序差破。今來不息係管宗司職事，併趨赴朝參，難以無人使令，乞逐色各特差一名。

一、不息已係轉至朝奉大夫，今年初遇大禮，合該奏薦子孫一名。乞依前宗官令誢已得指揮，於文資内安排。」

詔並從之。内公使錢緣不息官係遥郡支給，令户部每歲特支錢五百貫，候轉官至應給日住支」。

〔一〕忠州防禦使 「忠州」，宋史卷二四七趙不息傳作「惠州」。
〔二〕不悳 原誤作「不息」，據宋史本傳及水心文集卷二六故昭慶軍承宣使……崇國趙公行狀改。

七年（庚子，一一八〇）

1. 英國公未就傅，大理正王尚之乞選儒臣爲東宫小學教授。上令討論典故。正月二十六日，以正字楊暢兼皇太子宫小學教授。

2. 四月十五日，右領軍衛將軍陳龜年，以伴讀皇孫孝經、論語終篇遷秩。

八年（辛丑，一一八一）

1. 七月十七日，知宗正事不悳〔一〕言：「宗室犯罪未至拘管，乞於諸王宫學置『自訟齋』，使之循省。」趙雄等奏：「若附太學『自訟齋』，規矩見成，不勞措置。」上曰：「不若只令〔二〕宗司自盖造。」

〔一〕不悳 「悳」，原誤作「息」，據宋史卷二四七本傳及水心文集卷二六故昭慶軍承宣使……崇國趙公行狀改。
〔二〕只今 疑爲「只令」。

十年（癸卯，一一八三）

1. 五月三日，詔增置小學教授一員，以何澹、鄭鍔同兼。

十二年（乙巳，一一八五）

1. 四月二十四日，澹及羅點〔一〕兼皇孫平陽郡王〔二〕府教授。

〔一〕羅點　原作「羅黠」，據宋史卷三九三羅點傳改。

〔二〕平陽郡王　「陽」原誤作「賜」，據宋史卷三七寧宗紀一改。

十四年（丁未，一一八七）

1. 十二月十四日，權知大宗正事不黯言：「乞將西、南兩外敦宗院及諸郡縣主、宗室、宗女、宗婦合得孤遺錢米，委本路提刑常切覺察，遇有積壓不支去處，嚴催督。庶假監司之勢，宗室獲免饑寒。如有提刑黨庇，遵奉不虔，亦乞施行。」詔令户部檢坐見行條法指揮，申嚴約束，毋致違戾。

2. 十五日，詔大宗正司減後行二人，巡視親事一人，衣糧親事官一人，步軍司差到看管兵士二人。以司農少卿吳燠議減冗食，下敕令所裁定，故有是命。

十六年（己酉，一一八九）

1. 二月一日，詔敦宗院改爲睦宗院。

2. 八月二十九日〔一〕，知大宗正事不黯言：「西、南兩外司官屬，只有宗教一員，係選人，無許舉改官之制。乞特降指揮，許每歲發改官狀一紙，舉宗教。」從之。

〔一〕按淳熙十六年二月光宗已即位，未改元。

光宗紹熙二年（辛亥，一一九一）

1. 二月十四日，大宗正司言：「太保、安德軍節度使、充萬壽觀使、嗣秀王伯圭奏，本位南班宗室合與不合主管事。」詔特依所乞，令就行主管。

2. 六月二十二日，詔皇伯、太保、嗣秀王伯圭除判大宗正事。

3. 七月二十七日，宰執進呈禮部、國子監看詳到王爽乞選擇宗屬附太學教養等事。上曰：「祖宗別設宗學之意，所以優待宗子，自是難令衮同在太學。」先是，諸王宮大小學教授王爽言：「宗庠之

設，凡事具文，有名無實。欲量立數十員之額，於宗屬中擇其年少而未仕，與夫有官而年未及參選、若貧而顧自奮於學者，依國子生附太學例，於太學闢一齋以處之，就於公厨，日添錢糧養贍。月書季考之類，皆可責辦學官，令盡用太學規程。」禮部、國子監看詳：「今若移宮院之學於上庠，又以學官業宗子規矩，即與祖宗舊法不同。且如崇寧元年指揮，罰俸、勒住、朝參等事，皆非用太學規程。兼宮學教授既有專職，難以更責學官兼領。」進呈之次，故聖諭如此。

寧宗慶元六年〔一〕（**庚申，一二〇〇**）

1. 十月七日，詔西、南外宗司官歲舉教授改官，許逐司每任内互舉一次。以知南外宗正不戒、知西外宗正公迥言：「淳熙十六年八月二十九日赦節文：外宗官許歲發改官狀一紙，與本司教授。照得二司宗官教授，皆以三年爲任，初一年可發一紙，至第二、第三年，見在教授不可再發。又别無可舉之官，乞各將任内合發宗學教授舉狀，兩司只就歲發未盡之數，通融互舉。」故有是命。

〔一〕寧宗慶元六年　「寧宗」二字原作「崇寧」，眉批云：「崇寧二字去」。今從原批。而補「寧宗」二字。

嘉泰元年（**辛酉，一二〇一**）

1. 四月十九日，詔將潛邸府改充開元宫并大宗正司，却將大宗正司改作百官廨宇。

嘉定七年（甲戌，一二一四）

1. 五月二十四日，都省言：「本朝典故，在京舊有宗學，西、南兩外宗司亦各建學。渡江以來，西、南兩外宗司置學如舊，而行在宗學尚未修復。」詔三省條具以聞。

2. 八月癸卯，復建宗學，置博士、諭各一人，弟子員百人〔一〕。

〔一〕本條原紀年誤作「開禧七年」，繫於嘉泰元年條後。舊批「案開禧止三年，此七年誤」。據綱目備要卷一四，事在嘉定七年，因移此。

3. 八月二十六日，詔：「臨安府踏逐空閑地建宗學。其學置六齋，生員以一百人爲額。遇補試年分，申請補入，隸祭酒、司業。置宗學博士、宗學諭各一員，前廊職事四員，每齋長、諭各一員。其合行事，令國子監長貳條具申尚書省。」

八年（乙亥，一二一五）

1. 四月五日，諸王宫大小學教授危稹言：「竊惟宫庠乃國家親睦教養之地，伏自紹興復置以來，因陋就弊，闕典甚多。嘗閱按牘，檢會嘉定七年二月二十五日都省劄子：范擇能申請乞將本學殿堂後睦親宅空閑位子壹所，量加修葺，展入宫學，以充講堂齋舍。已劄下臨安府差官相視地段，打量畫成

圖本、檢計工費外，欲乞檢照臨安府已申事理，早賜施行。」詔令封樁庫〔一〕支撥官會三千貫付臨安府，委官同官學計置，如法修蓋。

〔一〕詔令封樁庫　「令」原作「今」。

九年（丙子，一二一六）

1. 十二月五日，尚書省劄子：「勘會昨已降指揮興復宗學，令隸祭酒、司業。今來已將諸王宮學重行建造，合與改作宗學，仍參照國朝典故，宗學舊隸宗正寺，合議施行。」詔將諸王宮學改作宗學，仍隸宗正寺施行。

2. 同日，詔將諸王宮學改作宗學，仍照國朝典故，改隸宗正寺〔一〕。

〔一〕以下原有通考注文四行，見該書卷五七職官一一，今刪。

十年（丁丑，一二一七）

1. 正月十四日，詔：「宗學博士班序在太常博士之下，宗學諭班序在國子正之上，其請給、人從、賞典等，並依國子博士及國子正體例施行。」

2. 三月十九日，宗正寺言宗學合行事件：

「一、本學生員照得期日已迫，恐妨補試。今欲且照已降指揮，將應曾得解宗子附國學補試，後場引試。所有合取員額，候引試訖，具終場人數申乞取放施行。其合格人依太學例簾試訖收供外，有闕額未補之數，合候後次補試，申取指揮。

一、放待補。今欲於逐舉解發人數之外，亦與量放待補，每百人取一十五人爲率，逐處給帖，前來收試。若人數不及，照數取放。

一、外舍生。太學每歲二十人校定一人。今欲以一十五人校定一人，零分亦校定一人。

一、私試。太學每一十人取一人爲合格，零分亦取一人。今欲以八人取一人，零分同。

一、公試。太學通榜二十人取三人，内第二等約三十五人取一人。今欲以五人取一人，内第二等以二十五人取一人。如有外舍校定，方許隨牓撥闕陞補，以未有校定，依太學追補法，如追補不及格，理作校定用。

一、内舍生。太學每一十人校定一人，零亦校一人。今欲以七人校定一人，餘分同。上舍試年分，十分爲優，非上舍試年八分爲優，餘平等次年奏名，若未有校定，不該陞補者，以所得分數歲終理爲校定。

一、上舍試。太學間歲一試，每一十人取三人，分優、平二等。約一十三人取一人入優等。武學三歲一試，每三人取一。今宗學人數不多，欲以三年一放舍試，亦與三人取一人。内舍須及一十人，方放優等一人。

一、解試。滿年外舍生，太學約一十三人取三人。照得宗子赴監試，係七人取三人，今欲以宗學滿年生依監試例，七人取三人。

一、兩優。今欲以兩入優等人許赴殿試，除宗室舍得陞甲外，視科甲高下補官，仍特與堂除教官差遣。外有中等、下等上舍，亦與依守年法赴廷試，並隨科甲高下補授。宗室自有陞甲陞名體例，更不用攀用太學上舍恩數。將來生員增多，内舍及二十人以上，所有兩優恩例，却申取指揮。

一、每月私試差官。今照監學訓，合差宗博、宗諭充考校官，宗寺長貳輪充監試，外有封彌、謄録官，合委本寺丞、簿輪充。緣本寺簿時暫兼宗學諭，若令封彌、謄録，委有相妨。今欲將封彌、對讀以丞充攝外，其謄録權差本學監門使臣兼監。所有逐官，從例合破添給食錢，本學卷子數少，欲照監學官例權從半支給。其使臣本學量行支破，候成次序，别差宗諭。其丞、簿却照監學例施行。

一、補試差官。今照得太武學補試，本學除留正、録一員在外主行規矩外，餘官盡行入院考校。今來本學只有博士及宗諭共二員，並合入院。照得初放補試，卷子必多，竊慮考校不辦，欲就院内共考校及封彌、對讀、謄録官，亦乞就差監試簾外官。

一、每月私試及公試、補試納到試卷，照得卷子，兼合用印，所有木龊印、條印，乞照國子監例徑行雕造外，所有試卷并封彌、謄録，印記行下所屬鑄造。

一、齋舍講堂，合行命名。今欲權作四齋爲額，從本學官撰擬，作立愛、貴仁、大雅、信厚。堂名作明倫。

一、職事。今欲通置學正、學録各一人，仍兼直學、學諭，各月給三千；每廊齋長〔二〕、齋諭各一人，月給各一千。照得宗學建立之始，方行收補生員，所有大小職事，本學即未有校定分數可差，候補試開牓後，權於三名前選差屬行稍高者充長諭，權兼前廊，仍候歲終校定及將來私試第一人、公試三名前，從本學正行差補。

一、吏額。今欲差置職級、手分、楷書、正録司各一名，共以五名爲額，除本學見管二名元額與理年遞遷，餘三名欲於他處官司且權行踏逐抽差能書寫諳知行遣人補充，仍照寺監體例訖遞遷。所有各人請給，欲照宗正寺見幇勘胥史資次等第，内職級依本寺正胥史例，手分依正胥佐例，貼書、楷書並依權貼書例，正録司依國子監正録司例請給支破外，其職級年勞、解發恩例，取自朝廷指揮，送敕令所修定施行。

一、諸色等人。照得本學已立學舍，所有官錢物、書籍、柴米等，合差置專知官一人，於刑部差副尉充，立界更替。庫子一名，同共掌管，攢司一名，並要能書寫攢筭。内攢庫仍各召保職，委有行止、無過犯，庫子須要有家産抵當人。公厨并供學官厨子共二名，飯局擡盤子一名，茶酒司一名，兩廊四齋共且置正齋僕二人，貼齋四人，甲頭一人。逐人合支月給錢等，並乞照監學請月給則例支破。

一、監門、監厨、巡防軍兵等。合欲臨安府差指揮一員充監門〔二〕兼監厨，及於本府差撥將兵一十人充巡防看管，半年更替，差二人充把門子。

一、逐月私試，并以後公試、補試等。今欲照監學例，且招置書鋪二名，遇試投納試卷及充謄録。

一、每月私試，合差謄録人。今照兩學例，就差本學書鋪外，仍於吏部差書鋪五名，試日卷子多寡，却令本學募人。

一、在學生員，合日破羊、菜、柴、米等，今欲照兩學三舍生體例支破。

一、養士錢米。今宗學興復之初，支費未有定數，生員未有校定，上舍、内舍欲且五十人爲額，陞供依外舍生例支破，及學官每月私試考校，并顧僕、雜支、審糧等錢内有從半支給外，一年約度共費四十五百餘貫文〔三〕，米二百五十餘石。乞下户部相度，於放補試日行所屬作料次逐旋支撥樁管，本學置歷收附，斟酌多寡，具數申宗正寺關支。委本寺丞點對，送學官差庫照數支撥，仍每月開具日支錢米申寺，候歲終齎赤歷帳狀干照赴寺，驗數照對消豁訖，具申朝廷，別行支降施行。

一、照得已降指揮，宗學仍隸宗正寺施行。所有本學應干合行事件，並乞照禮部國子監、太武學體例施行。」

並從之。

〔一〕每廊齋長 「廊」原作「廓」，據本條下文改。

〔二〕充監門 「充」原作「先」。

〔三〕四十五百餘貫文 「四十」疑爲「四千」。

3. 二十七日，國子監言：「承左右司牒到提轄行在榷貨務都茶場趙汝伋，有親子崇鞏、親侄崇揆、崇總，并臨安府保明申到通判臨安軍府事趙汝适，有親子崇縝、崇徇，監行在榷貨務都茶場趙師固親子希允，並乞赴本監補試。照得前舉識事釐務官，牒到宗子赴國子生補試〔一〕，緣未立宗學，本監已行收試了當。今有宗學見行開補，所有宗子月書季考等，並照大武學〔二〕體例施行，亦合有在朝職事釐務官牒試宗子、國子補試項目。緣昨來宗學失於申明上件項目，是致逐官牒到宗子赴國子補試。本監難以收試，申取指揮施行。」

宗正寺看詳：「補試宗子，照得在朝職事釐務官如係宗室，自合牒宗學收補。」詔送宗正寺照應收試施行。

〔一〕宗子赴國子生補試　「赴」原作「趙」，據本條下文改。

〔二〕大武學　「大」疑爲「太」字。

4.二十八日，宗學博士危稹言：「本學元係諸王宮大小學，已降指揮，改爲宗學。其生員見行補入，所有昨來諸王宮學承大宗正司訓遣到聽讀生員，内未曾請解人，委曾在學聽讀，係轉入大小功課簿生員，通約不過一二十人，亦當念其向學之心，欲與許赴今來補試。」從之。

5.四月二十日，宗學補試所言：「宗學生補試，檢照已降指揮，應舉取應曾得解，并在朝職事釐務官牒試宗子附國子試，後場引試，所有合取員額，候引試訖，具約場人數申取指揮施行。今來已引試經義、詩賦一場，攄封彌所申，終場人數共五百二卷。乞指揮取放人數。」詔通放三十名。

6.二十四日，宗學博士危稹言：「昨備申終場人數，去後恭被省劄，通放三十人。以終場五百二人論之，其數誠爲稀少，難爲取放稍多。特宗子解試，例是七人取三人，省試則七人取一人，其選取之路本寬。今國家加恩皇族，又置宗庠，使由舍選以入，可謂隆厚，而制必稍優，以示勸厲。不敢比類解省試陳乞，止乞十人取一人，增放五十人。庶幾上副朝廷建立宗學之初意。」詔更增一十名，以四十名取放。

7.二十八日，宗正寺言：「宗學博士危稹、主簿兼宗學諭錢撫劄子：『本學自補試放牓一日後，即行簾引，於四月三十日□□陛供。可預霑季者，止有一十三人。五日後，雖間有參學人，即不在霑季之數。今來合引私試，方議區處，告假求去者，日有其人。扣所以然，皆云人數既少，又多孤經，月試限以八人取一人，則一日纔可取二人。外舍限以十五人校定一人，則一歲纔可校一人。其選既艱，無以爲銖積寸累之地。竊覩朝廷所以興復宗學之意，本以加恩皇族，宜有優異，以示激勸。緣宗子進取之塗素寬，難以太學舍法律之。况太學雖約一千四百人爲額，而住學者多止三百餘人。其外舍校定約七十人，則是名曰二十人校一人，實則四人以校一人。故本學向來條具，乞用武學舍法，每月私試與每歲外舍校定，皆欲以一十人取三人。比之太學，雖若稍優，然宗子皆是實在學者。太學以實住學者四人以上校一人，本學以實在學者三人以上校一人，其所增初不爲多。若依今來所乞，以見霑季人計之，歲終外舍校定，亦不過四人而已。乞照武學舍法取放私試及校定人數。俯念立學之初，宗子在學數少，特與照武學例放行，候將來補滿一百人元額，却行别議規制。

一、本學補試，節次承降指揮，取放四十人。今來已有生員共一十三名，簾試參學了當，內一名〔一〕爲患出假外，見共一十二名〔二〕私試。承已降指揮，八人取一人，零分同。今生員止有一十二名，若照上項分數，只合取二名，無以示立學勸勉之意。照得武學私試，十人取三人。今來若照武學例取放，亦止該取四名。本學校定，承已降指揮一十五人校一人，見今住學生員〔三〕共一十三人，若照上項校定人數，尚未該校定一人。照得武學外舍生例，十人校定三人，零分亦校一人。今来若照武學例，併筭零分，亦止該校四人。更合取自指揮』。

本寺照得宗學建立之初，參學生員尚少，若不權從所申，則無以示勸誘之意」。

詔權依宗正寺所申，候將來取放生員及額日，却依元降指揮施行。

〔一〕名 「名」原作「右」，據本條上下文意改。
〔二〕共二十二名 「共」原作「供」，據本條上下文改。
〔三〕住學生員 「住」原作「往」，據本條上文改。

十一年（戊寅，一二一八）

1. 二月二十日，宗正寺言：「宗學申本學公試已降指揮，照武學例附太學公試場引試，所有試院合支公使、支供等錢，并雜物、油、酒等，今比擬下項：一、公使喫食等錢，今欲比附武學公試合支則例。一、宗正寺長貳入院陞補并將帶人吏，今欲比附國子監長貳入院陞補并將帶人吏則例。一、院内主行文字人吏二名，食錢、犒設等，并就差諸色祗應人合得引試犒設，今欲比附國子寀手分貼司并武學引試祗應等人合得則例。一、應干合用紙札、朱紫、柴炭、油、酒、雜物之類，並乞從諸司官比擬條具數目支撥施行。」從之。

十二年（己卯，一二一九）

1. 五月十九日，宗正寺言：「宗學職級年勞解發恩例，照得國子監人例，年滿格法，係補職級及五年，通入仕及三年，解發赴吏部補官。今來宗學與國子監事體一同，所有人吏年勞、試補、比換等事，乞依國子監見行格法體例施行。」從之。京官司欲照六曹寺監一體施行。從之。

2. 八月三日，臣僚言："大宗正司專糾合宗盟之職，所宜望實素著，乃能觀聽具孚。今以嗣秀王兼總，深爲允當。乞今後除授知宗，須擇老成更練之人，庶幾肅示表儀，同歸信厚，尤稱陛下彊宗之意。"從之。詳見宗室雜録。

十四年（辛巳，一二二一）

1. 三月八日，類試宗學公試所言："宗學興復之初，補中生員四十人，公試取放，每十人取放四人。嘉定十一年公試，終場三十二人，申明朝廷，令第二等取一人，第三等取放二人，餘九人並作四等。嘉定十二年，公試終場二十六人，再行申明，於第二等、第三等内各增放一名。十三年公試十六人，亦依十二年例取放。今來公試五十二人，所乞第二等、第三等各行增添取放。兼照諸經多寡不齊，通融混取"。詔："宗學公試與於第二、第三等内，更添放一名，餘並作第四等取放。仍將諸經通融混取。"

2. 四月一日，從事郎、行宗學諭范楷劄子奏："臣備數宗庠，職在訓諭。茲遇陛下加惠同姓，增廣黌宇，經始不日，幸已落成。橋門顯敞，堂廡深邃，規模鼎新，群目增煥，甚盛舉也。然學館雖盛，而教養之事猶未盡備，臣不容不冒昧言之。臣聞五學之建，上親爲首；同姓之蕃，近屬尤親。國家始立宫學，所以訓諸王之近屬；繼創宗庠，所以徠四方之宗親。因其初意，而增崇之，非固欲使新間舊，疏踰戚也。今睦親之宅廣爲學宫，教授之官轉爲博、諭，曩之宫學，一變而爲宗庠矣。由試而入者，則預教養，而前日近屬之親，嘗列爲弟干員者〔一〕，反不獲周旋於其中。一遇講説，僅得旅進退於館下，寄一食於公庖而已。雖有勤敏嗜學者，思欲登名於籍，有不可得，甚非國家親親之始意也。

又况學校之廣，十倍於前，而養士尚仍其舊。區宇宏大，弦誦寂寥，亦非所以崇教化、肅觀瞻也。曩者中興，初建太學，每歲二補，其後歲一補，又其後始三歲一補，著爲定式。蓋創建方新，招徠貴廣，理所當然。今必拘三歲而一試，復限以已請舉之人，員額不寬，来者宜少。夫親者既不獲與，疏者又未盡来，雖儒館之新，恐直爲觀美耳。

欲望聖慈俾前隸宫學諸生，並特許附公私試。其公私試皆中選者，即與正補宗學生。凡隸宗盟者，仍於今歲特與放補一次，不以請舉爲限。因復諸王宫大小學教授一員，以廣訓迪。俾諸王近屬之子孫年十五以下者，亦許試小學生。如是，則遠近宗屬皆相免，以興於學，以厚人倫，以睦同姓。顧不韙歟，臣不勝拳拳。

後批：「送部勘當，申尚書省。」本部連送國子監勘當，今據本監申送衆官聚議：「今據宣教郎、國子博士許應龍等狀，申令聚議，開具申禮部，備申都省，取自朝廷指揮施行：

一、范宗諭奏劄，乞將前隸宫學諸生並特與附公私試，及諸王宫子孫年十五歲以下者，亦許試小學生，仍復諸王宫大小學教授一員。今聚議，照得宫學舊有教授，所以訓諸王之近屬，今宫學改爲宗庠〔二〕，教授轉爲博、諭，四方之宗親由試而入者，皆預教養，而近屬反不獲預，申請委實允當。今欲乞復置教授一員，以廣訓迪，仍今舊籍宫學諸生，並特附公私試。如兩試皆中，與補宗學生員。十五歲以下，亦許試小學生。庶幾親疎宗屬、長幼子孫皆被作成之賜。

一、奏劄内又乞特放宗學補試事。今聚議，證得宗學昨來只與已發舉人就補，所以来試者寡。雖兩次取放，僅得九十名。自今在學，不滿三十人。今来學舍增創，十倍於前，合廣招徠之路。欲從所陳，證太學初建體例，特與放補一次，不以已請舉爲限。於今秋附試場，排日引試，仍乞先期行下諸路州軍曉示施行。

本監所攄衆官聚議，申到事理，備録在前。今勘當欲從衆官聚議申到事，備申都省，取自朝廷指揮施行。」

詔從禮部勘當到事理施行。劄付宗學。

〔一〕弟干員者　「干」疑爲「子」。

〔二〕宗庠　原誤作「宗祥」，參照前文改。

3. 七月十四日，宗學言：「太學〔一〕體例，有醫官二名，以爲坐齋諸生緩急療治之備。今來宗學規模增廣，生員衆多，雖收太醫免解生邵良臣一名，未曾申明請給，是致本人未專奉職。今照得太學有醫官二名，分番宿直，每名除本監月支審糧錢五貫文外，有合藥等錢，係屬左藏庫帮支。昨收太醫免解生邵良臣，每月亦於本學支給審糧錢五貫文，所有合藥錢，乞下所屬帮收。」從之。

〔一〕太學　「太」原作「大」，據本條下文改。

4. 八月十三日，都省言：「仍復諸王宮大小學教授一員。照得樞密院編修官正除，特與命詞給告。今来諸王宮大小學教授，亦合一體施行。」詔：「今後正除諸王宮大小學教授，特與命詞給告。」

十六年（癸未，一二二三）

1. 十一月十九日，都省勘會：「行在大宗正司，近朝廷科降錢物，鼎新修盖，已一切圓備，合議指揮。」詔：「令知宗、宗丞自今後照百司例，每日入局，不許在内居止，亦不許轉借與人充解」。

十七年（甲申，一二二四）

1. 正月二十七日，詔將宗學上舍與注教官差遣，仍在太學曾陞補内舍人之次注書。

先是，臣僚言：「國家中興，文風尤盛。故雖麟趾之公子，亦皆亹亹學問，博古通今，英材輩出。陛下首建宗學，置儒師之官，嚴書考之法，甚盛舉也。故近者宗子繇宗學而出官者，援舍選之例，得爲教官，誠是也。而宗子之在殿試科甲而爲教官者，亦絶無而僅有。臣謂天族貴胄，非寒素之士，師資之間，誠意不接，則責善之道，或致相夷。故宗子之在舍選者，宜證殿試前名，優與差遣。其州郡教官，並不得差宗室。」

既而，都省送國子監看詳。國子博士胡剛中等聚議：「宗室殿試第一甲人許注教授，係自乾道年，著令分明。宗學生由舍選而注教官，則始自近年復建宗學之後。比因臣僚奏請，今宗子在舍選者，宜證殿試前名，優與差遣，不許注授教官。都省批謂：『殿試第二至第五人及太學兩優釋褐人，並補文林郎、從事郎注職官，自第六名以下，除教官外，止注判、司、簿、尉，若別議優與差遣，竊慮階官資序，有礙銓法。』竊詳都省所批，見得事理分明。臣僚優異之説，若與注職官，委礙銓法，若不許授教官，止令退而注判司、簿、尉，則非惟無以稱優異之説，而殿試甲科、宗學舍選，却恐遂成虚文。」

故有是命。

2. 六月三日，臣僚言：「臣聞上之開設學校，貴乎教養之兩盡；下之講明學問，貴乎師生之相資。師生日親，則教養無愧矣。臣讀學記曰：『凡學之道，嚴師爲難。師嚴然後道尊，道尊然後士知敬其學。』三代之學，所以淑人心、粹化原者，亦惟範模之功是賴。仰惟國家設成均以風四方，創建宗學，爲我宋億萬斯年之計，猗歟休哉！士生斯時，魚躍鳶飛，抑何幸邪！謂宜涵養作成〔一〕，光明儁偉追棫樸，官人之盛衍豊水，數世之仁，超邁前古可也。而臣拳拳愚忠，有願爲陛下〔二〕告者。

臣起自諸生，粗識學校事體。有司成以總其綱，列官師以任其職。月有私試，必公心去取，使營求者不得以行其私；旬有堂課，必詳與批抹，而傳齋者亦足以示其勸。點請生員，以扣擊其所得；反復問難，以考驗其所蘊。朝夕接密，而師生舉無隱情。聞見既廣，則器識自充。異日致君澤民之業，實基於此。

今乃不然，臣不欲悉數其故。長貳有兼職〔三〕，間不入局，則學官足纔及直舍，而旋即命駕矣。不聞延見佳士，尚何考德問業之可望？還舍既不許接見生員，自應質疑辯惑之無因。規矩昭揭，固非所以繩善類也，不肅則踰者無所忌憚。出假者節，蓋欲其一意肄業也，不檢者乃肆行而自貽伊感。試有得失，各安其分可也，彼黠者，乃誣謗喧傳，至於下有司究問，此何等士風而見於有道之世耶？負陛下教養之恩多矣。今之宗室非不備，餼廩非不豐，識治者謂有養而無教，是誠可咎耳。昔韓愈晨入太學，招諸生而誨之，視此寧無愧乎？

臣受恩思報，有見輒言，事有關於風化之大者，尤當不避仇怨。欲望聖慈下臣此章，以示三學。使知以天子學校爲念，以諸生講明學問爲急，勿狥私情，一洗舊習，丕變士風，不勝斯文之幸！」詔從之。

〔一〕謂宜涵養作成　「涵」原誤作「涵」，據文意改。

〔二〕陛下　原誤作「陛下」。

〔三〕兼職　原誤作「兼識」。

本門點校者　程民生
審訂者　王雲海

太學

影印本崇儒一之二九至四九
大典卷二一九四五　二一九四六　二一九四七

太祖建隆三年(壬戌,九六二)

1. 六月,以右諫議大夫[一]崔頌判監事,始聚生徒講學。帝詔中使以酒菓賜之。

[一]右諫議大夫　「右」字,長編卷三、群書考索・後集卷二六皆作「左」字。

開寶八年(乙亥,九七五)

1. 國子監上言:「生徒舊數七十人,元奉詔令分習五經,内有繫籍而不至者,又有住京進士、諸科,常赴講席。緣監生元有定數,欲以在監習業之人補充生徒。」詔令元繫籍而聽習不闕,得于秋賦,繫籍而不至者,聽於本貫請,其未入於籍而聽習者,或有冠裳之族不居鄉里,令補監生之闕。宋初增修國子監學舍,周顯德二年,以天福普利禪院建國子監。修飾先聖、十哲像,畫七十二賢及先儒二十一人像於東西廊之板壁。

真宗大中祥符二年(己酉,一〇〇九)

1. 四月,國子祭酒邢昺言:「欲望自今〔一〕補蔭出身人,將來差遣,並須先於國學聽書二年,候滿日,本學牒送審官院,依條試驗,方與差遣。」詔國子監,如内有年及二十五以上,願就差遣者,試習經書。或有講學,據其所業考試聞奏。

〔一〕自今　原誤作「自令」。

仁宗慶曆二年(壬午,一〇四二)

1. 閏九月,天章閣侍講、史館檢討王洙言:「庠序之設,教化所先。自頃學徒未遜師業,國子監每科場詔下,許品官子弟投保官家狀,量試藝業,給牒充廣文、太學、律學三館學生,多或至千餘人,即隨秋試召保取解。及科場罷日,則生徒散歸,講官倚席。若此,但爲游士寄應之所,殊無國子肄習之法。居常講筵,無一二十人聽讀者。以聖朝經籍道崇,儒雅日盛,豈兹學校弗著彝規,必若稽於唐、漢,率之令典,則慮改作爲重,尚難丕革,誠能少加程約,亦將有所招來,況之前日,漸可馴致。欲望自今應國子監,每遇科場敕下,授納取解家狀日已前,須實曾附本監聽學滿五百日者,許投狀,令本授業學官取文簿勘會詣實,依例召京朝官委保,方得取應。每十人之中與解三人。其未係監生,欲求試補者,亦不限時月。每有一二十人投狀,即逐旋量試藝業收補,只令在監聽學,簿管姓名,仍每日講筵。應係聽讀生徒,並於本監授業學官前親書到歷。如遇私故出入,或疾告、歸寧,並於判監官處具狀乞假,候迴日於名簿開記請假日數。若滿一周年已上不來參假者，除落名籍。大率數年一遇科場，若聽學五百日者許取文解，在其間游息之日多矣。然於學校之版，齒位之叙，必衆於今日也。願下學官參議施行。」詔國子監詳定以聞。

本監請：「自今去經試補學生並依起請，聽讀滿五百日方許取解。已得國學文解，省試下者，止聽讀一百日許再請解，並十人與解三人。所有逐日聽讀親書到歷，如有請假託人代書，其不到及代書人實殿三舉，仍落名籍。學官故縱者，科違制之罪。律學即日一仍舊制。釋奠先聖，學官帥生員陪位，近歲多不遵行，自今每遇釋奠，見在監聽讀生員並須陪位。學徒羣居，宜較文藝，以激進修。自今後每月兩次，輪差學官兩員出題目量加考試，第其優劣。唐置六學，皆品官子弟充員，其庶人子弟亦有四門學。今國學除七品已上子孫許召保官試補外，八品以下至庶人子孫例不收補。自來雖有此條貫，每遇科場多有冒稱品官子孫，難以詳別，致容假妄，或興訟訴。自今欲依倣唐制立四門學，以八品以下至庶人子孫補充學生，不唯漸革偷薄，亦以示國家育材之廣也。附監生徒聽讀已久，須正係生員名籍，自今每歲一補試，差學官鎖宿封彌〔一〕，精加考校，取文理相通者具名聞奏，給牒收補。内不合格者，且令理日，依舊聽讀，後次與試。若三試不中者，便不在試補之限。」從之。

〔一〕封彌　「封」原誤作「對」，據通考卷四二、宋史卷一五七改。

三年（癸未，一〇四三）

1. 十一月一日，詔國子監、太學、天下州縣學生徒，更不立聽讀日限。近制興學校，選儒士充教授，

咸有課試之法，而諫官余靖極言其非便，故有是命。〔一〕

〔一〕此條據原書眉批補入。

五年（乙酉，一〇四五）

1. 正月十二日，有司上言錫慶院不可廢，詔三司別擇地，乃以馬軍都虞候公宇爲太學。

皇祐三年（辛卯，一〇五一）

1. 七月四日，詔：「太學設官，專以教導爲職，比歲增以房宇，賜之土田，許置内舍生二百名。如聞未能充數，令宜以百人爲限。」〔一〕

〔一〕此條據原書眉批補入。

神宗熙寧元年（戊申，一〇六八）

1. 正月，諫官滕甫〔一〕、劉庠並言：「慶曆中，太學内舍生二百員，並官給日食。近年每人只月支錢三百文添厨，其餘自備，比舊所費殊寡。即今補試諸生一百五十人，方撥四五十人入學，足二百員

數，餘試中未入學者，尚百餘人，遠方孤寒，待次多日，却歸鄉里，奔馳道路。今太學齋舍空閑甚多，欲乞增置生員一百人，作三百數。況本監歲收租課，足以供贍。」又諫官吳申言：「今太學生徒以二百人爲限，其數嗇狹，遠方之士逾年待次。伏乞學生不限員數，庶使嚮儒日盛，流化天下。」詔申、庠再參定。申等言：「欲於内舍生二百人外增一百員，名外舍生。逐旋補試，且令入齋聽讀，仍不給官中貼厨錢，候内舍生有闕，即將外舍生撥填。如此則有廣朝廷育材之意，亦不違先降學制。」從之〔二〕。

〔一〕滕甫　原作「滕中」，據玉海卷一一二、群書考索・後集卷二七改。

〔二〕此下原有群書考索注文一三行，見該書後集卷二七士門。玉海注文一行，見該書卷一一二建隆增修國子監條，今删。

四年（辛亥，一〇七一）

1. 十月十七日，中書門下言：「近制，增廣太學〔一〕，益置生員，除主判官外，直講以十員爲額，每二員共講一經，委中書選差或主判官奏舉，以三年爲任。選人到監五年，與轉京官。或教導有方，職事不修者，並委主判官聞奏，當議陞黜。其生員分三等：以初入學生員爲外舍，不限員。自外舍升内舍，内舍升上舍，上舍以百員〔二〕，内舍以二百員爲限。其生員各治一經，從所講之官講授。主判官、直講逐月考試到優等舉業，並申納中書。學正、學録、學諭仍於上舍内逐經選二員充。如學行卓然尤異者，委主判及直講保明聞奏，中書考察，取旨除官。其有職事者，授官訖仍舊管勾，候直講、教授有闕，次第選充。其主判、直講、職事、生員並等第增添支食錢。」從之。

〔一〕太學　「太」原作「大」，據長編卷二二七改。

〔二〕上舍以百員　「上舍」二字原脱，據同上書補。

2. 二十八日，詔殿中丞宋靖國、贊善大夫呂嘉問相度錫慶院，建太學。從御史知雜鄧綰所請也。綰言：「國子監粗容春秋釋奠，齋庖之室，不足以容諸生。至於太學即未嘗營建，止是假錫慶院西北隅廊屋數十間，逼窄湫隘，又官司未嘗葺治。今大新學制，學者聞風坌然畢集，恐不足以容，乞特賜錫慶院爲太學。」故命相其地建之〔一〕。

〔一〕此下原有通考注文一〇行，見該書卷四二學校考，今删。

高宗紹興十二年（壬戌，一一四二）

1. 十一月十二日，詔太學養士，權於臨安府學〔一〕措置增展，其格法令禮部討論。先是，屢有臣僚言宜復太學，以養育人材，上以戎事未暇，至是乃有是命。

〔一〕臨安府學　「學」字原脱，據繫年要録卷一四七、宋史全文卷二一上補。

2. 十二月十二日，詔太學養士權以三百人爲額。禮部討論國子監養士：國初取補國子，三百人爲額。慶曆三年，仍立四門學，以士庶子弟爲生員。嘉祐三年，以四百五十人爲額。七年，增一百五十人。慶曆五年，爲太學。皇祐三年，許置内舍二百人。熙寧元年，以四方士人盛集京師，遂以九百人爲額。四年，以一百員爲上舍。至元豐以來，養士以二千六百人爲額：上舍一百人，内舍三百人，外舍二千人，國子二百人。昨來行在監學止以元隨從車駕三十六人爲學生，故有是命。

3.同日，又詔行在監學置祭酒、司業各一員，太學博士三員，正、録各一員。

十三年（癸亥，一一四三）

1.正月癸卯，以岳飛第爲國子監太學。前洋街。堂一曰崇化，淳熙十六年二月，改今名。齋十有二。提身至時中。高閌擬齋名在二月乙酉。舊太學七十七齋。

2.二月己卯〔一〕，國子司業高閌言：「陛下復興太學，凡養士、取士之法，當取聖裁。」上曰：「自有祖宗成法。」閌曰：「有慶曆、元豐、紹聖、崇寧法，有司未知適從。若出於聖裁，則行之乃久。」閌又奏：「舊太學辟雍，皆有御書，今亦乞建閣以藏御書，仍願特灑宸翰，加惠多士。」時詔太學額外補中之人許令待闕，候見闕日與參長假人對撥，至科場年許赴監，依不滿年人例取應。

〔一〕二月己卯　繫年要録卷一四八作二月庚申。

3.二月二十二日，詔：「補太學生，以諸路住本貫學滿一年、三試中選、不曾犯第三等以上罰，游學者同。或雖不住學而曾經發解，委有士行之人，教授委保申州，給公據赴國子監補試。其今秋〔二〕四方士人來就補試，恐有已到行朝或見在路，其間有不曾住本貫學之人，難以阻回，權將執到本貫公據人許補一次。」從國子司業高閌請也。

〔一〕今秋　「今」原誤作「令」。

4. 同日，國子司業高閌言：「今參合條具太學課試及科場事件如後：第一場，元豐法紹興、元祐、大觀同，本經義〔一〕三道，論語、孟子義各一道。今太學之法，正以經義爲主，欲依舊。第二場，元祐法，賦一首，今欲以詩賦。第三場，紹聖法，論一首，策一道，今欲以子、史論一首，並時務策一道，爲三場，如公試法。」詔從之。

〔一〕本經義　「本」字，繫年要録卷一四八、宋史全文卷二一中均作「大」字。

5. 同日，國子司業高閌言：「契勘太學補試，依元豐法，合試經義一場。宣和法同。今爲士人，多習詩賦，鮮通經義〔一〕，難以純用經義收補。其舊習經義士人，或不習詩賦，又難以純試詩賦。竊見仁宗皇帝朝，判國子監胡瑗所補監生，只試論一首。今秋〔二〕補，欲權依此例，且試論一道，係是經義士人素所安習，庶幾均一。自紹興十四年，奏補〔三〕並依元豐法。伏望睿斷，以幸學者。自今日始〔四〕，永爲定式。」詔從之。

〔一〕鮮通經義　「鮮」原誤作「解」。
〔二〕今秋　「今」原作「令」，據玉海卷一一二改。

〔三〕奏補　「奏」原誤作「秦」。

〔四〕自今日始　「今」原誤作「令」。

6.二十七日，國子司業高閌言：「在京太學講堂及諸齋名，並係神宗皇帝所賜。今來崇復國學，已興修一堂，欲以敦化，並在京太學齋名七十有七，今來已興修一十二齋，欲擬禔身、服膺、守約、習是、允蹈、存心、持志、養正、誠意、率履、循理、時中。」從之。

7.三月三日，國子司業高閌言：「臣聞先王謹庠序之教，必先申以孝悌之義。國學舊法，或犯不孝、不悌，固不在入學之限，而在學九年不歸省侍者，則斥而出之。徽宗皇帝概念九年之遠，非所以敦其養親之心，特降御筆，立爲三年之限，匿而不陳，仍重其今〔一〕。其法藏於有司，今尚存也。自罷舍法之後，專用舊制，而此法遂不復行。今國學落成有日，駿惠前烈，以章孝治，此其時也。願詔有司復立三年之限。」從之。

〔一〕仍重其今　「今」疑爲「令」之誤。

8.四月五日，詔太學補試及私試，並用謄録。從左迪功郎張保大請也。

9.六月十二日，知臨安府王㬇言：「根括到本府城外居民冒占白地錢，月得二千八百餘貫，欲充太學養士之費。若以三百人爲額，除假故外，可以足用。」從之。

10.十九日，宰職〔一〕進呈差太學官文字，上曰：「初復太學，師儒之任，尤當遴選。須得心術正者爲之，講明經旨，開諭後進。一有邪説，學者從而化之，爲害非細。卿等切宜重擇。」

〔一〕宰職　疑爲「宰執」之誤。

11.二十一日，詔差禮部侍郎兼權直學士院王賞〔一〕撰興建太學記。知臨安府王映有請撰記，下國子監勘會。國朝太祖皇帝重建國學，係翰林學士〔二〕陶穀撰記。徽宗皇帝御製辟雍記，係翰林學士薛昂撰序。及重修監學，翰林馮熙載撰記。故有是命。

太學課試法〔三〕，國子司業高閌言最先經術，上曰：「經不易通，士習學詩賦已久，遽能使之通經乎。」閌曰：「先王設太學之意，惟講經術而已。」上曰：「近侍讀官程瑀亦論經術。」閌曰：「國初猶循唐制用詩賦，神宗始以經術造士，逐罷詩賦。又慮不足以盡人材，乃設詞學一科，試以雜文。」上曰：「詩賦亦雜文也。」閌曰：「取士以經義爲主，不過三場，後加詩賦爲四場，不能無礙。蓋太學之法，旬有課，月一周之。月有試〔四〕，季一周之。若加一場，則課試之法遂紊。自元祐以來，雖增爲四場，終不可行者，蓋以此也。今欲經義第一，詩賦第二，論、策各一第三。」上可之。庚辰，閌具分三場，乞永爲定式。

時閌又請〔五〕在學人定三年歸省之限，詔可。上曰：「舊有九年之法，徽廟方改作三年，豈有士人九年而不省其親者乎。」

〔一〕王賞　「賞」原作「嘗」，據原書禮二八之七四、職官七〇之二八及玉海卷一一二改。

〔二〕翰林學士　「士」原誤作「十」。

〔三〕太學課試法　群書考索・後集卷二八士門、繫年要録卷一四八，繫此條於紹興十三年二月己卯。

〔四〕月有試　「月」原作「日」，據同上書改。

〔五〕時閔又請　原書崇儒一之三四與繫年要録卷一四八均繫此條於紹興十三年三月三日（辛卯）。

12. 七月壬申，時國學新成，補試生員，四方來者甚衆，幾六千人。丙子，揭榜取徐驤等三百人。

13. 九月戊辰，知建昌軍李長民言：「軍興以來，學政中輟，今和議既成〔一〕，儒風復振，郡邑長貳宜兼學事，以示偃武修文之意。」詔從之。

〔一〕今和議既成　「今」原作「令」，據群書考索・後集卷二七士門改。

14. 十月己丑〔一〕，侍御史李文會〔二〕論新除國子監丞石安慶輕儇無行。丁酉，上曰：「太學，風化之本，使此人充監官，何以取重於士人。」詔即罷之。

〔一〕十月己丑　「己丑」原作「乙丑」，據朔閏表紹興十三年十月甲申朔則十月不當有「乙丑」，又據群書考索・後集卷二七士門改。

〔二〕李文會　「李」原作「季」，據原書儀制九之二〇、選舉二之七，群書考索・後集卷二七士門改。

15. 十一月戊午，時上所寫六經與論語、孟子之書皆畢，檜請刊石於國子監，仍頒墨本賜諸路州學〔一〕，詔可。

〔一〕諸路州學 「諸」字原脱，據繫年要録卷一五〇補。

16. 十二月辛卯，新知永州熊彦詩上言，欲依嘉祐、治平故事，補中監學生，命補給綾紙命祠，詔從之。

17. 十二月十七日，詔：「太學養士添二百人，令國子監措置增展齋舍。」先是，權以三百人爲額，至是刪定官制，及有請，從之。癸巳，上謂宰執曰：「學校者人材所自出，人才須素養。太宗置三館，養天下之士。至仁廟，人才輩出爲用。」秦檜曰：「國朝崇儒重道，變故以來，士人雖陷虜者，往往能守節，乃教育之效也。」上曰：「然。五代之季，學校不脩，故無名節。今日若不興學校，將來安得人才可用耶！」

三十一年（辛巳，一一六一）

1. 五月二日，詔太學國子正、録兼講。以臣僚請置六經博士，故有是命。

2. 六月，詔太學博士、正、録各減一員。

三十二年孝宗即位，未改元。**（壬午，一一六二）**

1. 十一月二日，詔館職學官，祖宗設此儲養人材，亦欲待方來之秀，不可定員。以殿中侍御史張震言：「臣前日嘗奏陳復置正、録，以待宰執所薦之人，是將復開冗官之源，且立法不信，無以示天下。蒙陛下開納，以謂其源不可不塞，聖意固已定矣。今已數日而未施行，所除高適亦不復改命，則是必有以爲不然者。冗官之減不減，不過一正、録而已，未爲大費，而臣之所惜者，朝廷命令朝行夕改，無以取信於天下。且當時國子監所減者，正、録二員，太學博士一員，書庫官一員，武學諭一員。今日正、録復置，則持是説以求進者源源而來。上之人既無以制之，則將盡爲之復此員闕而後已。出令如此，其何以示天下乎。臣願陛下無輕爲一士而變已行之法，使人皆知上有所必守，則亦不敢徼求於法之外矣。」故有是命，餘依奏。

孝宗隆興元年（癸未，一一六三）

1. 二月二十三日，禮部言：「伏見已降指揮，應省試年分，於二三日間許行開補。今歲未合補試，緣赴省試下第之人已皆留此待試，有旨令禮部取見有無闕額申尚書省，特與開補一次。本部續下國子監勘會，太學外舍生一千人爲額，自今額足，即無見缺，欲乞將在學免解在假一百餘人，開補一次，候逐人參假日有闕，依次撥填施行。」從之。

2. 六月二十九日，詔：「罷太學補試，每遇有試年分，本學刷具見闕人數，以諸州解發舉人赴省試下者，隨缺額多少撥人。如闕多，則以逐州解額十分爲率，撥二分。闕少，則以逐州解額十分爲率，撥一分之類，臨時斟酌，並從逐州解榜上名撥入。上名已過省，更不撥下名。其合撥人不願入學者聽，不許以次人充填。其合陞撥之人，並赴簾前試訖，注籍爲太學生。」

先是，禮部侍郎黄中等言：「看詳到百官應詔封事言：太學就補試者，每次不下數千人，多不由本貫保明〔一〕給據，故其間或有隱憂、匿服、不孝、不悌、得罪於鄉黨閭里之人，有司無由知之。使其中選爲太學生，豈不有玷士類。欲望行下州縣補試之法，其補中本貫州學，從上撥入正額，給食者往學一年〔二〕，堂試三次合格，不犯第三等已上罰，教官保明，申州給據，方許赴太學補試。」又士庶封事言：「宜罷太學春試，而以州郡應舉終場人數裁爲定額。令州學每歲月書季考，取其秀者若干人而貢之於太學」。

都省送部，下國子監看詳。本監契勘太學補試，雖有紹興三十一年指揮，令來臣僚條具弊事〔三〕，令赴試之人，須管住本貫州學一年，私試三入等、不犯第三等以上罰，委教授保明申州，本州保明給據，前來赴試。其州郡往往鹵莽，多不照應原降指揮次第保明，止是隨狀給據〔四〕，泛稱於貢舉條例並無違碍。如此之類，十有四五，本監臨時難以却回，再行保明，不免申取朝廷指揮，先次收試，然後勘會。其間或有隱憂、匿服、曾犯刑責、得罪於鄉黨閭里者，無從稽考。又就試萬餘人，恃衆喧呼，至有不請據、不納卷、不引保，平白入場，稱云失試卷，一面就簾前請准備試卷，或就前後兩場，赴試之人，不遵士檢，亦無忌憚，理宜更革。故有是命，皆本監請也〔五〕。

〔一〕多不由本貫保明 「由」原誤作「田」。
〔二〕給食者往學一年 「往」疑爲「住」字之誤。
〔三〕今來臣僚條具弊事 「今」上原衍一「今」字。
〔四〕隨狀給據 「狀」原誤作「壯」。
〔五〕此下原有通考注文二行，見該書卷四二學校考，今刪。

乾道元年（乙酉，一一六五）

1.三月七日，詔太學依舊補試，更不撥入省試下人。禮部言：「契勘太學收補外舍舊法，並係補試，取文理通者爲合格。緣隆興元年六月內一時指揮，依士庶封事罷太學補試，以諸州解發舉人赴省試下者，隨缺額多少撥入。是致陳興宗等陳乞依舊法補試，國子監指定。若永罷補試，止撥省試下進士，即四方未曾得解士人，更無可以入學之望，難以杜絶士人詞訟。欲乞遵隆興元年三月七日指揮，候省試了畢日開補，仍乞以本學在籍過省人數爲額取放，立爲定制。」故有是命。

二年（丙戌，一一六六）

1.二月八日，詔復置太學正、武學諭各一員。

2. 二月，時詔下，省併曾請舉赴補人，以太學過省闕額收補，額外勿增。在朝清要官期親，許牒子弟作待補〔一〕國子，別號考校。如太學生遇有期親任清要官，更有國子生，不預校定外補及差職事，惟得赴公試、私試，科舉則混試焉。舊公、私試皆學官主之，自淳熙後，公試仍鎖院，降敕差官，學官不預。太學補弟子員，故例每三歲科舉後，朝廷差官鎖院，凡四方舉人皆得就試，取合格者補入之，謂之混補。淳熙後，朝議以就試者多，欲爲之限制，乃立待補之法，諸路漕司及州軍皆以解試終場人數爲準，每百人而取六人，許赴補試，率以開院後十日揭榜。然遠方士人，多不就試，則爲他人取其公據代之，冒濫滋甚。慶元中，遂罷之。嘉泰二年復行混補，就試者至三萬七千餘人，分六場十八日引試云。

〔一〕待補　原作「侍補」，據通考卷四二學校考及下文改。

三年（丁亥，一一六七）

1. 黄倫以兩優釋褐。自紹興建學，至是始有兩優。用崇寧恩例，授承務郎國子録〔一〕。

〔一〕此下原有朝野雜記注文八行，見該書甲集卷一三，今删。

四年（戊子，一一六八）

1. 正月十一日，詔太學生黄倫升補上等上舍，特與補左承務郎，除太學録。國子監言，興復太學已來，未有行過上等上舍事例，至是，特有是命。九年十一月二十四日，鄭鑑亦如之。

2. 十二月二十一日，詔復置太學録一員，以敕賜同進士出身魏棪之爲左迪功郎填闕，仍令有司給賜袍笏。

五年（己丑，一一六九）

1. 五月十四日，詔太學補試，七人取放一名，零數更取一名。以國子監公補試所言：「太學補試已行引試終場，内除國子生已有取放人數明文，所有太學生終場共五百五十八人，據太學具到今年已授官出學人闕額一百三十三人，照得在法，太學補試，以省試年分，許行補試，仍將太學過省闕額補填取放，即不得額外別立增添名數。今來本所即未敢擅便據闕取放，合取自朝廷指揮。」故有是命。

六年（庚寅，一一七〇）

1. 六月二十三日，詔太學生員見有闕額，特與放行〔一〕令來秋補一次，仍不得以得解人爲限，並依乾道二年以前指揮體例施行。其武學增作一百人爲額，今後太學闕二百人，武學闕三十人，取旨試補。

〔一〕特與放行　「特」原作「時」，據原書崇儒三之三九改。

七年(辛卯,一一七一)

1. 正月九日,禮部、國子監言:「勘會紹興十三年十二月十一日已降指揮,補試中選學生,下所屬給降素白綾紙付監,依倣祖宗制度,賛詞書填給付。照得自復興太學,補中學生出給綾紙,其賛詞有『復興太學』四字。今來已是興復日久,所有詞語,欲乞朝廷敷奏,許令本監重別撰賛詞,書填給付施行。」從之。

九年(癸巳,一一七三)

1. 三月二日,起居郎留正言:「太學時文,四方視以爲法,而士風厚薄、人材盛衰,皆可概見於此。國家取士三場,各有體制,故中選者謂之合格。數年以來,有司去取以意,士人志於得而已,程文多不中度,故議論膚淺,而以怪語相高,對策全無記問,而以浮辭求勝。大抵策尤卑弱,每刊行公、私等試文字,不足以傳示四方。臣恐天下士子以謂朝廷好尚如此,隨風而從,不讀史書,見聞淺陋,人材、風俗所繫實重。今次太學見引公試,望詔主司精加考校,詩賦取合律,經義求得體,論策以記問該博,議論淵源者,寘之上游,庶幾傳布四方,士子知所適從,於時政亦有所補。」從之。

2. 九月二十一日,國子監上舍試所狀:「勘會太學上舍試取人,依條通取,不得過三分,人材不足則闕之。今來乾道九年太學上舍試,就試終場六十六人,依條每十人取三人,共取一十九人,外有二

人，六分有零，係少六分有零，取不及二十人，本所未敢便行將零分取放一名。」詔零分許取一名。

淳熙元年（甲午，一一七四）

1. 七月二十六日，詔太學置射圃。先是，知道州樓源言：「乞依舊法，許太學諸生遇旬假日，過武學習射。」禮部、國子監看詳，太學生員數多，欲早晚習射，以武學射圃狹，兼太學生過武學與告假人混雜，乞就太學自置射圃。從之。

2. 八月十二日，國子司業戴幾先言，乞將太學私試習經義文理優長，數外取放。詔令禮部勘當以聞。既而，禮部言：「太學格：每月私試，取人以十分爲率，所取不得過一分，至歲終外合校定，依條每十人取一人，係將每月私試合格積累分數，從上依分數名次校定。今來幾先乞將二禮、春秋文理優長之人，優加取放，即與歲終校定人數並無增加，止緣三經逐月就試人數，每經不過數人，若不稍加優異，竊恐習者愈少，漸致廢絶。今指定欲將二禮、春秋於考校日，如有文理優長，於合取分數，量行取放。如無優長，止依元法。」從之。

二年（乙未，一一七五）

1. 二月八日，詔太學養士錢，令臨安府於係省錢内，每月貼支三百貫應副支遣。以司業薛元鼎言，

緣節次補試，增展員額，復興武學，目今匱乏，故有是命。又四年十一月二十九日，司業王迷言，目今有趍赴省試公試，住學生員行食人數衆多，支用不足。詔每遇省試年分，令臨安府於係省錢内每月貼支六百四十貫應副一季。

2. 六月四日，詔太學補試，今次士人倍多，將考銓試官，於所降敕後，並帶兼考太學補試經義、詩賦，仍添差二員。

3. 七月八日，詔：「國子監試官等，各有親戚、鄉人赴補，將卷別作一行，排定坐次，應簾内試官，並不得干預簾外職事，如違，令本院長官覺察以聞。其今次太學補試，應考試官本宗親戚試中之人，並未得參學，候將來有國子試日，重行收試。」於是，祭酒蕭之敏自劾，詔放罪。

4. 九月十九日，禮部侍郎趙雄言：「近日太學補試進士，多至萬六千人，場屋殆不能容，理宜裁節。今欲依倣紹興三十一年舊令，諸州教官歲取本州士人住學最久、試中最多者，從上保明，仍別立定額。本州解額一名處，聽保明五人赴補試。解額十名處，聽保明五十人，至一百人止。州學保明申州，州申監，監申禮部。過數者，教官守貳坐之。人數不足者聽闕。其有馳騖他州，要求保明者，依貢舉冒鄉貢條法科罪。」從之。

5. 十二月十七日，太上皇帝慶壽赦：「應紹興〔二〕三十二年以前補中太學、國子生，見年七十以上人，可令禮部保明以聞，特與補迪功郎。內舍、上舍生，父母年七十以上，外舍生父母年八十以上，並與初品官，婦人與封號。已經官封者，父與轉一官資，母與冠帔。令經所屬自陳保奏。」

〔一〕紹興　原作「紹熙」，據原書崇儒三之四一改。

三年（丙申，一一七六）

1. 四月三日，禮部、國子監言：「大小職事，該遇慶壽赦，參酌推恩人，內舍生永免文解。紹興三十二年以前，陞補已有陞甲、陞等、占射差遣恩例人二名，候將來到部日，與循一資。賀表首名內舍生有平等校定人二名，與永免文解。內舍生永免文解、有平等校定人一名，候將來過省殿試唱名日，與陞甲。上舍生免省合該陞甲人七名，候將來殿試到部日，與占射差遣一次。內舍生永免文解並上舍試中平等人一名，候將來過省殿試唱名日，與陞甲。外舍生永免文解人一名，候將來過省殿試唱名曰，與陞甲。上舍生免解、將來合該陞甲人三名，候將來過省殿試唱名到部日，與占射差遣一次。內舍生永免文解、有平等校定人二名，候將來過省殿試唱名日，與陞甲。內舍生永免文解人三名，候將來過省殿試唱名日，與陞甲。內舍生有平等校定人二名與永免文解人四名，候將來過省殿試唱名日，與陞甲。不係免解人二十四名，與免文解一次。學生並賜束帛。」詔並依擬定。內魯秉禮、汪南金並特與免省，更不循資。潘貿已補官，更不與免解恩例。魯秉禮、汪南金係舉人學録。潘貿係外舍生，年七十八。

2. 十一月十二日，南郊赦，國學進士，先請後免或先免後請，可並與免將來文解一次。六年赦同。

四年（丁酉，一一七七）

1. 二月七日，詔：「兩學敝甚，可與修葺，令南庫支二萬緡，委知臨安府趙磻老修葺。其規模狹陋去處，令隨宜展拓，務要如法，毋致滅裂。」

2. 二月十一日，詔：「太學文宣王像，並從祀一十二位，令重行塑繪。所有舊像，權遷於首善閣下。」

3. 五月十五日，詔太學選差職事，依條長貳學官以三舍生次第選補，即才行爲衆所知，聽不次選。既而，國子監言：「淳熙二年四月三日已降指揮，將三舍生合差職事人，銓次科別，立定差格。前廊職事，先差中等上舍，上等釋褐出官。次差下等上舍，次差內舍優等校定人，次差內舍平等校定人。諸齋長諭，先差上舍、內舍，次差公試解試謂本監解第一人，次差外舍校定第一人，次差補試私試第一人，次差公試解試、外舍校定、補試私試上三名人。各須有行藝，均以陞補及中榜先後高下爲序，應格多者爲上。內有曾經犯罰人，各在本等之下。本監竊詳近降指揮，選差大小職事，既稱各須有行藝，即不專用資格，於見行學令所載『才行爲衆所知，聽不次選』正條，初無衝改，其前廊職事，尤當以行藝服衆爲先。今參照資格，於上舍、內舍通選行藝爲衆所推人充，庶幾人法兩得。」從之。

4.二十四日，詔：「就太學建造光堯太上皇帝御書石經閣。其見在石經周易、毛詩、尚書、春秋、左氏傳、論語、孟子外，尚有太上皇帝御書禮記、中庸、大學、學記、儒行經解五篇，不係太學石經之數，搜訪舊章，重行模勒，以補禮經之闕。」從知臨安府趙磻老請也。

5.八月十三日，禮部考試官施師點等申：「男括等各赴太學上舍試，委有妨礙，本部欲俟別試院開院了畢，別行差官，鎖院引試。」從之。

6.十一月二十七日，禮部、國子監言：「每遇科舉年分，諸州依解額取定合格人赴省試外，乞將其餘解發不到試卷，紐計終場人數，每一百人取三人，零分不及三十，亦取一人，名曰『待補太學生』。考試院具姓名申本州置籍，俟太學開補，本州給據，申國子監赴補試一次。其以前曾實得解到省試下人，願就補者，召保官一員。當年得解赴省人，只照元發解公據赴補。」從之。先是，監察御史潘緯言：「太學比年補試，繁冗太甚，中選者類多假手。欲自今秋科舉爲始，諸州依解額取定合格試卷外，仍取備卷，作待補太學生，即於經義、詩賦、論策內有兩場或一場文理優長者，並行存留，許赴補一次。其實曾得解人，每補聽試。」禮部、國子監看詳來上，故從其請。至淳熙十年八月九日，詔自今諸州解試終場人，以百人取六人充待補。

五年（戊戌，一一七八）

1. 五月二十七日，詔諸路州軍曾實請解之人，令禮部参詔貢籍〔一〕，仍各繳元省試下公據，許赴補試一次。

〔一〕参詔貢籍　「詔」疑爲「照」。

2. 六月十三日，詔：「太學補試，大院有合避親之人，並送別院收試。若別試所有避親，孤經發回大院收試之人，止避所避之官，互送別位，依公精加考校。」

3. 八月三日，詔内舍校定優等，不以有無上舍試年分，並以十分爲率。先是，閏六月二十三日，臣僚言：「國家以科舉取士，内舍、上舍生兩優，則月書季考，積累之久，行藝特異，衆所推許，有人則取，無人則闕，蓋十有餘年而不得一者。今也不然，兩優則以歲額爲定，纔五六分便爲優選。今乞兩優校定十分以上，方得與選，無人聽闕。」詔令禮部監學看詳。禮部、國子監言：「太學見行校定條令本無立定分數，今乞將内舍校定，若遇上舍試年，優等以十分爲率。如非上舍試年，優等以八分爲率。已上不及分數則闕之，仍乞將每歲所校人數，依條例以住學年月及上舍公、私試孟仲季入等高下相壓，若遇上舍試年優等及十分，如非上舍試年優等及八分，從上取兩名作優等，餘并入平等，庶幾得中。」

4. 十月一日，詔太學生年七十已上、該慶壽赦已補官人虞擬、潘賀、季嘉言、何上民，並特差嶽廟一

次。

六年（己亥，一一七九）

1. 九月二十七日，詔國子監上舍試，零分取一名。

2. 十月九日，詔太學兩優釋褐之人，與依狀元體例，先與外任一次，然後授以職事官。以給事中王希昌言：「天子臨軒策天下之士，取其尤異者一人，曰『狀元』。舍法選舉，有司考校，取其兩優者一人，曰『釋褐狀元』。雖一命得京官，必出而爲簽判，而釋褐之人一命亦得京官，即入爲學官。又賢良判入三等，方任京官簽判，入四等者，止得選入幕官，而宏辭中選者，亦不過止得選人教授。今兩優之人即以京官而爲學官，釋褐之人，方其未中也，固嘗以學官爲師矣，一旦中選，則與先生並列；方其未中也，固嘗以學録、學諭爲師矣，一旦中選，則向之爲師者反在北面弟子之列，事之不當，莫甚於此。」故有是命。

3. 十一日，詔自今上舍試中兩優之人，與依殿試第二名恩例。既而，知滁州張商卿言：「進士之第一人也，必取之以簽判，蓋欲其先歷州縣。今上舍試中兩優者，則便釋褐，命之京秩，處以學官，不數年便可爲監司、郡守，獄訟財賦，非所素習，豈能保其不謬。乞自今上舍兩優之人，依殿試三名前體例，且與資次注授幕職官一次，候任滿日，方與學官差遣，庶使入仕之初，稍更民事。」故有是命。

七年（庚子，一一八〇）

1. 七月九日，詔自今國學程文，依舊法從國子監長貳看詳，可傳示學者，方許雕印。從臣僚請也。

九年（壬寅，一一八二）

1. 八月四日，詔：「國子生今舉發解〔一〕，依前降指揮，並送別院收試。」先是，二年七月十一日，詔自今國子生解試，並別院收試，其合避親嫌官，不得差充別院考試官。

〔一〕發解　「發」原誤作「法」。

2. 九月十三日，明堂赦：「國子監乾道八年省試下進士，實理十二年，可並與免文解。」

十年（癸卯，一一八三）

1. 十二月十六日，太上皇后慶壽赦：「太學内舍、上舍生祖父母、父母年七十已上，外舍生年八十已上，並與封初品官，婦人與封號。已經官封者，祖父、父轉一官資，祖母、母與冠帔，令經所屬自陳保奏。」淳熙十三年慶壽赦同。

2.三十日，禮部、國子監言：「太學大小職事，該遇慶壽赦參酌推恩人，上舍免省四名，赴唱名日已有陞甲恩例，候將來到部日，與占射差遣一次。内舍生永免解三人，即無恩例，候將來過省殿試唱名日，與陞甲。上舍生永免解一名，已有陞甲恩例，候將來過省赴殿試唱名日，更與依格陞名。内舍生今舉得解一名，即無恩例，候將來過省赴殿試唱名日，與陞甲。上舍生未該免解一名，並無恩例，候將來過省赴殿試唱名日，與陞甲。内舍生前舉免解、今舉還試二名，並無恩例，候將來過省殿試唱名日，已有陞甲恩例，與免文解。内舍生永免文解八名，外舍生永免文解二名，並無恩例，候將來過省赴殿試唱名日，與陞甲。内舍生今舉得解、見陳乞陞補上舍填闕一名，已有陞甲恩例，候將來過省赴殿試唱名日，更與依格陞名。内舍生今舉得解九名，内舍生今舉還試一名，並無恩例，候將來過省赴殿試唱名日，與陞甲。上舍生係陞補未及一年，未免省，今舉不該免解一名，已有陞甲恩例，欲與免文解。内舍生未該免解一十四名，外舍生未該免解四名，並無恩例，並與免文解一次。内三名陳乞，該遇覃恩日陞補。内舍及在外學四年已上，各承放行。今次省試，候將來過省赴殿試唱名日，與依格陞名學生五百八十四人，各倍賜束帛。」詔並依擬定。

十一年(甲辰，一一八四)

1.五月一日，國子監言太學國子生二百六十八人，闕額。詔許依淳熙八年體例補試。

十二年(乙巳,一一八五)

1. 七月二十八日,國子祭酒顏師魯言:「太學内舍生,舊例歲校十人,於十人之中以三人爲優。其後臣僚有請,以優校之士間有六七分而得者,似爲稍易,遂乞以十分爲率,從上止校二名。分數既高,士之銖積寸累,偶應其格者,比之往年固艱,又從而損元額之一,不亦甚乎。且太學歲校三優,率亦間歲再試,視其中否尚有守年者。今欲依舊與校優等三人,仍以十分爲率,如不及則闕之,庶知士知所勸。」上曰:「既限十分爲率,不必更減一名,可依奏。」

2. 十二月十一日,詔太學上等上舍生易祓、顏棫各特補文林郎,與職官差遣。

十三年(丙午,一一八六)

1. 五月一日,詔太學外舍生應詵等十一人,年七十以上,並依慶壽赦,特與補迪功郎。

2. 八月四日,臣僚言:「向來太學解試不差學官,豈不曰月書季考,習熟其文,雖去取之間,未必容私,而衆多之口易以興榜〔一〕。目今科場差官在復,乞復依舊例,免差學官。」從之。

〔一〕易以興榜 「榜」疑爲「謗」。

3.十一月二十三日，臣僚言：「近歲時創待補之法，州郡俊秀，羅網無遺。惟是引試之期，常以六月，暑氣隆熾，奔走道塗，多有暍死。省闈報罷之士，又以試期尚遠，力不能待。且舊來太學補試，用春秋二季，衆皆便之，因乾道八年再放補試，始用六月，循習爲例，今倘仍舊。止舊三月引試，則省闈報罷者，無留滯匱乏之憂。天氣和平，無觸冒炎暑之患。貢院見成夾截可以就用，雖與殿試同月，緣補試係學官自行考校，與殿試不相妨礙，所有銓試却俟殿試唱名畢。」從之。

十四年（丁未，一一八七）

1.正月二十二日，禮部言，國學免解進士季元有、國學進士盧獻臣等所陳，欲依每舉放行省該所該慶恩，乞理作陞甲〔一〕。緣昨來節次放行免解赴省，並係承朝廷特降指揮放行。詔禮部將乾道八年至淳熙十一年已令赴省試人，並特令再赴〔二〕。今來省試一次，其慶典免解，俟過試特許作陞甲收使。既而，四月五日，禮部國子監言：「元有暨錢震臣、李履、孫玹，先慶典免解公據，赴部投納試卷了當，欲將正月二十二日指揮放行免解公據換給陞甲，奉旨候過省日許作陞甲收使。」

〔一〕陞甲　「甲」原誤作「申」。
〔二〕並特令再赴　「特」原誤作「時」。

十五年（戊申，一一八八）

1. 五月十四日，臣僚言：「竊見太學禮義之所，教化所自出，諸生漸磨其間，正宜勉勵術業，重惜名檢，以爲保國榮親之舉。近聞有冒同宗之服制，肆非所之燕遊，若内舍生何寅者，死於非命，豈不負明時之教養。欲望戒敕太學師孺之官，謹生員之教，振舉學規，勿容非禮之動傳播四方，有玷京師首善之化。」從之。

2. 七月二十三日，國子祭酒何澹言：「竊惟太學興建之初，月書季考未甚嚴密。逮至紹興二十七年，因本監長貳申請，始建指揮，每月私試並依貢舉條制鎖院考校，仍不得過十數日。内監試官引試終場畢，先次出院，候考校畢，入院放榜，自後每月率以爲常。竊謂既依貢舉條例鎖院考校，不應監試之官却乃先次出院，只緣在法『監試取摘試卷詳定，不預考校』，所以相承如此。再詳法意，蓋謂承平學校養士額多，就試人衆，爲長貳者，難以遍閲試卷。今來每月私試，多不過三百人以上，長貳依貢舉條例鎖院考校，亦自不難，兼又臨期入院放榜，一時所見或未詳盡。今乞向去私試，如遇就試人多，即長貳同共在内，更不先出。如遇就試人少，即長貳先放榜一日入院，明日折號，庶幾可以子細看閲。」從之。

十六年（己酉，一一八九）

1. 二月一日，禮部言：「太學堂名上一字，犯皇太子名，合行迴避，乞改作崇化堂。」從之。

2. 是年十一月二十八日〔一〕，右諫議大夫何澹言：「竊見朝廷以舍法取士，太學公試乃外舍士子陞進之階，利害不細。常年則與銓試同在大院鎖院〔二〕，每遇省試年分則銓試多在中夏，日子太遲，於是附試於省試之後，而就大院別委官以考之，所委官〔三〕往往以省試爲重，以公試爲輕。又其披閲省試文卷之餘，精力各以疲憊，日子又復迫促〔四〕，未免鹵莽以求畢事，緣此前後士子多不愜服。欲望今後省試年分，所有太學公試令赴別院收試，庶幾考官專精，陞黜惟允。契勘省試別院卷子不多，例是先期開院，今若就考公試，實不相妨。又來春大院免解，赴省之人異於常年，重以考校公試，力愈不給，必致兩有所害，移附別院，尤爲允當。」從之。

〔一〕按此時光宗已即位未改元。
〔二〕大院　「大」原作「太」，據下文改。
〔三〕所委官　「官」上原衍一「官」字。
〔四〕日子又復迫促　「促」原誤作「捉」。

光宗紹熙元年（庚戌，一一九〇）

1. 正月十七日，宰執進呈，何澹乞放行太學參長假人免解。留正等奏：「太學連兩舉該恩免解，遂無科舉，其僥倖不可言。今參長假人多係赦後，又欲盡行免解，攀援冒濫，何時而已。」上曰：「誠多僥倖，卿等更參酌，其間有可以放行者與放行，不可者即已，豈容一例放行也。」

三年（壬子，一一九二）

1. 六月二十四日，禮部侍郎倪思言：「國家開設太學，所以綱羅天下之材。三歲一補，所以收拾科舉之遺。自淳熙四年，議者厭就試者之多，乃創爲待補之説，蓋欲以限節其來，來者既少，而取人之額如舊，中選之人得以僥倖。兩浙、福建解額既窄，住學亦便，士子願一試而不可得，則必巧爲經營。遠方之州，解額自寬，於補試無甚利害，縱或得之，住學亦非所便，雖中待補，第爲虛名，於是有貨賣文帖、改移鄉貫、變易父祖之弊。近時，臣僚屢有以爲言者，可見此弊人皆知之，不可以不革也。臣以爲，不若自今舉罷去待補，只循舊制，每三歲放混試一次，以廣其來。所取之額初不增加，庶幾不絶士子進取之望，而擇之既精，得人必多。如臣言可采，更乞命侍從、臺諫、學官集議施行。又臣契勘向者就補試者，至以萬計，緣貢院狹窄，若作一場則不能容，若分作前後場，則必有兩次就試之弊。臣竊見，近者臨安府、轉運司各建立貢院，若以經義、詩賦分作兩處，同日引試，則無向者之患。」詔令集議。

既而，侍御史林大中，右正言胡琢〔一〕，監察御史何異、曾三復言：「國家開設太學，本以混試招延士類，混試既弊，遂行待補，然關防之不密，考校之不精，抑又不能無弊，此議臣所以有放行混試之請。若以待補之弊尚多遺才，所宜放行混試，但來者既衆，恐有喧閧蹂踐之患。今若令有司措置，保其無他，即與權住。今年諸州所取待補，然亦未宜徑罷也。如明年場屋果無喧閧蹂踐，則自放省試年分即與放行，倘有未便，則待補既未嘗罷，只就其間更加措置，使關防之密，考校之精，未爲不善也。今若徑罷待補，萬一明年混試致有疎虞，而後舉又復待補，恐非朝廷更制立事之體。」

又吏部尚書趙汝愚、翰林學士李巘、權兵部尚書羅點、户部侍郎馬大同、給事中尤袤、中書舍人黄裳、權工部侍郎謝申甫、起居郎樓鑰、起居舍人張叔椿言：「竊惟待補之法，其弊已多，因仍歲時，弊將益甚。今欲易之混試，固足取快一時，然多士沓來以數萬計，非惟有司重有勞費，日力有限，較閲難精，亦恐道路奔衝，不無寒暑之患，場屋湫塞，更多蹂踐之虞。彼此相形，得失居半，盖有根本之論。稍師古始而言〔二〕，夫三代鄉舉里選之法，雖世遠事異，不可遽復，然有教育作成之意，本諸天地而合乎人情者，則雖百世不能改也。惟我國家，内自京師，外及郡縣，皆置學校。慶曆以後，文物彬彬，幾與三代同風矣。逮至崇觀，創行舍法，所在養士，誠得黨庠遂序之遺意。故一時學者粗知防檢，非冠帶不敢行於道路，遇鄉曲之長上及學校之職事，則斂容而避之，其風俗亦誠美矣。然其失也，在於專習新義，崇尚老莊，廢黜春秋，絶滅史學，又罷去科舉，使寒畯之士，捨此無以爲進身之路，事理俱礙，施行廢革，此亦非舍法之罪，其時弊則然也。中興以來，投戈講藝，行都重建太學，諸郡復行貢舉，士生斯時可謂幸矣。然浮僞之風勝，忠信之俗微。有司頗以爲病者，亦由州縣之間，士之榮辱進退，皆不由乎學校。至論德行道藝，則惟取决於糊名。苟爲彫篆之文，無復進修之志。其視庠序有同傳舍，視師儒幾若路人。月書季考，盡爲文具，殊失朝廷教養之意。汝愚等擬欲遠稽古制，近酌時宜，不煩朝廷建官，不勞有司增費，惟重教官之選，假守貳之權，倣舍法以育才，因大比而貢士，考終場之數，定所貢之員，期以次年，試於太學，庶幾士修實行，不事虛文，漸復淳風，仰裨大化，有三舍之利而無三舍之害。其法頗爲近古，如蒙朝廷採録，所有諸州教養、課試、升貢之法，乞下有司詳議施行。然科舉事嚴，試期甫邇，其今歲待補試，欲乞且與依舊放行一次。」從之。〔三〕

〔一〕胡瑑　原作「胡琢」，據原書禮四九之六〇、四九之七〇改。

〔二〕稍師古始而言　「師」原作「始」，據通考卷四二學校考改。

〔三〕此下原有通考注文二六行，見該書卷四二學校考。原有朱子語續録注文五行，見朱子語類卷一二八本朝二法制，今删。

四年（癸丑，一一九三）

1. 四月二日，禮部言：「國子監申玉松年等一十七人，並係試中上等小學生，欲將逐人照紹興元年鄭樒等，比類諸州待補試中名額放行今來補試一次。」從之。

2. 四日，詔令臨安府學生依紹熙元年已放行人數，許赴太學補試一次。從府學生應輔等請也。

五年（甲寅，一一九四）

1. 正月一日，慶壽赦：「太學、武學曾預拜表大小職事，臨安府學正、録，並依淳熙十年十二月三十日已得指揮，推恩人姓名開具應得恩數聞奏。學生並有官學生，各倍賜束帛。小學生、府學生各賜束帛。」

寧宗慶元元年（乙卯，一一九五）

1. 四月九日，權吏部尚書、兼侍讀、兼直學士院、兼實録院修撰樓鑰等奏：「准慶元元年正月二十五日赦節文，臣僚上言議覆太學混補，以示初政之優恩。又謂待補之法行之稍久，冒濫之弊不可不革。今歲適當大比，乞令兩省、侍從、臺諫集議施行。詔赴鑰等詳審。臣僚乞用禮部貢院之外，以臨安府、轉運司兩貢院添處之，請因其説，更加措置。禮部貢院通别試所約容一萬五六千人，臨安府、轉運司兩貢院約可分授萬人。今欲以詩賦人盡於禮部貢院引試，經義人臨時約度人數，徑分兩處收試，仍各差監察御史一員監試，職事二員出題，才候試畢，封彌官即將真卷每一百軸作一封，仍取御史印押，其出題官及簾外封彌、監門等官，徑自出院，御史親押上件已封卷子，並赴禮部貢院封彌所，就令日下各卷彌封打號，發過謄録所，一處謄録混考。御史候封彌所交收卷子盡絶訖，即自出院。如此則題目俱出於一，而同日三處引試，亦免重叠之弊，俟來年省試畢日施行。兼照得自來補試，止係監學官考校，今試卷倍多，合從朝廷添差職事官以下同共考試。其今年發解科場，更不取待補人，即合預先行下

諸路轉運司，遍牒州軍照應施行。」貼子稱：「舊法赴太學補試，士人並令經本貫出給公據，今來放行補試，亦合行下，照舊法給據施行。」詔從集議到事理施行。

三年（丁巳，一一九七）

1. 以國子生員多僞濫，制自今職事官期親、釐務官子孫，乃得補試。凡監學生皆給綾牒，若告謁在外，遇科舉則試於漕司〔一〕。

〔一〕通考卷四二學校考繫此條於慶元二年。

嘉定五年（壬申，一二一二）

1. 八月二十五日，承議郎、國子博士徐自明劄子奏：「學校舍法事數內至肄業膠庠者，自外舍有月校，而公試入等者，曰『內舍』。自內舍有月校，而舍試入等者，曰『上舍』，有定序也。然曩年省試係在孟春之中，故大廷唱第多在孟夏之月。近省試既在仲春，故廷唱展在仲夏，所以孟夏之月，雖已中春官而未經廷對者，猶未出學住膳，而當年公試新中內舍者或未有闕可填，則不得以占三季之考，行內舍之食，其妨進取而礙月書，學者常患苦之。不惟是也，一歲之中，校優者三，而校平者已常預，平校者或再中平校，止用其前者之一足矣，而間有頑忍不予者，或未肯與豁除，必待授以遜狀。是二者，至有相邀，以利相訐，以訟啟紛爭而喪廉隅者，風俗至不美也。今欲於省試之年，其已中春官者，遇入孟夏下旬即乞預行住膳，使以次陞補者不妨占季行食，而内舍已滿百三十人之數，即不得於四月分先期借食。又於每歲之中，有再中平校者，亦乞先與豁除，使下名得以序進，庶幾廉遜之風行，乖争之俗熄，不至壞學者之心術而啓學校之紛紜。臣所謂嚴陞舍之選者，此也。如臣言可採，乞行下國子監看詳施行。」後批送國子監看詳，限十日申尚書省，本監尋送博士、正、録看詳。今據宣教郎、太學博士陳貴誼等申，數内至於舍法二弊。諸生已中春官而未經廷對者，當於四月下旬預先住膳。所有特奏名，候省試開院日，行下諸齋根刷。如願就特奏名試，亦乞依此施行。其前已中平校而復有平校者，當於當年校定人數即與豁除。其詳已備見於劄子，所陳參之物論皆謂允協人情，亦乞行下本監施行。貴誼等今聚議申監，乞備申朝廷施行。本部今看詳，欲從博士、正、録看詳到事理施行，伏乞朝廷指揮施行。詔從國子監看詳到事理施行。

本門點校者　安國樓

審訂者　王雲海

在京小學

影印本崇儒二之一
大典卷二一九五三

據宣和二年八月五日指揮，在京小學並依元豐法。其起創月日檢未獲。

徽宗大觀三年(己丑，一一〇九)

1. 四月八日，知樞密院鄭居中等言：「修立到小學敕令格式申明一時指揮，乞冠以大觀重修爲名，付禮部頒降。」詔：「第一卷内，小學能通經爲文者爲上等，既不犯罰，又五次合格，令更不赴本貫縣學試補。在學半年，陞本學外舍生。」

政和四年(甲午，一一一四)

1. 二月三日，中書省言：『小學生見近一千人，入學者尚未已。今來只有貢士、教諭十人，今欲分爲十齋，小學教諭增與月俸，給錢兩貫，不許受束修。」從之。據實録，宣和元年七月，有范致厚自國子小學録爲校書郎，未見初置小學録旨揮。

2.十二月四日，大司成劉嗣明等言：「近降小學條制，小學生八歲，能誦一大經，日書字二百，補小學內舍下等。誦二經一大一小，書字三百，補小學內舍上等。十歲加一大經，字一百，補小學上舍下等。十二歲以上，又加一大經，字二百，補上舍上等。即年未及而能書誦及等者，隨所及等補。今欲季一試，申監定日，欲每一大經挑三十通，小經挑二十通，及七分已上者爲合格。近降三舍法，諸學生能文，而書誦不及等，博士引試，考其文理稍通，與補內舍上等，優者補上舍下等。今欲試本經義各一道，丞封彌，博士考校通否，申監陞補。大觀重修國子監小學格，職事人、小長、每教諭齋集正齋計同一人。三十人以上增一人，集正同。」從之。

五年〔一〕（乙未，一一一五）

1.五月二十二日〔二〕，大司成馮熙載言試小學生合格優等四人。詔：「曹芬、駱庭芝賜同上舍出身，金時澤、李徽賜童子出身，並赴將來廷試。」

〔一〕五年　按影印本崇儒二之二八、玉海卷一一二同此，影印本選舉九之一五、九之二五均載此詔於四年。當考。

〔二〕五月二十二日　「二十二日」原作「二十日」，據影印本崇儒二之二八，選舉九之一五、九之二五，玉海卷一一二改。

宣和二年（庚子，一一二〇）

1. 七月二十九日，詔小學上舍上等，特許赴來年公試，如合格，與補大學外舍。

2. 八月五日，中書省言：「七月十九日聖旨，在京小學，近歲增立三舍，其有害鄉舉里選，奉旨可並依元豐法。契勘元豐末，在京小學止有就傳、初筵兩齋，差教諭一員，即無立定官吏并直學等，今承指揮，小學既罷三舍，即無講解、考選、直學、醫官等，依元豐法自合更不差置。乞置小學生兩齋，於大學生内選差二人充教諭，其俸給依元豐舊制。」詔依。今後小學生數多，令本監相度增撥齋舍。

〔一〕就傳　原誤作「就傳」，據玉海卷一一二通考卷三五改。

本門點校者　苗書梅
審訂者　王雲海

郡縣學

影印本崇儒二之二至四。選舉一七之一至四　大典卷二一九五五　二一九五六　二一九五七　二一九五八（孝宗以下）

太宗端拱二年（己丑，九八九）

1. 五月三十日，康州言：「願給九經書，以教部民之肄業者。」從之。

至道二年（丙申，九九六）

1. 七月六日，賜嵩山書院額及印本九經書疏，從本道轉運使之請也。

真宗咸平四年（辛丑，一〇〇一）

1. 六月，詔諸路郡縣有學校聚徒講誦之所，賜九經書一部。

景德三年（丙午，一〇〇六）

1. 十一月，以真定府三傳平歸一爲本府助教，仍令常切講授。

大中祥符二年（己酉，一〇〇九）

1. 二月二十四日，詔應天府新建書院，以府民曹誠爲本府助教。國初，有戚同文者，通五經，業高尚不仕，聚徒教授，常百餘人，故工部侍郎許驤，侍御史宗度，度支員外郎郭承範、董循，右諫議大夫陳象輿，屯田郎中王礪，太常博士滕涉〔一〕，皆其門人。同文卒，後無能繼其業者，同文有子二人，維爲職方員外郎，綸爲龍圖閣待制〔二〕，至是，誠出家財，即同文舊居〔三〕，建學舍百五十間，聚書千五百餘卷〔四〕，願以學舍入官，令同文孫、奉禮郎舜賓〔五〕主之，召明經藝者講習，本府以聞，故有是命。并賜院額，仍令本府職事官提舉。

〔一〕滕涉　「滕」原誤爲「漆」，據合璧事類・後集卷七六、宋史卷四五七戚同文傳改。

〔三〕龍圖閣待制　「圖」原誤作「圓」，據東都事略卷四七、宋史卷三〇六戚綸傳改。

〔三〕同文舊居　「同」原誤爲「國」，據上下文及長編卷七一、編年備要卷七、通考卷四六、宋史卷四五七戚同文傳改。

〔四〕千五百餘卷　按長編卷七一、容齋三筆卷五、編年備要卷七、通考卷四六、宋史卷四五七戚同文傳均爲「數千卷」。

〔五〕奉禮郎舜賓 「舜」原誤爲「爵」，據長編卷七一、編年備要卷七、通考卷四六、宋史卷四五七戚同文傳改。

三年（庚戌，一〇一〇）

1. 二月，賜英州文宣王廟板本九經〔一〕。

〔一〕此條下原有宋大事記講義注文三行，見該書卷七，今刪。

天禧四年（庚申，一〇二〇）

1. 二月十二日〔一〕，以密州莒縣馬耆山講九經書楊光輔爲國子四門助教，賜絹二十疋，委州長吏常切存問。光輔居山聚徒講學三十餘年，時年七十餘，知州王博文上言，而有是命。

〔一〕二月十二日 「十二日」原脱，據影印本選舉三四之三四、長編卷九五補。

2. 七月十四日，以富順監神龜山人李見爲國子太學助教，依舊講誦，委本監常加安撫。

仁宗乾興元年（壬戌，一〇二二）仁宗已即位未改元。〔一〕

1. 十一月，翰林侍講學士孫奭言：「昨知兖州，以鄒魯之舊封，有周孔之遺化，輒於本州文宣王廟内，修建學舍四十餘區，受納生徒，俾隸所業，自後聽讀不下數百人，臣以己俸養贍。今臣罷任，必恐學徒離散，伏見密州馬耆山講書楊光輔，學業精通，堪爲師範，先授太學助教，昨經覃恩，未曾遷秩。乞特轉一官，差充兖州講書，仍望給賜職田十頃，冀學校不廢。」從之〔二〕。

〔一〕仁宗已即位未改元　原無此注。按宋史卷九「乾興元年二月戊午，真宗崩，遺詔太子即皇帝位」。今依原書體例據補。

〔二〕此條下原有紀纂淵海注文二行，見該書卷三八學校部·州縣學，今删。

仁宗天聖六年（戊辰，一〇二八）

1. 八月，江陰軍言：「重修至聖文宣王廟，頗有舉人習業，舊無九經書，欲乞支賜。」從之。〔一〕

〔一〕此條原在「十二月」條後。

2. 九月，御史中丞晏殊言：「應天府舊有敕賜書院，諸生闕於師資。伏見部授賀州富川縣主簿王洙素有文行，其明經術，欲就舉留，令帶所授官，充應天府書院説書。」從之。

3.十二月，詔免應天府書院地基税錢。

寶元元年（戊寅，一〇三八）

1.三月己酉〔一〕，詔許潁州〔二〕立學，特從知州、户部侍郎蔡齊之請也。自明道、景祐間，累詔州郡立學，賜田給書，學校相繼而興。近制，惟藩鎮立學，潁爲支郡〔三〕，齊以爲言〔四〕，而特許之，故有是命。

又蔡齊請立學，時大郡始有學，而小郡猶未置也。慶曆詔諸路州、府、軍、監各令立學，學者二百人以上許更置縣學，於是州郡不置學者鮮矣。

〔一〕三月己酉　原脱，據長編卷一二一、群書考索·後集卷二七補。
〔二〕潁州　原誤作「穎州」，檢宋史·地理志，宋代有潁州而無穎州，據長編卷一二一、宋史卷二八六蔡齊傳改。
〔三〕潁爲支郡　「潁」原誤作「穎」，據同上書改。
〔四〕齊以爲言　「言」字原缺，據合璧事類·後集卷七六補。

慶曆四年（甲申，一〇四四）

1.三月〔一〕，詔諸路州、府、軍、監，除舊有學外，餘並各令立學。如學者二百人以上，許更置縣學〔二〕，若州縣未能頓備，即且就文宣王廟或係官屋宇，仍委轉運司及長吏於幕職州縣官内薦教授，以三年爲一任，若文學官可差，即令本處舉人，衆舉有德行藝業者充，候及三年無私過，本處具教授人數并本人履業事狀以聞，當議特與推恩。內有因本學應舉及第人多處，亦與等第酬賞。如任滿，本處舉留者，亦聽。其學規宜令國子監詳定其制頒行，如僻遠小郡，舉人不多，難爲立學處，仰轉運司相度聞奏。其州、軍、監初入學人，須有到省舉人二人委保，是本鄉人，或寄居已久無不孝不悌踰濫之行，及不曾犯刑責，或曾經罰贖而情理不重者，方得入學。

〔一〕此條原在「十月十九日」條後。

〔二〕更置縣學 「學」字原脱，據影印本崇儒二之三、選舉三之二四、合璧事類・後集卷七六補。

2. 五月〔一〕，詔：「近制，舊舉人聽讀一百日，新人三百日，方許取解。今天下建學，而未盡有講説教授之人，其舊舉人且與免聽讀，新人於聽讀限內，以故給假，而逼秋試補日不足者，與除之。其州、軍學未成，聽至後試赴場爲始。」

〔一〕此條原係年爲「慶曆三年」 按影印本選舉一五之一二、長編卷一四七、編年備要卷四六「郡國鄉黨學」均記此事於四年條下。且慶曆新政始於三年九月，此詔不當在三年五月，今據改。

3. 十月十九日，臣僚上言：「自古取士之術，皆本學校。太平以來，學校興矣，未嘗設官典教，以重其任。今使士角科舉一日之長，豈如素養士於天下也。」詔諸路轉運司，令轄下州、府、軍、監，應有學處，並須揀選有文行學官講説，不得因循廢罷〔一〕。

〔一〕此條後原有玉海注文三行，見該書卷一一二慶曆州縣學，今删。

五年（乙巳，一〇四五）

1. 三月，詔天下見有官學州縣，自今只許本土人聽習。若游學在外者，皆勒歸本貫，其所在官吏，仍不得以州學公用爲名科率錢物，令轉運司常察舉之。

神宗熙寧四年（辛亥，一〇七一）

1. 三月五日，詔諸路轉運司，應朝廷選差學官州軍，發田十頃充學糧，元有田不及者，益之，多者，聽如故。凡在學有職事，於學糧内優定請給。

2. 六月，詔中書門下，五路舉人最多州軍，除河南府、青州見有舉辟學官，餘並增選爲逐州教授。

六年（癸丑，一〇七三）

1. 三月，詔諸路學官〔一〕，並委中書門下選差京朝官、選人或舉充〔二〕。

〔一〕學官　「官」字原脱，據長編卷二四三、群書考索・後集卷二七、治跡統類卷一二補。

〔二〕或舉充　按長編卷二四三，「舉」字下有「人」字。

元豐元年（戊午，一〇七八）

1. 正月十七日，詔：「自今學官，非公宴不得豫妓樂會。」從知永興軍呂公孺請也〔一〕。

〔一〕從知永興軍呂公孺請也　「知」原作「之」，據宋史卷三一一呂公孺傳改。

2. 十一月十五日，詔未差教授州軍，令本學主管官共選有學行舉人充教授，學糧依舊以贍生徒。時河北轉運司請以無教授處學糧增助有處給用，下國子監相度，而有是命。

二年（己未，一〇七九）

1. 七月十七日，詔諸路轉運司相度當置學官州軍以聞。

六年（癸亥，一〇八三）

1. 七月十三日，國子司業朱服言：「諸州學或不置教授，乞委長吏選現任官兼充，先以名上禮部，從本監體驗，可爲教授，即依所乞。其逐州舊補差教授，悉乞放罷。」既而，禮部言：「乞令本監具

如何體驗外官學行堪充教授，及杜絶狥私請託舊弊，然後立法，見爲教授人，候有新官，令罷。」從之。

2. 九月二十四日，詔歲於蜀州撥州學錢二百千，導江縣百千，與成都府贍生員，其見管田增給爲十頃。從知成都府吕大防請也。

七年（甲子，一〇八四）

1. 三月九日，詔諸路知州〔一〕選在任官爲州學教授者，送國子監審察，令兼管。

〔一〕詔諸路知州 「諸」原作「請」，據長編卷三四四改。

2. 十一月十九日，尚書禮部乞諸州不置學官處，委轉運司選官，及生員多，可置教授，申本部下國子監審察。從之。

哲宗元祐元年（丙寅，一〇八六）

1. 十月十二日，詔齊、盧、宿、常、處、潁、同、懷州，各置教授一員。

三年〔一〕（戊辰，一〇八八）

1. 五月十八日，詔澶州置教授一員。從本州請也。

〔一〕三年　按長編卷四一〇，此下三條均載在二年。

2. 六月十四日，知河陽李清臣言，河陽乞置教授一員，從之。

3. 七月八日，詔內外學官，選年三十以上歷任人充。四年，以舉薦頗衆，詔須命舉乃得奏上。

七年（壬申，一〇九二）

1. 四月十二日，吏部言：「欲應奏舉職官知縣、縣令，依常調本資序係判司簿尉人差充諸州教授，願滿四考者聽。」從之。

八年（癸酉，一〇九三）

1. 六月二十二日，詔諸州元無縣學處輒創修，及舊學舍損壞，許令人户出備錢物修整者，各杖一百。以尚書省言外路多違法科率造學故也。

紹聖元年（甲戌，一〇九四）

1. 三月四日〔一〕，詔今後〔二〕內外學官選進士出身及經明行修人充。

〔一〕三月四日　「四日」原誤作「四月」。
〔二〕今後　「今」原誤作「令」。

2. 九月二十六日，監察御史黄慶基言：「立學限以一年，考察無玷，方許應舉，其間行藝爲鄉閭推，考察最優者，自可保明，遣置太學。方今州郡未有學官處，可量士人多寡而增置之，或委長吏選擇郡官之有學問者兼領，庶幾庠序之教遍於天下，以增光盛世之治功，非小補也。」詔送國子監。

3. 十月二日，左司諫翟思言，乞修立諸州學舍，詔送國子監。

二年（乙亥，一〇九五）

1. 正月九日，詔諸州學不置教授處合選官兼充者，並選本州見任官經義進士出身，及經義兼詩賦出身者。

元符元年（戊寅，一〇九八）

1. 七月十日，詔學官歲一試。詳見國子監紹聖元年。

二年（己卯，一〇九九）

1. 十一月二十七日，詔：「諸州學生，依太學三舍法，限當年十二月到京，隨太學補試。諸州貢上舍生到京，並權充外舍生食。諸路各選監司一員提舉學校，仍知通專一管勾。諸州試内舍、上舍，並監司選差有出身官一員，與教官同考試，仍封彌、謄録。合用條貫，令於國子監取索行下。其外州不可行者，比類條具，申尚書省。」

徽宗元符三年（庚辰，一一〇〇）徽宗即位未改元。

1. 十月十八日，唐州言乞專置教官一員，從之。

建中靖國元年（辛巳，一一〇一）

1. 十月七日，臣僚言，無出身人充内外學官者，别與合入差遣，從之。詳見國子監。

2.十二月二十三日，詔以睦州進士王昇爲壽州司户參軍，充湖州州學教授。以尚書左丞陸佃薦其孝行文學，故有是命。

崇寧元年（壬午，一一〇二）

1.八月二十二日，宰臣蔡京等言：「乞罷開封府解額，除量留五十人充開封府土著人取應外，餘並改充天下貢士之數。諸州、軍額，各取三分之一添充貢士額。乞天下並置學養士，郡小或應舉人少，則令三二州學者聚學於一州，置學州並差教授，先置一員〔一〕，在學生員及百人已上，申乞添置，不拘資序，並許選差。應元祐以來教授條制更不施行。應〔二〕本路常平、户絶田土物業，契勘養士合用數撥充，如不足，以諸色係官田宅物業補足。請以太學三舍校試法删立頒降。陞補爲上舍生者，聽每三年〔三〕貢入太學，随太學上舍試，仍别爲號；若試中上等，補充太學上舍中等；試中中等者，補充上舍〔四〕下等；試中下等者，補内舍，餘爲外舍生。雖不入等及科舉遺逸，而學行爲鄉里所服，委知州、通判、監司依貢士法貢入，委祭酒、司業、博士詢考得實，當議量材録用。每路自朝廷選監司二人提舉，知通令佐仍每十日一詣學，監司一歲巡遍所部州學。凡貢士，自教授考選推擇申州，知州、通判審察，監司覆按，監司、知州、通判連書聞奏，随奏遣赴太學。若所貢非其人或應舉而不貢，一等依律科罪。若貢士到太學試中上等，及考選陞舍人多，即等第立法推賞。請天下諸縣皆置學，令佐掌之，學置長、諭各一人，並支俸禄，並職事人相度随宜量置，除倚郭縣不置外，有不置教授處，其州學聽置，仍只依縣學法，以知州、通判主之。及於本縣，委令佐擘畫地利及不係省雜收錢内樁充費用。諸學生在縣學一年，學長、學諭考選行藝，報令佐審實申州，知通驗實，教授試其文藝，以入州學，不置教授州依此。應州縣學生，若外舍在學實及二年，五犯規矩，兩犯第三等已上罰，並五試不中第三等，而文藝無可取之實，行能無可教之資，立出學之法，則在學者不敢不勉，在外者有闕可試，既屏之出學，却許入縣學。又三犯規矩，犯第三等已上罰，並五試不中第三等，則屏之出學。若犯杖已上罪，終身不齒，永不得入州縣學。歷在外官子弟親戚，法不合在本處取應者，許隨處入學，即不得陞補與貢，在學通及一年，不犯第二等已上罰，給公據許赴太學取應，國子監解名。知州、通判、教授選補職事不當，並依貢士法，降二等坐之。請除見行書吏外，應邪説異書悉不許教授。」從之。

〔一〕先置一員　「一員」，長編紀事本末卷一二六、群書考索·後集卷二八均作「二員」疑是。

〔二〕更不施行。應　「應」字原在「行」字前，據文意乙正。

〔三〕三年　原作「二年」，按長編紀事本末卷一二六、群書考索·後集卷二八、通考卷四六、宋史卷一五七均作「三」年。今據改。

〔四〕補充上舍　「上舍」二字原脱，據長編紀事本末卷一二六、群書考索·後集卷二八、宋史卷一五七補。

2. 八月二十二日，宰臣蔡京等言，乞州縣學並置小學，十歲已上皆聽入學，小學教諭仍量給俸料。從之。

二年（癸未，一一〇三）

1. 正月四日，臣僚言：「諸路教授自外任移者，除依條通理考任月日外，許就任陞改。其教導有方，貢試如法者，仍聽保明再任。內廣南教授應陞改者，減舉主一人。諸州教授合破接送人，承務郎已上依轉運司管勾文字，選人依管勾帳司，令住家州、軍限三日差撥，逐州交替，其當直人承務郎已上十二人，選人十人，仍各差節級二名。」從之。

2. 二十七日，權發遣鄭州王悆等言，本州縣學已經畫措置，授之成法，今彩畫到圖子齎呈。詔王悆轉官直秘閣，通判、簽判官轉一官。

3. 二月二十九日，臣僚言：「乞詔有司〔一〕，每遇有制書、手詔、告詞，並同賞功罰罪事跡録付進奏院，印本送太學并諸州軍，揭示諸生。」從之。

〔一〕乞詔有司 「乞」下原衍一「乞」字。

4. 四月十日，朝請郎劉涇言：「教授合用薦舉關陞與夫改官，宜立法，各少損其數，仍許自卿、監、祭酒、司業、尚書侍郎而上，歲舉三五人。」

提舉京西北路常平等事張元弼劄子：「諸路教授如合關陞改官，乞於吏部常格裁減舉薦員數之半，如訓導有方，績效可見，即特與不用舉主。」侍郎左選勘會：「諸州教授，在外已有監司、知郡，在京已有國子監長貳歲舉改官，昨又準朝旨，國子監添舉改官八員外，詔提舉學事司，每路教授及十人已上者，添舉改官三人，十人已下者二人，不及五人一名，不許舉他官。若能訓導學生，試中太學上舍等人數及八分者，依太學博士、正録法改官。」

5. 十四日，漣水軍使兼知楚州漣水縣錢景允乞依例買撲醋坊，撥充軍學應干支費。詔令本路提舉常平司勘會，如不公，公使庫買撲，即依所申。餘路依此。

6. 五月六日，宰臣蔡京等言，修立成諸路州縣學敕令格式并一時指揮。詔鏤板頒行。

三年（甲申，一一〇四）

1. 正月十七日，詔諸路增養縣學弟子員，大縣五十人，中縣四十人，小縣三十人。

2. 十一月十七日，詔曰：「神考嘗議〔一〕以三舍取士，而罷州郡科舉之令，其法始於畿甸，而未及行於郡國。其詔天下，除將來科場如故事外，並罷州郡發解及省試法，其取士並繇學校升貢。」

〔一〕神考嘗議 「嘗」原誤作「賞」。

3. 十二月三日，詔：「訪聞州有武臣知州，縣有無出身人知縣，考選校試不能深原法意，應縣學許本州教授抽摘點檢施行。其知州、通判，凡學之事，悉已干預，唯不得參考去取文藝。教授之官，主行教事，當在學事官之上，提舉學事官宜在常平官之上，與提刑叙官。教授、承務郎以上，本州在簽判上，選人在本州職官之上。」

四年（乙酉，一一〇五）

1. 八月二十八日，詔陝西新造之郡猶用蕃字，可置蕃學，選通蕃語識文字人爲之教授，訓以經典，譯以文字，或因其所尚，令誦佛書，漸變其俗。

五年（丙午，一一〇六）

1. 三月五日，詔：「諸州教授雙員處減一員，餘遠小及養士不多去處並罷，令有出身官一員兼領。勘會諸州教授員闕，並依堂除人〔一〕，元豐年以前差置州軍，並依舊，其後來差置去處，如在學生員自來滿百人以上，學糧可以贍足，各差一員，餘依已降指揮。所有雙員處，即將先到任人減罷一員，令諸路兼領學事監司，限半月各具本路合存減去處并職位、姓名申尚書省。」

〔一〕堂除　「除」原誤作「餘」。

2. 十二月二十三日，學制局言：「小學雖有置曆誦經，隨其長少設爲程課之制，仍依太學生例，量破飲食，尚慮推行不一，未能仰副德意之厚。今取會太學小學見行規矩約束，參酌修立到州縣小學課試等法。」詔小學皆隸太學，州合令教授，縣合令學長總其事，不可別爲一學，兼學長與縣學長名同，可改爲小長。

大觀元年（丁亥，一一〇七）

1. 十一月九日，鄭宗奏，乞以地里遠近，生徒衆寡，量其難易勞佚，旌別教官。上批：「水土惡弱州軍，承務郎以上與轉一官；三千里外，承務郎以上可減一年磨勘，選人占射一次。其廣南東、西不及四千里者，依四千里法。」

二年（戊子，一一〇八）

1. 三月二十四日，開封府學博士郁師醇言：「檢會御筆，自今應於鄉村城市教導童稚，令經州縣自陳，赴所在學試義一道，文理不背義理者，聽之。慮有假名代筆詐冒之人，欲乞依大觀學令初入學生結保之法，仍乞試日依補試法，差官封彌試卷，送考校官。」從之。諸路依此。

2. 三十日，前攝賀州州學教授曾鼎旦言：「竊見廣州蕃學漸已就緒，欲乞朝廷擇南州之純秀練習土俗者，付以訓導之職，磨以歲月之久，將見諸蕃之遺子弟仰承樂育者，相望於五服之南矣。」詔：

「曾鼎旦充廣州蕃學教授，其應合行事件並依也。」「伏望揭臣此疏以示朝堂，出臣此疏以諭下。」詔榜朝堂。

3. 七月二十一日，詔：「閱前日賓興之數，較其試中多寡，惟常州爲衆，其知州、教授特與轉一官。」

4. 八月十五日，辟廱言：「諸州歲陞試，若於仲月内撥榜出，即妨四季入學，自合於正月上旬内鎖院，仍於當月内先次放歲陞試牓。今看詳，若知通先次入院，折歲陞試牓，與試官相見，即於公試及試上舍未申號間不無妨嫌。昨來開封府歲陞試附貢士舉院，係從本院一面先次放榜。」詔依開封府例。

5. 九月十八日，詔：「比聞諸路州學有閣藏書，皆以經史爲名，方今崇八行以迪多士，尊六經以黜百家，史何足言。應已置閣處，可賜名曰『稽古』。」

6. 十一月二日，詔郡守、監司各按所部，有違法害民，曠職失守者，悉以名聞。苟附下庇姦，畏避不言者，當遣使按察，罪不汝貸。

7. 同日，詔：「在京百司，近在首善之地，比數廢職，分命督按，各置以法，而郡守、監司，耳目所寄，遠在四方萬里之外，守公奉法，其能無盭乎。設官分職，法全令其吏墮不虔，荒失詔命，使元元之民或被其害。夙夜以念，時予之辜。其令天下郡守、監司，各按治所部違法害民、曠職失守、營私廢公、徇流俗而無享上之心者，悉以名聞。苟附下庇姦，畏避不言，當間遣使者，分路按察，罪不汝貸。夫政自內治，化自近格，惟爾萬邦，各祇乃事，罰及爾身，不可悔也。」〔一〕

〔一〕按此條所記內容與郡縣學無涉，似它門內容混入。

8. 十一月八日，魏憲言：「諸路學費房廊，止是科差剩員一名收掠，其間侵欺盜用，失陷官錢。欲乞學房廊多處，許依州縣法，召募庫子一名，專行收納，其或少處，亦乞權令本州庫子兼管。」詔：「不限錢多寡，並置一名，多者仍置專副主管。」

9. 十一日，臣僚上言：「竊惟陛下制禮善俗，立教興行，道化之所鼓舞，誠意之所薰浹，所宜四方風動，而比屋可封也。然而，忠厚之俗未底於曠然大同者，臣竊究其由矣。蓋爲守宰者唯訟獄是親，至于教化則逡巡不任其事，監司所至，未有迪教法察風俗者，是豈周官掌父道王德，意志慮與，四壯使臣，咨諏咨詢之意乎！以夫監司、郡守、縣令，數多苟且不知職業之可爲，此所以民俗治效未能仰稱陛下政教之美也。臣愚欲望聖慈，時降睿旨，命有司類次詔書律令可以訓民者爲一書，與昏冠之禮先後頒焉。州縣委試者，或先期請假，或臨時託疾，欲乞明立條法，應赴歲陞試而三不赴者除籍。」從之。

三年（己丑，一一〇九）

*1.*二月三日，宣德郎邢之迪言：「乞今後教授差出，因病在假，其本州時暫權官不得預差職事。」從之。

*2.*十六日，提舉黔南路學事戴安仁言：「所管多是新創州郡，内縣、城、寨新民教授係經畧司舉辟，今來既有提舉學事，其新民教授欲乞一就提舉學事司奏辟命官或貢士、攝官有學行人充。新民學生就學，其間亦有秀異，今欲乞立勸沮之法，分爲上、中、下三等。上等爲能誦孝經、論語、孟子，及一經畧通義理者，特與推恩；中等爲能誦孝經、論語、孟子者，與賜帛及給冠帶；下等爲能誦孝經、論語或孟子者，給與紙、筆、硯、墨之費。」從之。

*3.*二十一日，奉議郎李庠言：「沿邊州縣素少士人，補試或不及三人者，許與在學生爲保。」從之。其人少處依此。

*4.*四月八日，知樞密院鄭居中等言：「修立到小學敕令格式申明一時指揮，乞冠以大觀重修爲名，付禮部頒降。」詔：「第一卷内，小學能通經爲文者爲上等，既不犯罰，又五次合格，令更不赴本貫縣學試補。在學半年，陞本學外舍生。」

5. 四月二十二日，奉議郎李庠言：「形勢官户有以田宅入官中賣，請託州縣，因緣爲奸。欲乞將形勢官户等，不許中賣在官贍學田宅。」從之。

6. 八月二十三日，詔：「泉州州學，全然不成次第，本路提舉學事、知州、轉運判官各特降一官，其學舍令本州疾速脩蓋。」

四年（庚寅，一一一〇）

1. 四月十四日，新權提舉淮西路學事葉杞奏：「教授乃朝廷選除，其教導有方，貢試如法，知、通、提舉職當審實保奏再任。學生但合退聽，豈可陳狀舉留，殊無朋比之嫌。欲乞今後州學教授，如委可再任，並本州準學法施行，諸生不得輒牽衆陳狀，舉留教授。」詔依。

2. 八月十二日，詔縣學并州縣小學更不給食，願陪厨者聽。

3. 同日，詔：「三舍之法初頒四方，深恐有司奉行違戾，故學生三百人已上，命置教官二員。今行之既久，已見就緒，所在學生及五百人已上，許置教授二員，其不及五十人〔二〕者不置，以本州在任有出身官兼領，闕，即知通於本州在任官内選曾在太學、辟廱及得解與貢、經行可稱之人，申學事司審察權差，所有合減罷官，依崇寧五年三月五日所降指揮施行。」

〔二〕五十人 「人」原誤作「八」。按長編紀事本末卷一二六作「五十人」，且云「尋改五十人作八十人」。此下第五條十七日詔書引文亦作「五十人」，今據改。

4.同日，詔：「貢士被貢日，許長吏集合州官燕犒，破贍學錢，乃無限定之數，往往廣有支用，實於養士有妨。可令今後許於公使錢内量支。」

5.十七日，詔比降教授指揮内「不及五十人者不置」一節，可改「五十」字作「八十」字。

6.九月二十日，吏部尚書劉拯言：「近降朝旨，三舍在學生及五百人已上許置教授二員，其不及八十人者不置。竊詳學生實在者常少，係學籍者常多，其在學宇謂實在學者，謂但係學籍者，皆是未有明文。欲乞明降指揮，仍立限下諸路提舉學事司契勘實數，開具申奏，付部差注施行。」詔：「可委諸路提舉學事司，以元降教授省員指揮到學日見係學籍人數，限半月申尚書吏部〔一〕，依已降指揮差注，立爲定額。」

〔一〕申尚書省吏部　「申」原誤作「中」。

7.十月二十一日，開封府尹盛章言：「朝廷創建開封府學，教養多士，未及三年，數多增倍。今歲貢之初，人材應選，陞考精審，亦由師儒得人，訓導有方。竊緣王畿首善天下，理宜優異，其學官欲乞特加奬勸。」詔開封府學博士悳柔民、孫璘並除太學博士。

政和元年（辛卯，一一一一）

1.正月二十九日，詔：「縣學并州縣小學生更不給食。縣學長諭、教諭、直學，係州學選差内合外舍生〔一〕充，自合依條給食。縣學錢糧官，罷月給食錢。」

〔一〕選差内合外舍　「合」疑爲「舍」字之誤。

2.二月二十七日，大司成張邦昌，辟廱司業魏憲、耿南仲言：「諸州教授闕，許學事司選本州或本路見任有出身官權，理爲在任月日，依正官法薦舉。竊見其間有時暫差權，便行薦舉，却致有妨薦舉正官教導終任之人。欲望今後諸路差權教授，在任實及半年已上，委是教導有方，即許依正官法施行。」從之。

3.五月七日，詔諸州教授依元豐舊制選試，朝廷除授。元豐七年，立法試學官，上等注博士，下等注正、録，願就教授者聽。

4.九月二十八日，詔：「訪聞比來學事司取撥過户絶田産頃畝不少，遂致常平錢本寖以闕少，有害斂散，可令諸路學事司取大觀四年初詔諸州以前三年贍學支費過實數内取支費錢穀最多一年爲準，仍增加五分以備養士外，餘剩田舍，盡數撥還元管係官司。」

5.十一月六日，臣僚言：「竊觀大觀四年初詔諸州教授，學生不及五十人者不置，繼又詔以八十人爲率，雖熙豐舊置教授州郡不拘此令，他官兼攝者已百有餘州矣。顧知初詔〔一〕，學生五十人，許置教授一員，請給之費以學事司錢充，不過添官數十，而師專其職，人得其師，考察陞貢得其人。」又臣僚言：「議者以省費爲言，不及八十人處不置教授，以見任官兼權，恐非熙寧專置之意。以爲州添一教授，所費不多，况料錢自合出運司，而供給自合出州郡，惟京官有添支，選人有驛券，不過十數千耳。近降政和元年七月敕，以贍學餘錢撥還常平田業之直，則學事錢糧不侵運司之費，又不占常平之業，自爲一司，可以充足。欲乞將不滿八十人處復置教授。」詔依大觀四年八月十二日指揮，以在學生人數及五十人已上復置一員，其八月十七日指揮更不施行。

〔一〕顧知初詔 「知」疑爲「如」字之誤。

二年(壬辰，一一一二)

1.正月二十七日，臣僚言：「乞自今學官每十人取一。」從之。詳見國子監。

2.三月二十九日，詔不該置教授州軍，選差兼權官，在職及一年已上無遺闕者，許依正教授法考課。

3.五月十六日，户部侍郎胡師文等言：「諸州教授，於學法唯許差佗州考試，而不置教授有出身官兼領處，近日有差推鞫〔一〕公事之類。欲乞教授見係兼領依正教授法。」從之。大詔令：政和二年五月丁卯，新提舉秦鳳等路學事許多〔二〕言：「大觀新修諸路州縣學敕令，頒行六年於兹，諸路申明上煩訓諭放告者〔三〕不可悉數。乞詔有司特加看詳，擇其可否，使人易曉。」又乞以屏斥林伯達、責降蔡嶷等事鏤板，布之天下。並從之。

〔一〕推鞫公事　「鞫」原誤作「掬」，據原書刑法三之六一改。

〔二〕新提舉秦鳳等路學事許多　「事」原誤作「士」字。「許多」群書考索・後集卷二七作「許轂」。

〔三〕放告者　群書考索・後集卷二七作「教告者」。

4.八月十一日，臣僚言：「師儒之官，陛下參以選格，皆自朝廷除授。獨試學官之法，尚未聞罷去，伏望特賜罷去試選之法，悉取於學校。」從之。詳見國子監。

5.九月七日，給事中俞㮚言：「竊慮學校方興之際，監司州縣不知朝廷本意專爲育大材，有務爲豐腆飲食，其弊至於以實直時估移爲市價；務爲假借學生，其弊至於犯法害教，多至訟庭，或戾知佐，或侵良民而不敢問；務爲從事外飾，則有枉用錢糧之費；務爲申請遺利，則有與民爭利之過。惟申明條令，密賜戒告，乃可杜絶其源。」詔劄與提舉學事司。

6.二十五日，給事中俞㮚言：「學生祖父母、父母老病，或無兼侍許歸宿者，若實在齋者二十人，即乞不得過五人，十人即乞不得過三人，三人以上不得過一名。」詔諸學生滿五人聽一名出宿，五人以上二人，每十人加二人。

又言：「教授謁禁等法，可謂詳備，盖欲諸生執經問難，請見無時，循循誘人，貴得成材，以爲時用。而諸州教授，有或多務出入，罕在學校，至如過客，到發亦與郡官同講將迎之禮，願申明條令，違者必罰。」從之。

7.十月二日，詔諸贍學田業免納二税。

8.二十二日，尚書省檢會給事中俞㮚奏：「今縣令佐，銜帶管勾專切檢察學事。欲乞注擬有出身人，令專管學事，常留在縣，不得州郡及諸司差出，不充師長人，更不管學事，銜内仍不帶。」

9.十一月六日，懷德軍言：「軍學補試到合格學生一十五人，委士士人漸多〔一〕，難以并附鎮戎軍教養，所有教授亦乞差注。」詔除差教授別作施行外，餘依。

10.十七日，國子司業蘇某言：「乞下諸路提舉學事司，索州縣養士之餘，除量存留外，各據所餘之數，旋還常平舊撥産業之價。又其餘，促州縣置買物業，擇其尤者優與推賞。」從之。

〔一〕委士士人漸多　「委士」疑爲「委是」之誤。

三年（癸巳，一一一三）

1. 正月十八日，敕令所删定官李嘉言：「教授入學，墮而弗虔，有未嘗升堂者，往往止託逐經學諭，撰成口義，傳之諸齋，抄録上簿而已，未嘗親措一辭於其間。至於本齋輪流覆講，則亦未嘗過而問焉。欲乞委知通覺察點檢，有似此者，覺察申提舉司按實以聞。」從之。

2. 二月十三日，臣僚言：「學生雖已經公試，其仲月私試亦合并引三場。」從之。

3. 二十五日，辟廱看詳：「諸路州軍有校定内舍止有一人處，既難以分爲三等校定，今相度欲考察及十五分爲下等校定。」從之。

4. 三月十八日，臣僚言：「諸州教授任滿賞格，有輕於本州曹掾官處，理當依曹掾官法推賞。」從之。

5. 閏四月三日，禮部言：「翰林醫學充駐泊之人，係理爲任，即是有官品之人，欲比附外任官條制，令隨侍子弟等入鄰州學，爲隨行親。」從之。

6. 四日，詔八行添置諸州教授。

7. 七日，太學博士陸德先言：「伏覩御製學法，諸士以八行中選，爲諸生之首選，充職事、長諭，其已命官之人，竊慮亦合先差。伏望以八行應格人爲教官選首。」從之。

8. 五月二十日，詔諸路已撥良田贍學，提舉學事司更不撥還常平價錢。

9. 六月十一日，尚書省言：「諸縣令佐，差有出身一人，緣見任令佐以三年爲任，伺侯差注乃在三年之外。學校不可緩，欲令轉運提舉司，契勘諸縣官，對移上、内舍登科人，随資序到任二年以下充令佐，於學事司錢内支食錢三貫，如不足，吏部注人，替滿兩考人〔一〕，其被替人理一任，減一考改官。」從之。

〔一〕兩考人 原誤作「雨考人」，據影印本崇儒二之二〇至二一，政和三年六月庚申條改。

10. 政和學規 六月庚申〔二〕，尚書省言：「學校養士，以待天下賢能，可以作人材，敦士行，興教化。自縣學升之州，自州升之辟雍，自辟雍升之太學，然後命官，則縣學爲升貢之本。今天下令佐〔三〕，吏部注授，多非其人。俗吏則以學爲不急，不加察治，縱其犯法。庸吏則廢法容姦，漫不加省，有罪不治。以故學生近來在學毆鬭争訟，至或殺人，蓋令佐不加治訓，州縣不切舉察，提舉官失於提按，以致如此。不惟士失其行，亦官廢其職，今具下項：

一、州縣學生有犯，在學，杖以下從學規。徒以上，若在外有犯，並依法斷罪。

一、州縣學生有犯，教授、令佐、職事人不糾舉，與同罪，知通失按，減一等，提舉官，又減一等，若故縱並加二等。欲令轉運提舉司契勘諸縣官，對移上、内舍登科人，隨資序到任二年以下充令佐，於學事司錢内支食錢三貫，如不足吏部注人，替滿兩考人，其被替人理一任，減一考改官〔三〕。」詔依。

〔一〕此條原在本年六月十三日之後，按政和三年六月庚戌朔，庚申是十一日，據以調整。
〔二〕今天下令佐　「令」字原脱，據長編紀事本末卷一二六補。
〔三〕減一考改官　「改官」原誤作「政官」，據影印本崇儒二之二〇「六月十一日」條改。

11. 六月十三日〔一〕，詔：「諸路教授尚多闕員，曠職廢事，非便，令尚書省置籍，每季左右司劾刷半年以上闕，從本省榜示，許合格人投狀指射，左右司勘會合格人，具名呈稟訖，送中書省，限二日差充。以曾試中或曾經兩任教授人，次充教授一年以上，次曾充兩學正、録，次曾充兩學大職事半年以上，次曾充兩學長諭，次曾爲貢首〔二〕，次曾在公試十人名内，於格内中二事以上者爲合格。即無中格人願就者，但一中格聽選，無一事中格人者，以曾補内舍人選充。即非上舍登科，不在選限，以中格多者爲上，同者以格内一事先後爲上，俱同者具名稟宰丞，選一名。尚書省吏房那撥手分二名，專一注行，左右司增置手分二名、貼書二名，專一行遣。」

〔一〕此條原在六月庚申即十一日條前。
〔二〕次曾爲貢首　「次曾」原誤作「曾次」，據上下文義改。

12. 七月五日，濠州州學教授陳湯求言：「監宫觀嶽廟之人，其間有在本貫居住，其隨侍子弟，自合入本貫學，不當却入鄰州學。」從之。

13. 十一月，新差提舉河東路常平等事畢仲愈言：「學田户兼佃職田，於是水旱減放，每在學校，豐穰厚利常歸令佐。乞應學田佃户不得令兼佃職田。」從之。

14. 十五日，假將仕郎李雨狀：「自興三舍，預籍升補，昨被本路勸糴軍儲補前件名目，緣此使雨引去學校。伏望許令進納人元係上舍升補者，聽依蔭補人入學聽。」從之。〔一〕

〔一〕此下原有玉海注文兩行，見該書一一二慶曆州縣學條。今删。

15. 十一月，中書省言：「檢會政和二年十月二十三日廣西路提舉學事司申，五月十六日聖旨，『鄉舉里選，三代所以賓興賢能，以善養人者也。今學校之興，教養之令具矣。後來〔一〕寖失本旨，至參以科舉、罷廢縣學給糧之法，害令惑衆者非一。可並依大觀三年四月以前指揮，其後降指揮，更不施行。』本司已牒諸州，依舊取撥以前應有拘收到户絶田宅，並隸本司於行，諸路學已足者，若不罷取撥户絶田舍，有害常平法。」詔罷取撥户絶等田充學費，諸路依此。

〔一〕後來　據宋大詔令集卷一五七學校御筆作「比來」。

四年（甲午，一一一四）

1. 正月二十六日〔一〕，禮部言：「將仕郎、前階州將利縣尉丁興宗乞比附宫觀差遣人入學讀書等事，尋取到辟廱狀欲令入學。」從之。更有似此之人，並依此。

〔一〕正月二十六日　原脱「月」字。

2. 二月十二日，詔：「今後逐縣令佐有貢士出身人，内從上差一員兼縣學教諭，仍月給食錢七貫，其管勾在學職事，依教授法。」

3. 二月三日，中書省言：「小學生見近一千人，入學者尚未已，今來只有貢士教諭十人，今欲分爲十齋，小學教諭增與月俸，給錢兩貫，不許受束脩。」從之。據實録〔一〕宣和元年七月，有范致厚自國子小學録爲校書郎，未見初置小學録旨揮。

〔一〕「據實録」以下原爲大字正文，今依原書慣例，改作小字注文。

4. 三月二日，詔諸路〔一〕，應小學生及百人處，并添差教諭一員。因開封府雍丘縣申請，故有是命。

〔一〕詔諸路　「諸路」二字原脱，據長編紀事本末卷一二六補。

試。

5.四月十五日，新知潁昌軍〔府〕事〔一〕崔直躬言：「縣學，文士不滿一季，武士不滿半年，皆不與試。縣學並以孟月試補，而引試常在下旬，考授預選入學，又須累日，歲升乃以正月上旬鎖院，緣此秋試武士，冬試文士，到來春試補入州學，多有日數不足，遂又次年，方與試升補。乞詔有司使縣學試補須於孟月上旬了畢，到來歲歲升之日，生員在縣學月日得足，庶使天下寒俊，一槩不至滯留。」從之。

〔一〕潁昌軍〔府〕事　「潁」字原作「穎」，按宋史·地理志，宋代有「潁昌府」而無「穎昌府」，據改。「府」字據宋制加注。

6.五月三日，新提舉廣東路常平等事柳忞言：「乞今後州縣文移係干學校者，並因公牒，不得依前止行帖引。」從之。

7.五月，罷支食錢。

8.十四日，臣僚言，乞應元符末上書邪等人，雖在未入仕以前，不差教授官及充考試官。從之。

9.二十二日，尚書省言：「小學生爲無考選升補之法，故外任官隨行親應入小學者，許入任所州縣小學，大觀續降指揮，稱依隨行親條違法意。」詔删去。

10.六月二十五日，禮部言：「新差揚州司户高公粹乞外州軍小學生，並置功課簿籍。國子監狀，檢承小學令，諸學並分上、中、下三等，能通經爲文者爲上；日誦本經二百字，論語或孟子一百字以上爲中；若本經一百字，論語或孟子五十字者，爲下，仍置曆書之。欲依本官所請。」從之。

11. 六月，尚書省言，自合依令作有官國子生。詔三年七月十五日旨揮更不施行。

12. 七月二日，新差提舉京西北路學事辛炳言：「伏覩政和三年十二月二十三日辟廱申明，乞將當年牓上名次通比，從一高者相壓，已可其請，仍以在學月日先之，所以優其久被教養者。欲乞頒降諸路州學，並依此施行。」從之。

13. 十三日，新差提舉荆湖北路學事徐行可奏，乞立法，令諸州錢糧官須逐日入學支收官物，庶不致虧失。從之。

14. 八月九日〔一〕，詔：「學校以善養人，設師儒，建黌宇，備饍羞，教天下士，十有二年，道日益明，士日益衆，庶幾於古，而養士之額尚循前數，有司拘以定額，士游學校外〔二〕，不被教養於學者尚多有之，則野有遺材矣。諸路學校及百人以上者，三分增一分，百人以下者，增一分之半，即陝西、河北、河東、京東路學生數少者，仰提舉學事司具可與不可增及所增數聞奏。」

〔一〕「八月九日」長編紀事本末卷一二六同此，群書考索・後集卷二七、宋大詔令集卷一五七均在「五年八月十一日載此詔。

〔二〕學校外　「外」字原脱，據群書考索・後集卷二七、宋大詔令集卷一五七補。

15.二十七日，新差提舉廣南西路學事洪擬言：「編户之間有預學籍者，其父兄盡以辭訴之事付之，校争錐刀之末，而不知以爲耻。欲望特降睿旨，應州縣學，非爲户首而輒訴本户事者，官司不得受理，仍坐以謗詈争訟之罰。」從之。

16.二十三日，臣僚言：「邇者，大學小學教諭受賕，並以贓論。州縣學職事違法受賕，乞依大學小學教諭已得指揮施行。」從之。

17.八月二十五日，江南西路提舉學事司言：「吉州州學依額養士七百九十二人，即日見在學生計六百三十四人，委是在學人數至多，除見任教授二員外，依大觀元年七月十七日敕條指揮，更合添置教授一員。」從之。

18.九月十五日，左司員外郎蔡靖言：「建州額養文士一千三百二十八人，依條合差教授二員爲額，乞差三員。」詔依。

又言：「檢會近降指揮，八行出身官許添差諸州教授，及續承敕，八行應格人爲教官選首。緣見選教授格内並無該載八行之人，未審逐次指揮合如何施行。」詔今後從中書省差。

19.十七日，新河北路轉運判官張孝純言：「古者，諸侯貢士，天子必試之於射宫，凡燕饗之際，未嘗不用射也。國家恢崇學校，又學置射圃，俾士人旬休講射，特未聞用射於燕饗之際。欲望詔諸路州郡，每歲燕貢士於學，因講射禮。」從之。

20. 十八日，詔養士五百人已上處，守令並堂除。

21. 十月七日，永興軍等路提舉學事司言，乞差定邊軍教授。又廣西提舉學事司奏舉額外攝官周元充平州文材堡教授，填復置闕，取到吏部狀，準敕節文，新創置州軍管下縣寨新民教授，合從本司奏舉。詔定邊軍許差教授一員，餘依。

22. 二十九日，吏部言，「齊州狀，州學先差到小使臣一員，管勾錢糧什物，并部轄諸色人，應干在學煙火等，後來隨教授指揮減罷。今來本學生員數多，官物浩瀚，雖依大觀學制，於倚郭縣令佐内差委錢糧官，係是兼管，難以日逐躬親赴學應副，乞下吏部依舊差注。」從之。仍詔諸路依此。

23. 九月十一日，權發遣泉州鄭南言：「竊觀州縣小學額，大州止五十人，其下，三萬户縣四十人，其下，止於五人。恐從學者衆，額有定員，欲乞委學事司或人材多、户口衆處，增廣舊額，量添教諭員數。」詔令諸路學事司相度聞奏。

後梓州增十五人，共六十五人。温州增三十人，共七十人。

24. 十一月二十一日，國子博士李邁言：「伏覩邇者立小學三舍之法，固宜推而廣之，使州郡小學，遵倣新令，分爲三舍，庶幾内外均一。」從之。

25. 十一月二十日，利州降〔一〕提舉學事司言：「州縣學所管祭器及節鎮州府祭服，自合供應本學釋奠使用。竊慮諸州府所管器服，將來損壞，關借本學祭器等使用。乞申明行下諸路，今後州縣學器服乞依私借陳設什物出學條斷罪。」從之。

〔一〕利州降　疑爲「利州路」之誤。

26. 二十六日，詔：「蔭補入官人隨處入所在州學，仍别爲齋，公私試附州學生，别作號考校，歲終校定，不通作在學人數，餘並依國子生法。若請特給假通計及三日已上，不理爲在學月日，候及年，本州給公據參部日照使，年未及十五人，願入學者聽。曾犯第三等已上罰之人，自犯罰後，别理一年，如入學後故犯第一等規矩，情重者，教授申州取勘施行。」

27. 十一月十二日，詔隨行親合入鄰州學，所隨親非替移，已移者不許再移。

28. 十二月四日，尚書省言：「大觀新格，諸州縣小學職事人小長一人。三十人以上增一人。諸小學，八歲以上聽入，若在家在公有違犯，違謂違父母尊長之訓，犯謂犯盜竊僞濫之類，皆迹狀者。若不孝不悌，不在入學之限。即年十五者，與上等課試，年未及而願與者聽，食料各減縣學之半。願與額外入學者聽，不給食。州教授、縣學長總之，訓導較試，教諭掌之，看詳校試，諸州當委教授，亦兼校試。其國子小學生上舍等能文，試太學内舍。諸路亦合比附，與州縣外舍生同試内舍。其國子小學生試程文，即附孟月引試。緣諸州學生私試係仲月，今小學生除季試書誦者定日引試，其試程文，當隨州學私試月附試。其諸路封彌官，自可一就管勾，仍别爲號。八歲以上誦經書等第及挑經通數升補等級，並同在京小學法。今諸路小學生應升補上、内舍，及季試合格，當申知通引試，能文學生，每季附本學私試，别設一所，不得與太學交互，上舍等爲文優異者，其名及所試程文，申提舉學事司審察，詑保明奏，貢入太學，仍每歲州不得過一人，如無聽闕」。從之。

29. 十二月四日〔一〕，大司成劉嗣明等言：「近降小學條制，小學八歲，能誦一大經，日書字二百，補小學内舍下等；誦二經一大一小，書字三百，補小學生内舍上等。十歲加一大經，字一百，補小學上舍下等。十二以上，文加一大經，字二百，補上舍上等。即年未及而能書誦及等者，隨所及等補。今欲季一試，申監定日，欲每一大經挑三十通，小經挑二十通，及七分已上者爲合格。近降三舍法，諸學生能文而書誦不及等，博士引試，考其文理稍通，與補内舍上等，優者補上舍下等。今欲試本經義各一道，丞封彌，博士考校通否，申監升補。大觀重修國子監小學格：職事人、小長，每教諭齋集正齋計同一人。三十人以上增一人，集正同。」從之。

〔一〕「十二月四日」　按原書體例，當作「同日」。

30. 十二月十七日，詔内舍生降充外舍之人，額外給食，候有外舍闕日，即先次撥填。〔一〕

〔一〕本條原置在「十二月四日」條前。

五年（乙未，一一一五）

1. 三月十五日〔一〕，詔外任宫觀〔二〕嶽廟官隨行親入所居州學者，並依隨行親法。

〔一〕三月十五日　「日」字原脱。
〔二〕外任宫觀　「宫」原誤作「官」。

2. 五月二十二日，大司成馮熙載言，試小學生，合格優等四人。詔曹芬、駱庭芝賜同上舍出身，金時澤、李徽賜童子出身，並赴將來廷試。

3. 七月九日，臣僚言：「乞應見任教授，不得爲人撰書啓、簡牘、樂語之類，庶幾日力有餘，辦舉職事，以副陛下責任師儒之意。」從之。

4. 九月五日，大司成劉嗣明言：「宗室見任不釐務官願入學者，聽。其考選、校定、升補之類，依國子生條例施行。」從之。

5. 六日，開封府尹盛章言：「大觀元年三月五日元降聖旨，開封府博士序位、立班、請給等，依太

學博士法，所有到任後關升、改官，亦合依太學博士法。」詔府學博士改官，依辟廱正録法。

6. 十月八日，假將仕郎程崧進狀，昨入建昌軍學，升補内舍，後因進納補充將仕郎，後來依蔭補人例入學，公私試藝入等，乞依蔭補人推賞。吏部勘會，進納人即無許依蔭補人入學試中等第推恩朝旨。詔棄毁補授文字，依永不得入學。

7. 十一月十五日，辟廱言：「乞今後應縣學生，三經赴歲升而不預升入州學者，依三不赴條例除籍」。從之。

六年（丙申，一一一六）

1. 二月二十二日，詔州郡學舍隨所添人數增修，以學事司錢充支用。

2. 六月五日，詔應州縣係籍學生，不許身自佃賃係官田産及開坊場，如違，依輒請佃學田業法。

3. 八月十五日〔一〕，詔令提舉學事司，自今有人材拔俗者，不待考選校定之數，具實狀以聞，朕將不次而用之。

〔一〕「十五日」　宋大詔令集卷一五七作「十六日」。

4. 九月十四日，提舉江南西路學事鄭滋乞：「今後諸州己參定上舍貢士，後却見得係貢人不該陞貢，不得用下名人填額，亦以其闕，次年補貢，庶使學生無所僥求，杜絶詞訟紛争之弊」。從之。

七年（丁酉，一一一七）

1. 七月四日，成都府路提舉常平司言：「本路州縣居養院有孤貧小兒，内有可教導之人，欲令小學聽讀，逐人衣服襴襆，欲乞於本司常平頭子錢内支給置造，仍乞與免入齋公用。」從之。餘路依此。

2. 八月十五日〔一〕，臣僚言：「近以國子有官人，於法責在學一年，方許參選。近來往往身不在學，但將告假月日通理成數，有失法意。」詔：「自今特給假，仍補填，在京委太學，在外委本州當職官，保明關申吏部。」

〔一〕十五日　「日」字原脱。

3. 九月十七日，給事中毛支〔一〕言：「乞應補試入學之人，并如州學簾試縣學生，應預歲升試，止免身丁。」從之。

〔一〕毛支　疑爲影印本食貨三八之一四所見「毛友」之誤。

4. 十一月十四日，提舉京畿學蔡佃言：「諸州每年秋季依學法燕犒貢士。逐州支使錢數不多，別作名目，費用過當，乞量立錢數。」誨每分不得過三貫〔一〕，餘費不得過三十貫。

〔一〕誨每分不得過三貫　「誨」疑爲「詔」之誤。

八年（戊戌，一一一八）

1. 五月二十四日，詔諸州教授兼用元豐法，仍止試一經。詳見國子監。

2. 七月十二日，前提舉利州路學事李處遜奏：「乞應係籍學生，不許爲本州縣及本路見任官門客。庶幾書考升選之公，無所僥幸。」詔申明行下，如違，以違制論。

3. 八月七日，詔諸州添差八行教授，今後止許添差大藩，不預職事。

4. 閏九月十一日，詔：「昨立八行，以取老成行能之士，已經考察，又令赴殿試，雖登科，却不得與諸生講學，干預職事。其政和八年五月二十四日并八月七日指揮更不施行。」

5. 十月二日，中書省言，初登科人去學校未久，理合除內外學官。詔今後初登科人許除內外學官〔一〕，次歷州縣一任，其見任未歷州縣人依此。

〔一〕學官　「官」字原脱，據本條上文補。

重和元年（戊戌，一一一八）

1. 十二月二十五日，秦鳳等路提舉學事司言：「改震武城爲軍，已盖修學舍，乞依積石軍例，差置教授一員。」從之。

宣和元年（己亥，一一一九）

1. 四月，新泉州教授羅復上書，乞舍選登第人必先歷州縣。詔依，候一任還，方與教授。

二年（庚子，一一二〇）

1. 六月二十七日，詔：「縣學給食，及州縣小學或武學、醫學、八行貢士給券，並罷見免身丁措借依官户法者，依元豐進士法施行。」

2. 七月一日，詔諸路教授，除見係左右司依格選擬八行人，自今後不許添差，應依元豐法，許堂除者，自依舊例。」

3. 七月〔一〕二十九日，詔小學生上舍上等，特許赴來年公試，如合格，與補大學外舍。

〔一〕七月　已見前條，按原書體例可省去。

4. 八月二十五日，大司成黄齊言，隨行親移籍入學。從之。詳見國子監。

5. 五日，中書省言：「七月十九日聖旨，在京小學近歲增立三舍法，有害鄉舉里選，本乞可並依元豐法。契勘元豐時，在京小學止有就傅〔一〕、初筮兩齋，差教諭一員，即無立定官吏，并直學等。今承指揮，小學既罷三舍，即無講解、考選、直學、醫官等，依元豐法，自合更不差置。乞置小學生兩齋，於太學生内選差二人充教諭，其俸給依元豐舊制」。詔依。今後如學生數多，令本監相度增撥齋舍。

〔一〕就傅　原誤作「就傳」，據玉海卷一一二慶曆州縣學、通考卷三五改。

三年（辛丑，一一二一）

1. 二月十四日〔一〕，都省言：「諸路教授見任官，若係未行三舍以前舊制窠闕合依舊外，餘並合減罷。」從之。

〔一〕本條原在「四月十日」條後。

2. 二月二十日，詔罷天下三舍。太學以三舍考選，開封府及諸路以科舉取士，州縣未行三舍以前應置學官及養士去處，並依元豐舊制。

3. 三月十五日，左右司言：「奉聖旨，諸路州縣學並依元豐舊法，所有未行三舍以前應置學官去處，未審合與不合從本司選擬。」詔教授應法并差注，並依元豐條例，其政和三年〔一〕六月十三日令左右司刷闕許人指射指揮，更不施行」。

〔一〕政和三年　「政」字原脱，據影印本崇儒二之二〇補。

4. 四月十日，詔諸路見任官帶管勾學事並罷。

5. 六月十日，中書省言：「勘會未行三舍以前舊贍學田產房廊等，自合依舊贍學〔一〕外，其行三舍後來應平添置到數，自合拘收。」從之。

〔一〕自合依舊贍學　「合」原作「舍」。

6. 二十六日，中書省言：「饒州申，有三舍舊在學學生，其間願在學聽讀之人，未審合與不合比附辟廱人願入太學事理施行。契勘今年二月二十日指揮，諸路内舍上等校定人，願入太學者免補。今來本州學係籍學生，欲令免補入學，未曾係籍學生合依元豐舊制，以春秋補試。」從之。

四年（壬寅，一一二二）

1. 十二月二十四日，知拱州葉著言：「本州已於崇寧四年修建到州學一區，差教授二員，養士五百餘人。宣和三年二月二十日聖旨，諸路以科舉取士，並依元豐法。竊惟本州崇寧四年創置建盖，元豐所無，今雖罷四輔，而近在畿甸，又學舍具存，獨無一士子肄業其間，伏望取鄰近州府養士之數，立爲定額，置教授一員，標撥係官産業以爲糧食之用。」從之。仍依應天府立額，仍支降告敕三道，付葉著修葺學舍。

五年（癸卯，一一二三）

1. 九月二十九日，鄜延路經略使薛嗣昌言：「延安府自罷三舍之後，不置學官，伏望許置教授一員。」從之。

2. 十月二十九日，臣僚言：「竊見邇來外路守臣申陳，乞添置教授，若元豐所未嘗有而輒乞添置，臣恐他州援引，陳請不已，望特詔諸路各務依稟近降詔令，不得妄有建昌白。」詔延安府置教授指揮更不施行。

欽宗靖康元年（丙午，一一二六）

1. 正月十八日，詔諸路贍學户絶田産〔一〕，令歸常平司。

〔一〕户絶田産　「户」下原衍一「皆」字，據靖康要録卷一删。

2. 五月十日，左諫議大夫馮澥言：「願詔有司訓飭學校，布告中外，凡考校去取，不得專主元祐之學，亦不得專主王氏之學。或傳注或己説，惟其説之當理而已。」從之。詳見國子監。

高宗建炎三年（己酉，一一二九）

1. 十月二十四日，詔：「今後贍學錢糧，並從户部置籍拘催，諸路提刑司收樁，敢有隱漏不實，並依供報無額錢物隱漏法斷罪。」

紹興三年（癸丑，一一三三）

1. 四月三日，尚書省言明州教授係新置闕，依建炎三年六月二十日指揮合行減罷，緣本州士人稍衆，詔特許存留。

2. 十日，詔：「建炎二年六月內復置教授處共四十三州〔一〕，至建炎三年六月內並罷，任滿更不差人。今將建炎二年復置教授窠闕並行存留。」從給事中黃叔敖〔二〕之請也。

〔一〕四十三州　通考卷四六同此。通考卷六三職官十七、宋史卷一六七職官七均作「四十二州」。當考。

〔二〕黃叔敖　「敖」原誤作「教」，據影印本崇儒七之二、職官一之四九改。

3. 七月九日，詔特奏名第一等賜進士及同進士出身四人除教官指揮更不施行，以臣僚言僥倖也。

4. 十一月十二日，詔：「康彥文係於宣和七年秋試中學官第一人，吏部供合在殿試第一甲之上，可免銓試。今後曾試中學官，注授教授窠闕之人，依此施行。」

5. 十二月十五日，詔將淮西州縣教授並行減罷，令逐州有出身官兼。

五年（乙卯，一一三五）

1. 正月二十五日，詔罷試學官科，今後應干教授員闕，並從朝廷選差。臣僚言，國家有試學官之科，又近年以來，將教授闕盡歸吏部差注。欲爲人師，而先納所業，求有司以幸中程度，又校計格法，以爭得之，甚非建學校、立師儒之本意，故有是命〔一〕。

〔一〕此下原有通考注文五行，見該書卷四六學校七，今删。

2. 八月十四日，詔江陰軍置教官一員，量撥官田數頃以贍生徒。從之事〔二〕王棠之請也。

〔二〕之事　據吴中人物志卷五，王棠於紹興五年知江陰軍，「之事」疑是「知事」之誤。

六年（丙辰，一一三六）

1. 三月三日，詔南劍州沙縣贈諫議大夫陳瓘祠堂，許依福州州學陳襄等例，遇春秋釋奠就祭。從給事中張致遠之請也。

2. 十月三日，詔遂寧府增置教官一員，從本府士民之請也。

七年（丁巳，一一三七）

1. 三月十九日，知臨安府吕頤浩奏：「前任潭州，將安撫司收到各項官錢五千貫文，支與州學，充修蓋屋舍之費用，詔行下委知潭州劉洪道於今年秋冬間漸次修蓋，以處生徒。」從之。

八年（戊午，一一三八）

1. 正月二十二日，詔諸州教授除代不得過二員。以御史中丞常同之請也。

九年（己未，一一三九）

1. 十二月二十五日，詔普州許置教官一員。從本州士民之請。

十二年（壬戌，一一四二）

1. 二月二十二日，詔諸路州學，委守臣修葺，具次第申尚書省〔一〕。

〔一〕此下原有玉海注文九行，見該書卷一一二慶曆州縣學條，今刪。

2. 五月十二日，詔無教官州軍，令吏部開具申尚書省選差。

3. 九月十三日，詔江州城南甘棠湖一所，每年菱魚之利，及郡庠前地上岳飛造到房廊三十八間，每日收賃屋錢一貫四百三十文，撥充本州養士，久遠支用，仍委通判拘收。從本州請也。

十三年（癸亥，一一四三）

1. 三月十五日，類試所狀：「契勘今來本所引試教官共一十六員，考校到第一場經義，五號文理優長。其第二場詩賦，並無合入等者。欲望朝廷詳酌，據今春所試程文，許依祖宗舊制，只以經義優長者收取一次。」詔依。

2. 閏四月七日，詔諸路監司并州縣官，隨侍本宗有服并親女及姊妹之夫、子〔一〕，免補試，許入所在學聽讀，若所隨官替移，即許移籍通理。

〔一〕姊妹之夫、子　按影印本崇儒二之三六，「夫」下無「子」字。

3. 九日，國子司業高閌奏：「諸路郡學，有養士額窄，艱於供贍，欲委守倅、教授，隨宜措置，量增員額。若已補中在額外，並許先係學籍，其有營私養親，難久住學之人，只令趁赴奠謁、課試，有疾故聽免，與理爲在學月日。」從之。

4. 十四日，詔置歸州教授一員。

5. 二十七日，詔諸州軍並各差置教授，其禮部長貳正所係所隸，理合依崇寧、大觀格法，許按效體量及歲舉改官。從國子司業高閌之請也。

6.五月十三日，詔置楚州州學教授一員。

7.六月三日，國子司業高閌等言：「在京例，應諸州教授到罷，并報本監置籍揭貼。欲乞指揮都進奏院，諸州教授見任并待闕員數，監置籍揭貼，仍每月具有無替移到罷供報。」從之。仍令敕令所立爲著令。

8.四日，宰執進呈臨安府府學宗子學生師閔、師顔進狀，論教授鮑同不法事。上曰：「朕不喜此事，乃是論師長，恐長告訐之風，可將宗子押送宗正司，令拘管。爲教授者須先正己，然後可以率人。若自爲不法，豈能服人。鮑同令臨安府體充，如果有上件事，亦當黜責。」

9.八月十九日，宰執進呈左朝散大夫宋宙奏，乞盡復教官。上曰：「教授須逐州置，昨紹興十二年，已有指揮，恐是川路遠，未到，更令契勘，仍須是擇通經、心術正者爲之。若教官非其人，士人心術一壞，再整理費力，切宜遴選。」

10.十月十六日，宰執進呈西外宗正司保明到拘管宗子趙善時年滿放逐便事。上曰：「今後宗子，可許入所在學，令與寒士同處，只別作齋舍，仍差士人作長諭，庶幾盡變積習，將來文行，俱有可取。宜令禮部措置。」

11. 十一月十七日，詔諸州軍，將舊贍學錢糧撥還養士，令監司常切覺察，不得輒將他用。仍令逐州軍各開其養士、并見標撥錢糧數目申尚書省。以知信州劉子翼言學糧至微，無以資給故也。

十四年（甲子，一一四四）

1. 二月六日，詔靖州置新民學，學生三十人爲額，令附州學教養，仍令教授兼行訓導，其籍没見出賣楊秀章田土，令本路轉運司量度標撥，應副贍學。從本州請也。

2. 三月二日，國子監言：「昨行大觀法，諸路監司親戚，許入鄰路近便州軍學，州軍并倚郭縣官親戚，許入鄰州學，外縣官親戚，許入本州學聽讀。緣上件大觀法，昨因兵火，散失不存，雖申降到紹興十三年閏四月七日指揮，監司并州縣官，隨侍本宗有服親并親女及姊妹之夫〔一〕，免補試入見任路分州軍學聽讀。竊慮妨嫌，望將諸路監司州縣官親戚，若應得前項服屬者，依大觀法免補入學聽讀施行。」從之。

〔一〕姊妹之夫　按影印本崇儒二之三五所載，「夫」下尚有「子」字。

3. 十月三日，詔：「昨降指揮，令諸州軍將舊贍學錢糧撥還養士，委監司常切覺察，不得輒將它用。可令諸州守臣，限一月標撥定，委提舉官檢察，開具奉行加意并弛慢去處職位姓名，申尚書省取旨

賞罰。」

十五年（乙丑，一一四五）

1. 九月二十六日，詔試諸州教授，自來春爲始，除第二場仍舊詩賦，其第一場於六經中，臨時取二經，各出兩題，試以講解，不拘義式，以貫穿該贍爲合格。從國子監丞文浩之請也。

2. 十一月六日，詔二廣諸郡，於見任有出身官差兼教授。如無，差特奏名補官人，又無，即申提舉學事官，於鄰州對换兼差。知潯州杜天舉言，自來止差士官充教諭，而士官止係本路兩舉之人，未足爲後進模範。上曰：「天舉所陳事，頗有條理，却曾留心。士大夫所言，有益於事，不可不行。」故有是命。

十六年（丙寅，一一四六）

1. 三月二十七日，詔萬安、昌化、吉陽軍，許依瓊州例各置教諭一員。從瓊管安撫徐念道之請也。

2. 五月四日，詔諸路提舉學事，委轉運司有出身官一員兼領，如本司官俱無出身，即委從上一員。以禮部有請故也。

3. 八月六日，詔：「廣內〔一〕諸郡見闕教官去處，令於本州并倚郭縣内差見任有出身官兼充。如無，即於特奏名補官人内選差未昏耄有術業之人。又無，即選差攝官術業行義衆所推服者充教諭，如已供職，後來見任官内却有出身之人，其攝官教諭即令罷去。」從臣僚之請也。

〔一〕廣内　疑爲「南」之誤

十八年（戊辰，一一四八）

1. 七月九日，江南西路轉運判官賈直清奏請立縣學，於縣官内選有出身人兼領教導。上因宣諭曰：「州縣選官教導，迺治化本原。將來三年科舉，亦有人材以備采擇，可令禮部檢坐舊法，參酌措置，申尚書省。」

2. 八月八日，禮部尋下國子監參酌措置，欲比附舊法〔一〕，縣學委知通於令佐内選有出身官一員兼領教導職事，及諸州軍如未差教授去處，即令本路提舉學事司，於本州有出身官選差一員兼領。若州縣官俱無出身，止令本學長諭專主教導，却令知州、縣令覺察點檢。從之。

〔一〕比附舊法　「舊法」原誤爲「舊去」，據通考卷四六改。

3. 閏八月二十一日，詔珍州教授任滿，許依本州幕職官例推賞。從本州備申教授蔡霆之請也。

十九年（己巳，一一四九）

1. 十月十六日，詔添置光化軍教授一員。從守臣范潔之請也。

二十年（庚午，一一五〇）

1. 六月二十日，詔置梅州教授一員。從本路轉運判官李利用之請也。

二十一年（辛未，一一五一）

1. 九月一日，大理寺主簿丁仲景奏：「遠方贍學公田，多爲形勢侵占請佃。望詔有司，申嚴行下諸路提舉官常切覺察，如有似此去處，並令根究。」上曰：「緣住賣度牒，常住多有絶産，其令户部一就措置，撥充贍學支用。」本部言：「欲令諸路州軍，取見確實，報提舉學事司置籍拘管，并僧道違法擅置庵院，若無敕額，其所置田産屋宇亦有絶産，合依前項已措置到事理施行。」詔依此。〔一〕

〔一〕此下原有通考注文一四行，見該書卷四六學校七，今删去。

二十二年(壬申,一一五二)

1. 三月十二日,詔潼川府郪縣界閃生田地一百四十二畝,撥賜府學,永充養士。從守臣沈該之請也〔一〕。

〔一〕從守臣沈該之請也　「從」原作「後」。

二十四年(甲戌,一一五四)

1. 七月三日,詔贍學錢糧於學中自置帑廩,委教官檢察。從大理評事俞長吉之請也。

二十五年(乙亥,一一五五)

1. 九月二十一日,詔太平州蕪湖縣合拘收何汝賢違法祖佃〔一〕圩田一十六頃八十五畝撥充本州養士。

〔一〕祖佃　疑爲「租佃」之誤。

二十六年（丙子，一一五六）

1. 五月七日，詔諸路州軍教授並不許差兼它職，令提舉學事司常切遵守。從知郢州路採之請也。

2. 八月九日，建康府上元縣丞汪賁奏：「臣聞有學校必有法度，有法度然後教官、士子咸知所以遵守。今州縣學校徒有其名，而主管學事之官徒帶虛銜，良田學法〔一〕未曾頒降以憑遵守故也。掌儀置於釋奠之時也，而職事之中，間有掌儀一員者；司正置於鄉飲酒之時也，而職事之中，間有司正一員者。或職事多於生員，或月俸倍於常制，或生徒係籍而齋無幾案，或早晚破食而學無厨竈，或貧士託爲聚徒之所，閑官指爲寄居之地，而州縣漫不加省。望詔有司，將元豐、崇寧以來，并見行舉法，纂集頒降，俾州教授、縣教諭及主管學事官，常切遵守，以勵諸生。仍委監司出巡，兼行按察。」從之。

〔一〕良田學法　「田」疑爲「由」之誤。

二十七年（丁丑，一一五七）

1. 十二月二十六日，詔諸州軍教授，選人任滿許依本處幕職官推賞〔一〕，其京朝官依選人已得指揮。

〔一〕依本處幕職官推賞　「推」字下原有缺字符號，葉渭清舊批云：「推賞連文，中間並不闕字」，今據删。

紹興三十二年孝宗即位未改元〔一〕（**壬午，一一六二**）

1. 七月八日〔二〕，詔：「宗室及第人，今後不許陳乞注授教授。」乾道八年五月六日，權尚書吏部侍郎韓元吉言：「今歲黄定榜内，應舉宗子趙師烜，係第一甲第十六名進士及第。竊詳殿試第一甲，依格合注授教官，即與其他宗室有出身事體合稍優異。欲乞將宗室及第殿試第一甲應格之人，許集注教官差遣外，餘並不許陳乞及注授。」詔從之，前降紹興三十二年七月指揮更不施行。〔三〕

〔一〕此下至紹熙五年條自影印本選舉一七之一至四移來，原在大典卷二一九五八，原眉批標目「教授」。

〔二〕七月八日　永樂大典卷一四六二二「部」字「吏部七」爲「七月十二日」。

〔三〕「乾道八年……施行」　原作正文，今改爲小字注文。

2. 八月二十四日，有旨，信陽軍教授可罷，見任人許令終滿，願罷者聽，已差下人依省罷法。以荆湖北路諸司奏其極邊，教官無職事故也。

3. 十月四日，詔復置泰州教授。先是，淮南並罷教授，至是，知泰州劉祖禮狀：「竊見揚州教授已存留，本州係次邊，比揚州事體一同，乞特賜存留。」故詔從之。

孝宗隆興元年（**癸未，一一六三**）

1. 十月二十日，武岡軍綏寧縣申，從義郎、權綏寧縣管界都巡檢、充七洞都首領楊成等狀，叙陳乞

依徐時邁體例，差建寧府進士李大年充本軍綏寧等縣新學教授，候徐時邁年滿日便行供職，訓誘溪洞生員。下詔特依所乞。

2. 十二月十二日，有旨，武岡軍綏寧縣新學教授徐時邁，依倉木、李申例〔一〕，補上州文學。既而，兼中書舍人馬騏奏：「據武岡軍，徐時邁以進士教夷人，援崇寧、政和指揮，補上州文學。武岡軍狀内稱，崇寧、政和間，補倉木、李申係教導及三年，今徐時邁於紹興三十一年十一月方承指揮差充教導，至保明日未及二年。又自政和三年以後不曾補官，其紹興三十一年指揮亦無許補官之文，崇寧、政和指揮本部法令之所不載，若與放行，無以杜絶僥幸之門。」有旨前降指揮更不施行。

〔一〕依倉木、李申例　「例」原誤作「割」。

乾道二年（丙戌，一一六六）

1. 三月二十四日，詔有出身選人，曾任縣令終滿，無遺闕，初改官，方許授教官，如不曾任縣令，並令依薦舉人，先注知縣差遣。

2. 六月四日，詔：「今後諸州教授，不得理作實歷親民資序。其餘堂除差遣，並依選任法，許理當實歷親民資序。」臣僚上言：「伏覩五月二十六日詔，今後諸州教授，不得理作實歷親民資序，修入闕陞條。當日，又承都省劄子，考功供到，契勘知縣資序人闕陞通判，除堂除宮觀嶽廟不許理當實歷親民外，其余堂除差遣，並依選任法，許理當實歷親民，關陞通判資序。契勘國家立法，當要昭如日月，信若四時，使一定而不易。今來聖旨指揮，教授不得理作實歷親民資序，而考功供到選任法，堂除差遣許理作實歷親民，萬一將來有堂除教授，備陳乞關陞，猾吏欲不令關陞，則引用五月二十六日指揮，欲使之關陞，則引用選任法除理作實歷。如此，則國家立法適所以爲猾吏舞文乞取之資用。欲望睿旨裁定施行。」故有旨，於元降指揮内添入「其餘堂除差遣，並依選任法，許理當實歷親民資序。」

五年（己丑，一一六九）

1. 五月七日，詔復置真州教授。從前知真州張郯請也。

2. 八月十二日，通州、無爲軍各復置教官一員。

3. 九月十七日，詔劍州教授今復堂除。以利州路轉運判官梁盖言，劍州藩邸舊領，已陞普安軍，乞依節鎮例堂差也。

六年（庚寅，一一七〇）

1. 六月二十六日，詔德慶府教授堂除差人。以本府言舊係康州，建炎元年陞爲府，乞依節鎮例堂

差。故有是命。

七年（辛卯，一一七一）

1. 七月十二日，詔復置和州教授一員。以本州州學正何甯等乞依通州、真州、無爲軍已得指揮復置也。

2. 二十一日，詔復置房州教授一員。從轉運司請也。

八年（壬辰，一一七二）

1. 五月十七日，詔復置廬州教授一員。從淮西安撫司請也。先是，宰執進呈，虞允文等奏曰：「州縣因闕官以致廢事，亦多有之，近日有數郡守臣，乞復置判官、司户之類。」上曰：「諸州教授稍已復置，今未復者，亦當復之。」虞允文等奏曰：「容具上員闕，取旨施行。」故悉復之。

2. 六月三日，詔復置隨州教授。以本州乞依真州、房州已得指揮復置也。

3. 十一月十一日，詔諸州軍將歸正士人許與本貫士人混同補試入學聽讀，不得非理邀阻。京西運判張掄奏：「歸正士人乞照已降指揮申嚴行下，許於所居州縣赴學，破食聽讀。」禮部勘會，依條，諸路進士入學聽讀，係赴補試，考中合格方行入學聽讀。今來若徑令入學破食，即恐士民混雜，敗壞規矩。故有是命。

4. 十六日，詔威、茂、金、鳳、西和、文、龍州，大安軍並復置教授。先是，左通直郎、前階州州學教授母丘惇劄子，乞將四川昨來所罷教授去處依兩淮例，並與依舊復置，其差注依見行條法施行。送四川宣撫使司相度，申尚書省。本司契勘除潼川府、夔州兩路元無廢罷教授員闕外，有成都府路威、茂二州，并利州路金、鳳、西和〔一〕、文、龍州，大安軍六處，自乾道之初廢罷教授共止八員，所省廩俸不多，雖差有出身官兼權，各緣職守相妨，或因事罷去，或州軍見任職官並係無出身之人，不免逐旋差官權攝，曠廢學校，有失朝廷崇用儒術，敦尚教化之意。故有是命。

〔一〕西和　原誤作「綏和」，上文及宋會要輯稿・方域七之七、宋史卷八九地理五皆作「西和州」，今據改。

九年（癸巳，一一七三）

1. 十一月二十四日，吏部言：「近承指揮，堂除教授五十闕並令吏部使闕，本部宜從尚書左選教授格法，選注曾試中詞學〔一〕兼茂科、曾試中內外學官先學官次教官、殿試第一甲及曾試上舍上十名〔二〕、轉運司類試第一名、舊法太學上舍或公試上三名、國子監開封府取解上三名、曾任太學辟廱、宗學官，爲等次，并不限資序、名次、考任、年甲、過犯，并先注應格數多人，如同日指射，有〔三〕應格數均之人，即以應格高下差注。若限内無應格之人，依舊再榜半月。又無應格人，雖磨勘改官，唯注知縣人亦許差〔四〕，次依太學舊法〔五〕曾陞補内舍人、次曾任教授經任人、次進士上舍出身并三十以上〔六〕曾歷任人。所準撥下堂除教授等員闕，今欲將格内自曾任太學、辟廱、宗學官以高下等應格之人，兩選同日通注外，其不應格法人，即先令尚書左選差注，候滿一月，方許通差選人施行。若同日有官指射，即先差承務郎以上官。」有旨依。

〔一〕詞學　原誤作「詞舉」，據永樂大典卷一四六二一「部」字吏部七改。

〔二〕曾試上舍上十名　上引書作「省試上拾名」。

〔三〕「應格數多人……有」　原闕，據上引書補。

〔四〕唯注知縣人亦許差　「知」、「人」二字原闕，「差」字原作「資」，皆據上引書補改。

〔五〕次依太學舊法　「依」，上引書作「注」，當是。

〔六〕并三十以上　「并」，上引書作「年」，當是。

淳熙元年（甲午，一一七四）

1. 四月十六日，詔桂陽軍三縣，應有蠻峒去處，令差人入峒，説諭首領擇其可教子弟前來軍學聽讀，依在學生員例，每月支破錢米養贍。知桂陽軍徐涓言：「本軍管下三縣，各有溪峒蠻猺，緣素不知書，縱畧識字，亦莫曉義理，由是好暴喜亂。臣親訪猺人，見其言峒中亦有子弟讀書，但無訓導之人。乞令擇可教子弟，發遣前來州軍學聽讀，選有學行士人專一教導，使稍知理義，即遣歸，轉相教訓，化頑

爲良。」故有是命。

二年(乙未，一一七五)

1. 二月二十七日，詔滁、楚二州復置教授。

2. 六月二十日，詔武岡軍溪峒子弟能向學人，許入軍學聽讀。將來願應舉人，令與本軍士人通用本軍解額取放。

三年(丙申，一一七六)

1. 四月三日，詔臨安府府學學正、録三名，該遇太上皇帝慶壽，并特與免文解一次。餘大小職事學生等，各賜束帛有差。十年十二月太上皇后慶壽同。

四年(丁酉，一一七七)

1. 正月十一日，詔：「自今學校策試，必以時務發爲問目。」詳見貢舉。

七年（庚子，一一八〇）

1. 三月二十六日，詔省威、茂兩州教授。

2. 六月四日，詔郴州宜章縣、桂陽軍臨武縣並置學。從知桂陽軍徐大觀及帥臣辛棄疾請也。

八年（辛丑，一一八一）

1. 二月五日，詔高郵軍依真、揚〔一〕、通、泰、滁、楚例，復置教官。

〔一〕揚 「揚」原誤作「陽」字。

2. 閏三月二十七日，詔臨安府府學學生，實補試中在籍之人，從教授保明指實，委無僞冒，申州勘會給據，比類諸州待補太學生，許赴太學補試一次，即不得用府學遺籍等人。

3. 四月十三日，詔武岡軍許復置教授。

4. 十一月二十九日，詔南康軍復白鹿洞書院，所有陳乞經書具數行下，令國子監印給。以知南康軍朱熹言：「太宗皇帝嘗因江州守臣周述之奏，詔以國子監九經賜廬山白鹿洞書院，既又以其洞主

明起爲蔡州褒信縣主簿，以旌儒學。書院故基正在本軍星子縣界。而陳舜俞廬山記又載，真宗皇帝咸平五年，嘗敕有司重加修繕。今即故基爲小屋二十餘間，教養生徒一二十人，但其敕額官書皆燒燬散失。望降敕命，仍舊以白鹿洞書院爲額，仍詔國子監印造太上皇帝御書石經，及板本九經注疏、論語、孟子等書給賜。」詔養士一二十人，令本軍隨宜措置，所有經書，具數行下。

5. 輔臣進呈湖南安撫、轉運司申，郴州宜章縣、桂陽軍臨武縣，雖與溪峒接境，實國家省民，欲重恢鄉校，招誘溪峒子弟入學訓導。上曰：「開設學校，使强暴子弟知有禮義，庶幾移風易俗。」詔從之。〔一〕

〔一〕此條原置於紹熙五年正月十一日條後，並有「淳熙八年」四字，據舊批移此，並删去年號。

九年（壬寅，一一八二）

1. 八月四日，詔省減靖州教授一員，見任人許終滿，已差下人依省罷法。從荆湖北路提點刑獄公事周嗣武請也。

十年（癸卯，一一八三）

1. 十一月十八日，詔：「自今教授依州縣官例，任滿方許赴部改官。」從臣僚請也。

光宗[一]紹熙元年(庚戌，一一九〇)

1. 六月二十四日，臣僚言：「今者，臣僚有請乞罷待補，甚當物論。但其引用紹興間高閌申請，尚費商榷。臣竊有愚見，州學每歲自有春秋兩補，但於太學放試年分先期收補，隨其士人多寡，令監司之主學事者，於鄰郡添差考官若干員，不唯考校差精，而出題考卷互相檢束，亦莫得行其私意。若其所取名數，只依逐州待補元額，以其中選者申州，保明給據，赴太學補試，其它一無所更張，豈不簡且便哉！欲望行下禮部、國子監，與近日臣僚所請一就看詳，從長措置，庶爲永久之利，實天下士子之幸。」從之。

[一]光宗　原闕，校者補。

五年(甲寅，一一九四)

1. 正月十一日，慶壽赦：臨安府府學正録，並依淳熙十年十二月三十日已得指揮推恩，仰所屬保明委實合推恩人姓名，開具應得恩數聞奏。學生並有官學生，各倍賜束帛。小學、府學生，各賜束帛。

本門點校者　苗書梅
審訂者　王雲海

鄉學

影印本崇儒二之四
大典卷二一九五四

太宗太平興國五年（庚辰，九八〇）

1. 六月，以江州白鹿洞主明起爲蔡州褒信縣主簿，賜陳裕三傳出身，起、裕並以講學爲業，太宗聞之，故有是命。所以勸儒業，榮鄉校。

真宗咸平四年（辛丑，一〇〇一）〔一〕

1. 三月二十日，知澤州、供備庫副使李允則奏：「嶽麓山書院修廣舍宇，有書生六十餘人聽誦，乞下國子監降釋音文疏、史記篇韵，庶興學校，以厚民風。」從之。

〔一〕真宗咸平四年　「真」原誤作「貞」。

大中祥符四年（辛亥，一〇一一）

1. 十一月，益州申，永康軍進士李畋，明經術，聚徒教授，士行可稱。詔發遣赴闕，授試秘書省校書

郎，仍賜裝錢三十千，還歸鄉校講説。〔一〕

〔一〕此下原有通考注文一〇行，見該書卷四六學校七，今删去。

仁宗天聖二年（甲子，一〇二四）

1. 五月，知江寧府、光禄卿王隨言：「處士侯遺於茅山營葺書院，教授生徒，積十餘年，自營糧食，望於茅山齋糧剩數，就莊田内量給三頃，充書院贍用。」從之。

三年（乙丑，一〇二五）

1. 十一月，樞密直學士、知應天府李及言：「本府書院甚有學徒，自建都以來，文物尤盛。欲望量於發解進士元額之外，乞添解三人。」從之。

景祐三年（丙子，一〇三六）

1. 九月十五日，西京留守言，重修大室嵩陽書院，乞降勑額，勑以「嵩陽書院」爲額。

本門點校者　苗書梅
審訂者　王雲海

書學

影印本崇儒三之一至二
大典卷二二〇〇〇

徽宗崇寧三年（甲申，一一〇四）

1. 六月十一日，都省言：「竊以書用於世，先王爲之立學以教之，設官以達之，置使以諭之，蓋一道德，謹守法〔一〕，以同天下之習。世衰道微，官失學廢，人自爲學，習尚非一，體畫各異，殆非所謂書同文之意。今未有校試勸賞〔二〕之法，欲倣先王置學設官之制，考選簡拔〔三〕，使人自奮所身於圖畫工技，朝廷圖繪神像與書一體，令附書學，爲之校試約束，謹修成書畫學敕令格式一部，冠以『崇寧國子監』爲名。」從之。

〔一〕謹守法　「守」，長編拾補卷二四作「家」。群書考索·後集卷三〇作「謹法守」。
〔二〕勸賞　「賞」原作「尚」，據長編拾補卷二四、群書考索·後集卷三〇改。
〔三〕考選簡拔　「拔」原作「牧」，據長編拾補卷二四、群書考索·後集卷三〇改。

五年（丙戌，一一〇六）

1. 四月十二日〔一〕，詔書、畫、筭、醫四學並罷，更不修蓋。其官私宅舍屋宇，並依舊修蓋給還。已

到官據資任與先次差遣，人吏歸元來去處。係召募到者，放停。其書、畫學於國子監擗截屋宇充〔二〕，每學置博士各一員〔三〕，生員各以三十爲額。其合行事件，令國子監條畫，申尚書省。」

〔一〕四月十二日　「四月」宋史卷二〇、長編拾補卷二六、群書考索·後集卷三〇均作「正月」。
〔二〕於國子監擗截屋宇充　「子」字原脱，「截」原作「截」，「充」原作「克」，據長編拾補卷二六、群書考索·後集卷三〇改。
〔三〕置博士各一員　「一」字原脱，據玉海卷一一二、長編拾補卷二六補。

宣和六年（甲辰，一一二四）

1. 八月十四日〔一〕，詔書藝置提舉措置書藝所，生徒五百人爲額。篆正法鍾鼎，小篆法李斯，隸法鍾繇、蔡邕，真法歐、虞、褚、薛，草法王羲之、顏、柳、徐、李。有兼經義舉人及貴游子第，又分士流、雜流爲二。以尚書主客員外郎杜從古、大宗正丞徐競編修汴都志。米友仁並爲措置管勾官。先是，王黼以唐告三道〔二〕虞世南書狄仁傑告、顏真卿書顏允南母蘭陵郡太夫人張氏告及徐浩封贈告進呈。上曰：「朕欲倣習前代書法，告命使能者書之，不愧前代。」時書學已罷，故特置是局。

〔一〕八月十四日　長編拾補卷四八、宋史卷二二、群書考索·後集卷三〇均作「正月十四日」。
〔二〕王黼以唐告三道　「以」原作「進」，據長編拾補卷四八、群書考索·後集卷三〇改。

本門點校者　季懷銀
審訂者　王雲海

算學

影印本崇儒三之二至七
大典卷二二〇〇〇

哲宗元祐元年（丙寅，一〇八六）

1.六月二十八日，看詳編修國子監、太學條制所狀：「準朝旨，同共看詳脩立國子監、太學條例，及續準指揮國子、律學、武學條貫〔一〕，令一就修立外，檢準官制格〔二〕：國子、太學、武學、律學、筭學五學之政令。今取到國子監合干人狀，稱本監自官制奉行，後來檢坐上件格子，申乞修置筭學。準朝旨踏逐到武學東大街北，其地堪修筭學，乞令工部下所屬檢計修造，奉聖旨依。今看詳上件，筭學已準朝旨蓋造，即未曾興工。其試選學官未有人應格。竊慮將來建學之後，養士設科徒有煩費，實於國事無補。今欲乞賜詳酌寢罷。」詔罷修建。

〔一〕國子、律學、武學條貫　「子」、「學」二字原脱，據長編卷三八一補。
〔二〕檢準官制格　「格」字下原衍「子」字，據長編卷三八一删。

徽宗崇寧三年〔一〕（甲申，一一〇四）

1. 六月十一日，都省劄子：「竊以筭數之學，其傳久矣。周官大司徒以鄉三物教萬民〔二〕而賓興之。三曰六藝：禮、樂、射、御、書、數，則周之盛時所不廢也。歷代以來，因革不同〔三〕，其法具官在。神宗皇帝，追復三代，修立法令，將建學焉，屬元祐異議，遂不及行。方今紹述聖緒〔四〕，小大之政，靡不修舉。則筭學之設，實始先志，推而行之，宜在今日。今將元豐筭學條制重加删潤，修成敕令〔五〕，并對修看詳一部，以崇寧國子監筭學敕令格式爲名，乞賜施行。」從之。都省上崇寧國子監筭學書畫學敕令格式，詔頒行之，只如此書可也。

〔一〕「徽宗崇寧三年」六字原脱，據葉渭清舊批及長編拾補卷二四、群書考索·後集卷三〇補。

〔二〕以鄉三物教萬民　「鄉」原作「卿」，據周禮注疏卷一〇、長編拾補卷二四改。

〔三〕因革不同　「因」原作「囚」。

〔四〕紹述聖緒　「述」，長編拾補卷二四、群書考索·後集卷三〇、長編紀事本末卷一三五均作「隆」。

〔五〕修成敕令　「敕」原作「刺」，據長編拾補卷二四改。

大觀三年〔一〕（己丑，一一〇九）

1. 三月十八日，禮部狀：「據太常寺申：筭學以文宣王爲先師，其配享、從祀合依太學辟雍例，於殿上設兖、鄒、荆三國公爲配享及十哲爲從祀外，有自來著名筭數之人，即繪畫於兩廊〔二〕。本寺據修蓋筭學駱詢等申：「契勘合塑畫神象，除大殿上先師、三公、十哲可以依太學等處體例施行，有兩廊〔三〕繪畫從祀人等，即未審有官人合裝著是何服色、冠帶，無官人如何畫造。本寺今契勘到繪畫從祀人内，有係孔子廟廷從祀，已追封官爵漢中疊校尉劉向追封彭城伯等，及舊有公、侯爵人漢留侯張良等，并有官無封爵人風后等，不見官爵無官封人大橈等。契勘筭學文宣王并三公、十哲所服合依太學〔四〕體例外，其餘乞從朝廷加賜五等之爵，然後隨所封以定其所服之服。」從之。

〔一〕大觀三年　「大觀」二字原脱，據葉渭清舊批、宋史卷二〇及卷一〇五、玉海卷一一二補。
〔二〕繪畫於兩廊　「廊」，宋史卷一〇五、長編拾補卷二八均作「廡」。
〔三〕兩廊　「廊」，據同上書作「廡」。
〔四〕太學　「太」原作「大」。

2.十一月七日，太常寺言〔一〕：「奉詔：天文筭學合奉安先師并配饗、從祀繪像，未合典禮，可令禮官〔二〕考古稽禮講究以聞者。臣等竊詳：黄帝獲寶鼎，迎日推策，舉風后、力牧、常儀〔三〕、大鴻以治民，順天地之紀，幽明之占，死生之説。又使大橈造甲子，隸首作筭數，容成綜之，所以考定氣象，建五行，察發斂，起消息，正閏餘。其精粗顯微，無不該極〔四〕。今筭學所習，天文、曆筭、三式、法筭四科，其術皆本於黄帝〔五〕。臣等稽之載籍，合之典禮，謂尊黄帝爲先師，而以其當時之臣風后、力牧、大鴻、大橈、隸首、容成、臾區〔六〕、常儀爲配饗，又以後世精於數術者，定其世次，分繪兩廡〔七〕以爲從祀。今具下項：風后、力牧、大鴻、大橈、隸首、容成、臾區、常儀已上八人，今欲擬配饗，商巫咸、周箕子、周商高、周榮方、晋史蘇、秦卜徒父、晋卜偃、魯梓慎、晋史趙、魯卜楚丘、鄭裨竈、趙史墨、齊甘德、魏石申、漢留侯張良、漢丞相張蒼、漢司馬季主、漢太史丞鄧平、漢方士唐都、漢洛下閎、漢鮮于妄人、漢大司農耿壽昌、漢太子太傅夏侯勝、漢魏郡太守京房、漢諫議大夫翼奉、漢騎都尉李尋、漢嚴君平、漢中壘校尉劉向、漢侍中賈逵、後漢尚書張衡、後漢尚書郎周興〔八〕、後漢北海人郎顗、後漢平原人襄楷、後漢尚書單颺、後漢光禄大夫樊英、後漢穀城門侯劉洪、後漢左中郎將蔡邕、後漢大司農鄭康成、魏劉徽、魏少府丞管輅、吴太史趙達、晋征南大將軍當陽侯杜預、晋尚書郎郭璞、晋天水人姜岌、張丘建、夏侯陽、宋御史中丞何承天〔九〕、宋長水校尉祖冲之、後魏侍中崔浩、後魏太常卿高允、後魏筭學博士商紹、北齊丞相倉曹參軍信都芳、北齊散騎侍郎宋景業、北齊開府田曹記室許遵、後周甄鸞、隋盧大翼〔十〕、隋太府十卿蕭吉、隋上儀同臨孝恭、隋散騎侍郎張胄玄〔十一〕、隋太史丞耿詢、隋太學博士劉焯、隋太學博士劉炫、唐太史令傅仁均、唐筭曆博士王孝通、唐太史令李淳風、唐太史令瞿曇羅、唐内供奉王希明、唐左拾遺李鼎祚、唐太子少詹事邊岡、周樞密使王朴，已上七十人，今欲擬從祀。」〔十二〕

〔一〕太常寺言　「言」字原脱，據長編拾補卷二八補。

〔二〕可令禮官　「令」原作「否」，據長編拾補卷二八改。

〔三〕常儀　「儀」原作「先」，據長編拾補卷二八、宋史卷一〇五改。

〔四〕無不該極　「極」字，長編拾補卷二八作「舉」。

〔五〕黄帝　「黄」原作「皇」，據長編拾補卷二八、宋史卷二〇改。

〔六〕臾區　宋史卷一〇五作「鬼俞區」，洪邁容齋三筆卷一三作「鬼臾區」。

〔七〕分繪兩廡　「廡」原作「序」，據長編拾補卷二八改。

〔八〕後漢尚書郎周興　「興」字下原衍一「嗣」字，據後漢書卷四五本傳、宋史卷一〇五、洪邁容齋三筆卷一三删。

〔九〕何承天「承」原作「丞」，據宋書卷六四本傳、宋史卷一〇五、洪邁容齋三筆卷一三改。
〔十〕盧大翼「大」原作「太」，據隋書卷七八本傳、宋史卷一〇五改。
〔十一〕張胄玄「玄」原作「元」，據同上書改。
〔十二〕此下原有容齋隨筆注文一三行，見洪邁容齋三筆卷一三大觀算學，今删。

四年（庚寅，一一一〇）

1.三月二日，詔筭學生併入太史局，學官及人吏等並罷。有合條畫事，併具奏聽事。

政和三年（癸巳，一一一三）

1.三月二十三日，大司成劉嗣明奏：「承前筭學内舍生〔一〕武仲宣進狀：昨於去年三上封章，乞留筭學等。奉聖旨，令國子監依元豐六年九月十六日指揮施行。本監申：伏覩舊筭學見今空閑舍屋具存，別無官司拘占，相度欲乞依舊爲筭學。」從之。元豐□檢未獲。

〔一〕筭學内舍生「舍」字下原衍「筭學」二字。

2.六月二十八日，筭學奏：「承朝旨復置筭學。今檢會崇寧國子監筭學條令，乞下諸路提舉學事司，行下諸州縣等，諸命官入學投納家狀差使以下許服襴鞹，仍呈驗歷任或出身文學繳納在官司者聽先入，仍勘會。諸命官未入在入限、諸命官及未出官人若殿侍謂非諸軍補授者，欲入律學或筭學者聽入。諸試以通粗併計，兩粗當一通，筭義問以所對優長，通及三分爲合格。諸學生本科所習外占一小經，遇太學私試，間月一赴。欲占大經者聽，補試命官公試同九章義三道，筭問二道。筭學命官公試，一入上等轉一官殿侍、差使、借差同，已下減年試準此。幕職州縣官循兩資；未入官選人、知令録仍占射差遣一次；內文學免召升朝官及運司保明〔一〕，注合入官。三入中等循一資使臣即減二年磨勘，願占射差遣者聽；殿侍指射合入本等差遣，願候借差已上收使者聽；未入官選人，占射差遣一次；文學免召升朝官及運司保明，注合入官。五入下等占射差遣使臣即減一年磨勘；未入官選人，不依名次注官；殿侍候補借差已上聽收使；內文學免召升朝官及運司保明，注合入官。筭學升補：上舍上等通仕郎，上舍中等登仕郎，上舍下等將仕郎。學生習九章、周髀義及筭問謂假設疑數〔二〕，兼通海島〔三〕、孫子、五曹、張丘建、夏侯陽〔四〕筭法。私試孟月季月同，九章儀二道、周髀義一道，筭問二道；仲月周髀義二道、九章義一道、筭問一道。陞補上、內舍第一場九章義三道，第二場周髀義三道，第三場筭問五道。」從之。

〔一〕免召升朝官及運司保明　「升朝官」原作「外朝」，據下文改。
〔二〕假設疑數　「設」原作「令」，據通考卷四二、宋史卷一五七改。
〔三〕海島　「島」原作「塢」，所據同上改。
〔四〕夏侯陽　「夏」字原脱，所據同上補。

六年(丙申,一一一六)

1. 四月十九日,詔通仕郎武仲宣自大觀初興復筭學,後來注釋考正見行筭經一百八十九卷,特與循一資。

宣和二年(庚子,一一二〇)

1. 七月二十一日,詔:「筭學元豐中雖存有司之請,未嘗興建。又所議置官,不過傳授二員。今張官置吏,考選而任使之,大略與兩學同,既失先帝本旨,賜第之後不復責以所學,何取於教養,可並罷。官吏依省罷法。應文籍錢物,令國子監拘收。」

本門點校者　季懷銀
審訂者　王雲海

律學

影印本崇儒三之七至一一

大典卷二二〇〇〇

熙寧三年（庚戌，一〇七〇）

1. 九月己亥，始用斷案、律義試法官。判大理寺臣崔台符〔一〕等考試。

〔一〕崔台符　「崔」字原缺，據長編卷二五〇補。

六年〔一〕（癸丑，一〇七三）

1. 掌教刑名之學隸於國子監。

〔一〕六年　「六年」二字原脱，據舊批及宋史卷一五七選舉三補。

2. 三月二十七日〔一〕，詔於國子監置律學，差教授四員。

〔一〕三月二十七日　「三」字前原批有「熙寧七年」，據葉渭清舊批及通考卷四二、玉海卷一一二、長編卷二四四當在熙寧六年，故刪去。

3.四月二日，詔：「律學士授諸般請給當直人等，並就國子監直講〔一〕。應命官〔二〕舉人並許入學，內舉人仍召命官二人委保行止。其試中學生，依國子監等第給食。所要屋宇，令將作監相度修撥。其課試條約及應合節次施行事件，並委本監詳定。」

〔一〕並就國子監直講　「就」字，長編卷二四四、長編紀事本末卷七五均作「視」。

〔二〕命官　「命」原作「本」，據宋史卷一五七、長編卷二四四及下條改。

4.二十四日，國子監進定條約事件：「初入律學，命官舉人並於本監投納家狀。內舉人更納保狀，召命官二人委保行止，勘會詣實，方許入學聽讀。委本監主判官同教授補試，取通數多者充生員。仍令各於家狀內指定乞習律令，或斷案，或習大義兼斷案。補試人試前於監丞、主簿廳投納試卷，連家狀共用紙一十張，草紙五張，連粘卷頭用印。至試日，於監丞、主簿處收納，封彌卷首。補試日，依條齎所習刑名文字赴試。內習斷案人試案一道，每道刑名五件至七件；習律令大義人試大義五道〔一〕，委主判官同教授依考試刑法官格式考校。生員初入學，且令赴學聽讀，補中者給食。其餘聽讀人就本學食者，依太學例，令陪厨錢。願自備飲食者亦聽。仍立學正、學録各一員，於試中選充，依太學例給俸。其官舉人各爲一齋，每齋立齋長、諭各一員，雖未試中亦給食。每月公試一次，習斷案者試斷案一道，刑名如補試例。習律令大義者，試律令義三道。私試三次〔二〕，每次試案一道，刑名三件至五件，律令義二道。每日講律一授，遇試日，其主掌敕書及檢用條例，乞於諸路及百司將來試中吏人內指差兩人充。其本學諸雜文字，乞於審刑院、刑部、大理寺指名差手分二人行遣。本學合要刑統、編敕、律令格式及應係刑法文字，並乞於合屬去處取索。今後應係續降條貫，並乞降一本付律學。一今來教授、生員學食錢及供給並在學儲，支費浩大，竊慮太學所管錢糧不足，欲乞更賜錢萬貫，依例於開封府檢校庫出，自以助支用。」詔審刑院、大理寺手分約條不得抽差，特且權差。今本監策射諸路州軍，有行止、諳會刑名吏人，依試刑名人吏條試充，用續降條貫。仰刑部凡遇承受，於當日內關部，餘並依所定施行。

〔一〕試大義五道　「五」字，長編卷二四四、長編紀事本末卷七五、編年備要卷一九均作「三」。

〔二〕私試三次　「三」原作「二」，據宋史卷一五七、長編卷二四四、長編紀事本末卷七五、通考卷四二學校三改。

5. 六月三日，國子監言：「律學除以假在外，遇直講並須迴避。及上元、寒食、冬至、元日給假。在客一日分爲三番，並以昏鼓還舍，不得宿外。公試懷挾於律學不行外，其係犯降舍殿試者，並罰錢五百，餘依太學規矩施行。內命官充生員，願出宿者聽。每日講皷前日晚食還舍，皷後歸」。

6. 七月二十三日，國子監言：「奉詔立律學正，竊覩律學生同進士出身王白〔一〕舊通經藝，已有淵源，初習刑名，復明指意。本監雖以補充律學正，緣白見於守選，未有俸給，難以居學。欲乞令流內銓特與免試，注合入官，支與實俸，仍理爲資考，充學正。其當直剩員，並給食。欲將本監剩員內破四人及依監主簿例給食。」並從之。仍令後命官充在學職掌者，並準例。

〔一〕王白　「白」原作「曰」，據下文及玉海卷一一二改。

七年（甲寅，一〇七四）

1. 七月二日，律學教授李昭遠等言：「本學生員習試斷案，並合用熙寧新編敕。其間勑意或有疑難，須至往審刑院、大理寺商議。竊見開封府法曹、三司檢法官並許大理寺商議公事，今來本學如有疑難刑名，欲乞往審刑院、大理寺商議。」從之。

2. 八月二十二日，國子監言：「太學見有管勾規矩官一員。今來律學生漸多，見今闕官管勾規矩。乞從本監就律學教授内選一員，兼管勾本學規矩，仍依太學〔一〕例給食。」從之。

〔一〕太學　「太」原誤作「大」，據宋史卷一五七改。

3. 九月二十五日，中書門下言：「刑書看詳〔一〕律學教授、國子監直講差遣同。直講以三年爲一任，選人到監一年，通計歷任及五年考，即與轉官，更不用舉主。其律學教授資序，欲並依直講條例施行，所有通理前任日月，自依條制。」從之。

〔一〕刑書看詳　「書」疑爲「部」字。

元豐二年（己未，一〇七九）

1. 四月十三日，以新科明法及第王壬爲律學教授。

六年〔一〕（癸亥，一〇八三）

1. 四月十七日，國子監司業朱服言：「相度入律學，命官公試律義、斷案，考中第一人，許依吏部試法與注官。其太學生或精於律義、斷案，就律學公試，中第一，與比私試第二等注籍。」從之。

〔一〕六年　「六」原作「八」，據長編卷三三四、群書考索·後集卷三〇、宋史卷一五七改。

哲宗元祐三年（戊辰，一〇八八）

1. 九月二十二日，詔省律學博士一員，命官學生不給食。

紹聖二年（乙亥，一〇九五）

1. 四月二十二日，詔律學博士依元豐條置二員。

元符二年(己卯,一〇九九)

1. 閏九月四日,國子司業劉逵言:「朝廷立三學,置博士教導,事體均一。欲乞今後律學博士闕,從朝廷選通知法律人充。」從之。

徽宗建中靖國元年(辛巳,一一〇一)

1. 三月十七日,詳定所奏續修到律學敕令格式,看詳並净條,冠以紹聖爲名。

政和二年(壬辰,一一一二)

1. 四月二十三日,臣僚言:「訪聞律學官員郡居,終日惟務博奕,不供課試,相習袒祖,嬉遊市肆。晝則不告而多出,夜則留門而俟歸。假曆門簿,徒爲虛設。願戒飭所隸官司,舉行學觀〔一〕。」詔今後律學博士、學正可依大理寺官格除授外,仍不許用恩例陳乞,及無出身之人。學門啓閉,視太學法。學生所犯,依學規罰〔二〕,再犯者,罰訖,取印曆或補授文字批書,出官到部,理爲遺闕〔三〕。長編紀事:六年六月丁卯,户部尚書兼詳定一司敕令孟昌齡等奏:「今參照熙寧舊法,修成國子監律學敕令格式一百卷,乞以『政和重修』爲名頒降。」從之。

〔一〕舉行學觀　「觀」疑爲「規」。

〔二〕依學規罰　「學」字原脱，據宋史卷一五七補。

〔三〕理爲遺闕　「爲」字原脱，據同上書補。

欽宗靖康元年（丙午，一一二六）

1. 五月十八日，詔律學官替成資闕。

本門點校者　季懷銀
審訂者　王雲海

醫學

影印本崇儒三之一一至二六
大典卷二二〇〇〇　二二〇〇一

徽宗崇寧二年(癸未，一一〇三)

1.九月十五日，講議司奏：「昨奉聖旨，令議醫學。臣等竊考熙寧追適三代，遂詔興建太醫局〔一〕，教養生員，分治三學，諸軍疾病，爲惠甚博，然未及推行天下。繼述其事，正在今日。所有醫工未有奬進之法，蓋其流品不高，士人所耻，故無高識清流習尚其事。今欲别置醫學，教養上醫。竊考熙寧、元豐置局，以隸太常寺。今既别興醫學，教養上醫，難以更隸太常寺。欲比三學，隸於國子監。倣三學之制，欲置博士正、録各四員〔二〕，分科教導，糾行規矩。欲立上舍四十人、内舍六十人、外舍二百人，逐齋長、諭各一人。令參酌修定，設三科，通十三事，教諸生一十人。一、方脉科，通習大小方脉風産〔三〕；一、鍼科通習鍼灸、口齒、咽喉、眼耳；一、瘍科通習瘡、腫、傷、折、金瘡〔四〕、書禁。其試補考察倣太學立法：

一、三科各習七書：黄帝素問、難經、巢氏病源、補注本草〔五〕、千金方〔六〕。内方脉科兼習王氏脉經、張仲景傷寒論；鍼科兼習黄帝三部鍼灸經、龍本論；瘍科兼習黄帝三部鍼灸經、千金翼方。

一、考試三場：第一場三經大義五道方脉科：素問、難經、傷寒論。鍼、瘍科〔七〕：素問、難經、三部鍼灸經。第二場方脉科〔八〕：脉證大義三道〔九〕，運氣大義二道。鍼、瘍科：小經大義三道謂病源、龍本論、千金翼方，運氣大義二道。第三場：假令病法三道。

一、補試一場：大義三道內運氣一道，假令病法一道。

一、曾犯刑責、經決人，不得補試。私試三場，季一周之。公試二場：第一場三經大義三道，方脉科：脉證大義二道；鍼、瘍科：小經大義二道。第二場假令病法二道，運氣大義一道。公、私試分上中下三等，以外舍生私試三入上等，或公、私試三入等或試各一入上等，不犯第二等已上罰而試在中等已上，及無考察而試在上等者，補內舍。若闕多就試人少，即以就試人爲率，所取不得過三分之一，仍先取有考察，或皆無考察，即以考試名次爲先後。

一、試上舍分優、平二等，以內舍生私試三入上等、或公私試各一入上等、不犯學規而試在優等者，補上舍生〔十〕。試在平等而醫治入上等者，依試入優等法。若闕多就試人少，即以就試人爲率，所取不得過三分之一，仍先取醫治，次程文，若均，即以考試名次爲先後。

一、上舍生私試五入上等、不犯學規、而醫治比校入中等以上者，本學保明推恩。

一、五學生謂太學、武學、律學、算學、藝學疾病，本處關到置籍，輪差上舍、內舍生醫治用本監醫人醫治者聽，各給印曆，書其所診疾狀，經本學官押，即時書簿給付，候愈或失，逐處限當日關報本學銷簿。仍批書於曆，歲中比校，分上、中、下三等：十全爲上，十失一爲中，十失二爲下。若入上等內舍生試上舍，雖平等聽升補及上舍。但一入上等，聽保明推恩。若入中、下等，如該考察方得升補，或保明推恩。全愈不及七分，降舍。失及五分，屏出學。宜視諸學賜出身以待清流，庶有激勵。今欲試補考察充上舍生賜醫學出身，除七等選人、階官，依格注授差遣。上舍生高出倫輩之人，選充尚藥局醫師以次醫職，上等從事郎，除醫學博士、正録；中等登仕郎，除醫學正、録或外州大藩醫學教授；下等將仕郎，除諸州、軍醫學教授。

醫之治病，必在於藥。今之所用，皆取於市廛，據憑鋪户，真僞難分。今來太醫局欲依唐典，近城置藥園種蒔。其醫學生員亦當諸園辨識諸藥，人吏、專庫、厨子、剩員之類，並量事差置，欲倣三學例立額召募。」

詔覽所修格目，條析周盡，意義顯明，宜令遵守施行。

〔一〕遂詔興建太醫局　「興」原作「與」，據上下文改。
〔二〕欲置博士、正、録各四員　「置」原作「制」，「正、録、各」三字原脱，據長編拾補卷三二、宋史卷一五七改補。
〔三〕一、方脉科通習大小方脉風産　「一、方脉科」四字原脱，「風」前原衍「一」字，「産」原作「科」，均據宋史卷一五七、群書考索・後集卷三〇補删改。
〔四〕金瘡　「瘡」，群書考索・後集卷三〇作「鏃」。
〔五〕補注本草　「注」字原脱，據同上書補。
〔六〕千金方　「千金」原作「大小」，所據同上。
〔七〕鍼、瘍科　「鍼」字原脱，據上下文意補。
〔八〕方脉科　「方脉」原作「諸」，據長編拾補卷三二、宋史卷一五七改。
〔九〕脉證大義三道　據同上書，「三」作「二」。
〔十〕上舍生　「生」原作「郎」，無此稱謂，據文意改。

政和元年（辛卯，一一一一）

1. 八月二十六日，臣僚言：「伏見諸路郡守許補醫學博士、助教，明著格令：京府、上中州各一人，下州一人，選本州醫生以次選補。仍許依禄令供本州醫職，豈容額外補授，濫紆命服以散居他群。臣體訪諸路州軍不遵條格，以守闕爲名〔一〕，或酬私家醫藥之勞，或徇親知非法之請，違法補授，不可勝數。况貢舉條制，有官鎖試，而醫學博士、助教與焉。若與貢附試辟雍，如入中、上等，乃有陞二等差遣及免省之優命，豈容醫學博士、助教旋求補牒，妄希仕進，以敗壞學制。檢會下項：元符格：置醫學博士、助教，京府及上、中等州醫學博士、助教各一人，下州醫學博士一人。醫生人數，京府、節鎮一十人，餘州七人。試所習方書，試義十道。元符令：諸州醫學博士、助教闕，於本州縣醫生内選術優效者充〔二〕，無其人，選能者比試，雖非醫生，聽補。詔令諸州軍遵依條格施行，仍令提舉學事司常切覺察。點檢得鈐轄司自大觀元年已來，前後知州補過醫助教丘仁傑、李德贍、陳居、熊安、劉明、萬處仁等六人充鈐轄司助教，名目皆依條隨曹官參集，受公使庫供給。檢會從初並無專一條格許令補授，又無條格不許補授，有此疑慮，乞令有司〔三〕契勘立法施行。」從之。其江西鈐轄司補過醫助教丘仁傑等並改正。

〔一〕以守闕爲名　「以」字前原衍一「名」字。

〔二〕選術優效者充　「者」字下原衍二「人」字。

〔三〕乞令有司　「令」原作「今」。

三年（癸巳，一一一三）

1. 閏四月九日敕：建學之初，務欲廣得儒醫。竊見諸州有在學内外舍生，素通醫術，令諸州教授知通保明，申提舉學事司〔一〕，具姓名聞奏，下本處盡依貢士法律遣赴本學。就私試三場，如中選，元外舍生即補內舍，內舍理爲中等校定。其學生執公據入學日，即關公厨破本等食。詔並依貢法，其前降指揮更不施行。

〔一〕申提舉學事司　「事」字原脱，據本書崇儒三之一九補。

2. 九月二十七日，尚書省言〔一〕：「依元格注官：上等從事郎，中等登仕郎，下等將仕郎〔二〕。初任注在京自來合破醫官去處一任，理爲諸州軍曹掾資任。除有許舉薦數外，令醫學司業各舉改官二員。兼元得指揮：俾通籍仕版，治官政，掌醫事，況學生多是兩學移籍并得解與貢之人，其三舍之法，並依兩學體例。今來除初任差遣外，未有明降指揮，竊恐吏部將來尚依崇寧格，只注醫官三等差遣。今欲乞〔三〕醫學上舍出身人，初任自依近降朝旨，注新授在京醫職外〔四〕，其後並依兩學上舍出身人，赴吏部注合入差遣。用清其選，而革伎術之弊，庶使學者益知磨勵，而得異能之士。」從之。

〔一〕尚書省言　「言」字原脱，據下文當爲所奏，故補。

〔二〕中等登仕郎，下等將仕郎　「登」原作「將」；「下等將仕郎」五字原脱，據群書考索·後集卷三〇及本書崇儒三之一一改補。

〔三〕今欲乞　「今」原誤作「令」。

〔四〕注新授在京醫職外　「新授」二字原作「格格」，據群書考索·後集卷三〇改。

3. 十月十七日，禮部奏：「檢會政和三年七月四日勑，知洪州、充江南西路兵馬鈐轄吴居厚奏：

檢會〔一〕。

〔一〕「檢會」以下疑有脫文。

四年（甲午，一一一四）

1. 八月四日，尚書省言：「勘會諸州內、外舍通醫術學生，已降指揮許津遣貢赴太醫學，與在京學生同試。即未曾立定試補舍額，及試不中却還本貫之文。今乞立條：諸州貢到通醫術內、外舍生，附太醫學補試，如試中，各依元舍額注籍；若或試下，還本貫舊舍額。」從之。

五年（乙未，一一一五）

1. 正月十八日，提舉入內醫官、編類政和聖濟經曹孝忠等奏：「尚書劄子：勘會太醫學依倣兩學措置貢士法并錢糧，具狀申尚書省。本學除具下項〔一〕：

一、諸路貢士與本學內舍同試上舍，三歲共取下項合格人數〔二〕陞補上舍：以上、中等一百人爲額〔三〕，上等闕於中等補，中等闕以下等陞補，並附文士引見釋褐。下等不該陞補人，貢士補內舍，元內舍與理考察，貢士不中選，聽還本學外舍。第一年上等一十人，中等二十人，下等三十人；第二年上等一十人，中等二十人，下等三十人；第三年謂大比上等一十五人，中等二十五人，下等四十人。

一、諸路貢士同本學内舍就試上舍，若不滿二百人，即每十人取二人合格零數及三人聽取一人。以合格人十分爲率，一分六釐爲上等，二分四釐爲中等，五分爲下等，餘分從多數謂三等各有餘分，就三餘分中等從數多之等取一人。若兩等餘分，各從其等，而共理取一人者，聽從優。

一、契勘醫學上舍推恩，依格上等從事郎、中等登仕郎、下等將仕郎。依舊在學滿三季日，不犯學規第二等以上罰者，發遣赴吏部，依兩學上舍法注受差遣。

一、乞兩學於朝廷封樁錢内，支撥本錢十萬貫，付開封府檢校庫，依兩學法抵當。據每年收息數，以十分爲率，將五分充本學支用。

一、乞於抽買石炭場歲給石炭三萬秤。

一、乞將兩浙路州縣學費目今見在，及自今後逐年餘剩錢物糧斛計數樁留七分，祗備本路支用外，三分限春季内，差因便綱船一起附帶赴學送納。仍委本路學事司管勾文字官，計置催督津遣。見今本學支費錢糧，並乞依元降指揮，日於國子監支撥，候將來兩浙路支撥到今來所乞錢糧日，本學足用，即報國子監〔四〕住支。從之。

曹孝忠〔五〕等奏：承「尚書省札子」云云，本學今參詳條具下項：

一、乞諸州、縣並置醫學，各於學内别爲齋教養，隸於州縣學，開封隸府學。

一、乞縣學補試以文理稍通並取，及一季謂上三月不犯學規第二等罰者，令佐保明申州學，赴歲升試，合格人補外舍。

一、應公、私試合格分數併月引試，分月關書。考選、校定、陞降舍、除籍規矩、講解假告、給依差補職事及應干事件，並依諸州縣學法。公、私試並附州學公、私試院。

一、出題考校，縣委令佐，州軍委教授，仍逐路提舉學事司選差本州見任官通醫術能文者一員，開封府選開、祥兩縣官兼權醫學教授，並依正教授條法。

一、應曾係州學生及曾得解人，依條格合赴補試者，與免縣學試。法行之初，恐士人兼習醫術者未廣，難以逐州立額。欲乞每路量立逐歲貢額，今比做諸州縣學〔六〕格内：文士三年所貢人數，十分中以一分五釐人數創立諸路醫學貢額〔七〕，分爲三年。内歲供不及五人處，添作五人，並不近州軍類試不得過三，附州學公試院。其所取合格，並陞補分數仍通取。

一、醫學教授講一經謂素問、難經，其講義逐月付縣。學生分三科兼治五經内一經：方脉科通習大小方脉、風産，針科通習針灸、口齒、咽喉、眼目，瘍科通習瘡、腫、傷、折、金、鏃、書禁。

一、三科學生各習七書，方脉科：黄帝素問、難經、巢氏病源、補注本草、千金方、王氏脉經、張仲景傷寒論。針科：黄帝素問、難經、巢氏病源、補注本草、千金方、黄帝三部針灸經、龍本論。瘍科：黄帝素問、難經、巢氏病源、補注本草、千金方、黄帝三部針灸經、千金翼方。

一、諸州縣學及提舉學事司試法。縣學補試素問義一道、難經義一道、運氣義一道、假令病法一道、儒經義一道謂五經内治一經。州學歲陞試依縣學補試道數，私試孟月素問、難經義三道，儒經義二道；仲月運氣義一道〔八〕、處方義一道；季月假令病法三道。公試二場：第一場素問、難經義二道，運氣義一道，儒經義二道；第二場處方義一道，假令病法二道。學事司所在州試上舍三場：第一場素問、難經義三道，儒經義二道；第二場運氣義一道，處方義二道；第三場假令病法三道。

一、出題。儒經、素問、難經並於本經内出，運氣義於素問内出。臨時指問：五運六氣、司天在泉、太過不及、平氣之紀、上下加臨、治淫勝腹〔九〕、所掌病疾，隨歲所宜，如何調治；或設問病證〔一〇〕，於今運氣，如何理療〔一一〕。處方義於所習經方内出。假令病法：方脉科於千金翼、外臺聖惠方治雜病門中出；針科於三部針灸經〔一二〕、千金翼、外臺聖惠方、龍本論治雜病及口齒、咽喉、眼目門中出；瘍科於三部針灸經、千金翼、外臺聖惠方治瘡瘍門中出。

一、醫學應合干行事，本路提舉學事司、州知通、博士、教授、縣令佐〔一三〕、學長並通管。

一、本學貢士法初行，竊恐天下州縣未能一一諳曉奉行，兼所出題目或有異同。欲乞逐路並置醫學教諭一員，以今來本學上舍出身人差充。仍從提舉學事司差往點對一路州縣醫學事。其請給人從叙位，並依本路州教授除醫學勾。」從之。

〔一〕本學除具下項　「項」原作「頃」。

〔二〕三歲共取下項合格人數　「共」原誤作「其」，據長編拾補卷三四、群書考索・後集卷三〇改。

〔三〕以上、中等一百人爲額　「上」原作「下」，據長編拾補卷三四、群書考索・後集卷三〇、長編紀事本末卷一三五改。

〔四〕國子監　「監」字下原有復文「支撥……即報國子監」共二十八字，今删。

〔五〕曹孝忠　「忠」原作「思」，據長編拾補卷三四、長編紀事本末卷一三五、群書考索・後集卷三〇所載，以下均爲曹孝忠所奏，故改。

〔六〕今比倣諸州縣學　「比」原作「此」，據同上書改。

〔七〕醫學貢額　「額」字原脱，據同上書補。

〔八〕運氣義一道　「氣」原被涂改爲「炁」。

〔九〕上下加臨、治淫勝腹　「下」字原脱，「治淫」原誤作「時問」，「腹」原作「復」，均據群書考索・後集卷三〇補、改。

〔一〇〕或設問病證　「證」原誤作「設」，據同上書改。
〔一一〕於今運氣，如何理療　「氣」原誤作「歲」，據同上書改。
〔一二〕三部針灸經　「部」原作「都」，「灸」原脱，據上文改、補。
〔一三〕縣令佐　「佐」原誤作「左」。

2. 太醫學奏：「據河北西等路提舉學事司申：　契勘州學教授，月給食錢五貫文，今來逐州兼權醫學教授，事體一同，別無月給食錢。今相度欲乞比正教授例，量行裁定，月給食錢三貫文。」從之。

3. 六月二十四日，岳州奏：「承朝旨，州縣並置醫學，遂專切委用教授措置。據教授申：　縣學補試，除已有教諭處自合教諭出題考校，如未有上舍出身人處〔一〕，即合有出身人管勾學事，令佐試補。州司已即時分門定奪，行下諸縣遵守去訖。」詔：「醫學選試，如無通醫術文臣，許於本處醫長、醫職、醫工內選差一員，同州縣有出身官出題考校。如闕醫長等，即選本處〔二〕有出身管勾學事官管勾。」

〔一〕如未有上舍出身人處　「上」下原衍一「上」字。
〔二〕即選本處　「本」原誤作「大」，據長編拾補卷三四改。

4. 八月二十日，禮部奏：「太醫學申〔一〕：　已承朝旨〔二〕，許諸路州縣次第陞貢學生。本學契勘，自政和五年方有入學之人，政和六年歲陞赴學充外舍，積累校定，政和七年公試陞補內舍。」

〔一〕太醫學申　「太」原作「大」。

〔二〕已承朝旨　「已」字上原衍「一」字。

六年〔一〕（丙申，一一一六）

1. 閏正月四日，太醫學奏：「契勘本學博士，乃專解傳授諸生，任爲師儒，皆朝廷所選。然天下州軍以醫隸職而爲郡將所差補者，亦曰醫學博士。欲乞依倣諸州醫士之稱以易之，庶有辨別。」祠部檢會勅：「諸州醫學博士並改醫博士。」又取到太醫學狀：「今來雖有改爲醫博士指揮，緣尚與本學博士稱呼相犯，即未有許改博士字指揮。」詔改諸州醫博士爲職醫。

〔一〕此條原在八年「十二月二十九日」條後。

七年（丁酉，一一一七）

1. 三月二十五日，禮部奏：「修立到諸太醫學上舍推恩人於所任州兼醫學教授，仍令醫職于醫員外置。若任縣官者，準此，至通直即罷醫職。」從之。

2. 七月二十八日，禮部尚書許光凝奏：「臣等契勘崇寧三年立法，本部歲許諸州軍置醫學處見任官通醫術能文者一員，兼權醫學教授，其薦舉改官並依正教授條法。臣等竊詳：醫學教授每州一員，其薦舉改官既依正教授法，慮合抵正教授薦舉員數。」從之。

3.七月戊子，太醫學奏：「乞本學三舍生依太學、辟雍、國子監法，隸屬禮部。」從之。

4.八月十日，臣僚言：「伏觀朝廷興建醫學，教養士類，使習儒術者通黄、素，明診療，而施於疾病，謂之儒醫，甚大惠也。暨錫命後，人才既成，宜試其能〔一〕。又元降指揮便合赴評〔二〕注授諸州曹掾簿尉，而於診療略無所預。雖有成才，莫獲試用，而朝廷亦無以核診療之實。昨降指揮，有初任注在京醫官住程去處差遣一次，則似之矣，又旋即衝罷，臣實未諭。若謂欲清其選，則既錫之名第，又加之品秩，且得爲州縣親民之官，視兩學無異，其選固已矣。至於診療疾病，乃設學求才之本指，而命官之後，終不良之，豈朝廷循名責實之意哉？伏望特詔有司：今後太醫學生已行推恩，即於診療之際量行試用，校其全失以爲參部注官久近之期，則學生未入仕者，知其必用，不待考察而自知勉勵於診療，庶使醫學平昔所養，皆有所用。」詔令尚書省立法。

〔一〕宜試其能　「宜」原作「冝」。
〔二〕便合赴評　「評」疑是「試」字。

5.七月三十日，太醫學奏：「契勘先承朝旨，本學生既依三舍法，其應緣事務並依太學、辟雍、國子監條法施行，内事有不同者，從本學逐旋條具申尚書省。今竊見太學、辟廱、國子監所行三舍生等事，盡隸禮部。即今太醫三舍生事務，只依伎術隸屬祠部。所有選試、注授、工濟等職事隸祠部外，其兩學、諸路學法若有增損條文，禮部既係所隸，自可謄報在學遵守，參照行遣，貴免所行三舍學法不致抵牾。」從之。

6. 十二月二十九日，提舉太醫學奏：「據太醫學録鄭績劄子，契勘太醫學舊法，内一項學生所習有方脉、有針科、有瘍科〔一〕，每遇試日，即於素問、難經及方書内三科出題爲問。今習大經外，又兼素問、難經、方書，諸般科目並在其間，其分科之文顯屬虚設。乞於學生家狀内，删去方脉、針、瘍等科字，却添入某經、素問、難經、方書字。」從之。

〔一〕有方脉、有針科、有瘍科　「有瘍科」三字原脱，與下文所言「三科」不合。據下文及原書崇儒三之一一、一六補。

八年（戊戌，一一一八）

1. 十月七日，尚書省言：「勘會太醫學上舍出身人，自來改官不依貢士上舍，只作餘人。緣本學陞補、校定、釋褐、殿試等並已依兩學法，所有改官，理合比附有出身人施行，詔申明行下。八年赴學事司類試，陞補上舍，秋季貢發。政和九年春赴太醫學，即候五年，纔有該貢之人，竊恐遲緩。今相度，欲乞權降一時指揮，候至政和九年試補陞貢，並依本法施行，所貴早得應選之人該預陞貢。並政和九年，只乞就本縣投狀，縣保明申州，依縣學補試條法試補入州學充外舍等。勘合太醫學所乞，係是將五年中次第公、私試陞補校定，於一歲中併行陞貢。竊慮考選無素，兼恐未應前降依仿兩學貢士指揮，本部今勘當難議施行。」詔令太學比倣崇寧年辟廱貢士權行指揮，將可以施行事條具申尚書省。

2.九月八日〔一〕，詔諸州醫學博士並改作醫博士。

〔一〕九月八日　按長編拾補卷四一繫此詔在政和五年九月甲戌。

3.十六日〔一〕，禮部奏：「契勘諸路醫學每年合貢及該推恩人數，今紐計下項：諸路醫學三年合貢人數共七百三十三人，第一年二百三十九人，第二年二百三十九人，第三年二百五十五人。合該推恩人數，第一年三十人，第二年三十人，第三年四十人。又契勘下項：一、舊進士并諸科解額并五路剩額及國子監、開封府解額共四千八百九十二人，内一百三十人充武士貢額，二十四人充貢孝悌特起之士，四千七百三十八人立爲見今諸路貢額。一、舊額進士五百六十人，諸科四十人。一、見今貢士三年推恩額六百人。太醫學供到狀：契勘諸路陞貢醫士，係每年春以一路醫學内舍赴學事司所在州類試，上舍以合格三等對校定，三等參定等第，奏貢赴太醫學，與本學内舍同試〔二〕，依額陞貢〔三〕，取推恩之人。其試入等不該推恩人補内舍，不入等人並補外舍。一、未貢到人年分，即且依政和五年正月二十七日指揮施行，餘並依見行條法。一、候將來諸路通醫士人漸多，即令本路學事司申取朝廷指揮。一、如有未盡事件，仰太醫學條具申尚書省。」詔：「依擬定推恩，以十五人爲額，仍先次施行。」

〔一〕「十六日」　按群書考索·後集卷三〇繫此條在「政和五年九月」。
〔二〕與本學内舍同試　「同」字下原衍「舍依」二字，據下文重復部分删。
〔三〕依額陞貢　「貢」下原有復文「赴太醫學與本學内舍同試依額」十三字，今删。

4.十二月二十九日，福建路提舉學事司奏：「承勑契勘諸路醫學每年合貢及該推恩人數，詔令尚書省別行措置。竊緣本路八州軍，昨蒙撥到開封府及五路二項解額共一百九十七人，充文貢士額，係逐州分三歲入貢，每州所撥人數不等。今來樁留一分充醫士貢額，即合隨州將所撥到開封府及五路二項解額〔一〕內樁留一分。其間至有零數不及十人，未審有無，亦樁留一名。兼文士貢額，分三年入貢。政和五年〔二〕係第一年，已貢過一年人數。政和六年係第二年，未曾入貢，其樁留一分醫士貢額，合從文士三歲貢額內豁除。又緣醫學生政和六年方赴州學，歲陞充外舍。政和七年上舍，其貢額係比做諸州學格內，文士三年所貢人數十分中以一分五釐人數創立，諸路醫學貢額，分爲三年貢額，並不侵占文士貢額。有本學上舍推恩人額，第一年、第二年各三十人，第三年四十人，並不在文武士推恩額內。七月七日，詔令尚書省別行措置。

尚書省勘會：諸路文貢士，係三年共取舊省額推恩人數及諸路貢額，係以舊解額人數立定。今來太醫學於創立百人推恩，其數太優。兼法行之初，竊慮諸路少得通醫士人陞貢，其所立貢額亦多，理合裁定。今措置下項〔三〕：一、諸路貢額依下項人數，以昨來撥充貢額內樁留一分人數充：府畿十五人、京東東路五人、京東西路五人、京西北路五人、河北東路三人、河北西路囬人〔四〕、河東路三人、永興軍路二人、秦鳳路二人、江南東路四人、江南西路四人、淮南東路四人、淮南西路四人、荆湖北路三人、兩浙路六人、福建路六人、廣南東路三人、廣南西路三人、成都府路三人、利州路三人、梓州路三人、夔州路三人。一、推恩額十人。一、殿試前一年依武士法，以諸州內舍生有校定人，赴本路提舉學事司所在州公試，七年赴公試陞補內舍。其政和七年係殿試前一年，本年係合類試上舍年分，當年醫學生方就公試陞補，却未有合赴試上舍之人，亦未審有無，便從今年樁留一分醫士貢額。乞降指揮遵守。」

尚書省勘會：「醫士貢額，係以昨撥充文士貢額內樁留一分武士貢額人數充，即不合於文士貢額除豁。今來福建提舉學事司〔五〕所申除豁文士貢額，顯未允當。其上件貢額，候將來有合貢醫士年分，方合用額陞貢。今既未有合貢之人，即合依舊存留。竊慮諸路更有疑惑去處。」詔令禮部疾速申明，遍牒行下。仍關太醫學照會。

〔一〕二項解額　「項」原誤作「頃」。
〔二〕政和五年　「五」原誤作「年」，據下文「政和六年係第二年」，則第一年當爲五年。
〔三〕今措置下項　「項」原誤作「頃」。
〔四〕河北西路囬人　「囬」字當爲「四」之誤。
〔五〕福建提舉學事司　「事」字原脱。

重和元年（戊戌，一一一八）

1. 十一月十五日，臣僚言：「伏覩太醫學教養多士，陞貢合選任學官恩數，悉視兩學，略無少異。乃若訓導之官，獨未推掌，而無出身之人，十居其上。伏望依諸學教導官，於有出身人内選除。其見任博士、正、録、學諭無出身官，並乞別與一等差遣。」從之。

宣和二年（庚子，一一二〇）

1. 七月二十一日，詔罷在京醫、筭學。

2.七月己未，詔曰：「先帝董正治官，太醫局置丞、教授，立學生員額，成憲具存。今醫局之外復建醫學，既違元豐舊制。舍選之法本示教養，今又醫學生賜第之後，盡官州縣，不復責以醫術，平昔考選，遂成虛文。在京醫學〔一〕可並罷。應醫學三舍生舊係內外學籍願入學者，上、內舍並特令於見醫學舍額上降一舍，外舍許通理醫學校定入學。令禮部、國子監限五日條具聞奏。」

〔一〕在京醫學　「在」原作「任」，據長編拾補卷四一、群書考索・後集卷三〇改。

3.二十七日，禮部、國子監奏：「準勑節文：在京醫學可並罷，應醫學三舍生舊係內外學籍願入學者，上、內舍特令〔一〕於見醫學舍額上降一舍，外舍許通理醫學校定入學，內舍降充外舍之人，比之元係外舍人却無較定者許通理。」

〔一〕特令　「特」原作「持」，據上條詔令原文改。

4.二十九日〔一〕，詔太醫學俟殿試人特許赴來年特奏名試。

〔一〕此條原在「七月己未」即本月二十一日條前。

本門點校者　季懷銀
審訂者　王雲海

畫學

影印本崇儒三之二六至二七
大典二二〇〇一

大觀元年（丁亥，一一〇七）

1. 二月四日，國子監修立到畫學補試外舍，於本貫出給保明公據照驗，或召命官一員委保詣實，投納家狀、試卷，聽收試等條，並係創業衡改舊條。從之。

先是，崇寧五年九月三日，大司成薛昂言：「書、畫學止係置籍注人年甲、鄉貫、三代入學條，三年經大比定奪等第，方分三舍。昨來兩學各以二項爲額〔一〕，今來止各以三十人爲額。近本監條畫以五千人爲上舍〔二〕、十人爲內舍，其外舍止各十五人，而舊法元無補試。乞願入學者逐季附太學補試院，以所習書畫文義量行校試，取合格者補充外舍生，仍依武學法破食。所有量行校試，乞令國子監詳酌立法。」

至是始上二畫學令：

「諸補試外舍，於本貫出給保明公據照驗，或召命官一員〔三〕委保詣實，投納家狀、試卷，稱說士流、雜流，聽收試限試前五日生接。

諸補試外舍，士流各試本經義二道或論語孟子義；雜流各誦小經三道，各及三十字已上，或讀律三板，附太學孟月私試院引試。次日本學量試畫間略設色。

諸補試外舍，士流試到經義卷，仍附太學私試，封彌、謄録送本學考校，限五日畢。其試到士流畫卷封印，長貳同定高下。

諸補試外舍，取文理通者爲合格〔四〕，俱通者以所習畫定高下，每二人取一人，餘分亦取一人。本學官不鏁額，赴監試聽參定注籍出榜。

諸補試中外舍，候入學訖，本學具姓名〔五〕關太學，公厨給食依武學法。

諸補試放榜、議題、引試及畫，官吏、祗應人食錢等，並依武學條例給。

諸試畫日應用作物等，監庫排辨。」

〔一〕各以二項爲額　「項」原誤作「頃」。
〔二〕以五千人爲上舍　「千」字疑是衍文。
〔三〕召命官一員　「官」字下原衍一「官」字。
〔四〕通者爲合格　「合格」原誤作「舍格」。
〔五〕具姓名　「具」原誤作「其」。

2. 十七日，詔「書、畫學論〔一〕、學正、學録、學直各置一名。筭學已隸秘書省，醫學可令復置。其合行事件並依崇寧四年十二月已前指揮施行。」崇寧四年指揮檢未獲。

〔一〕書、畫學論　「論」疑爲「諭」。

本門點校者　季懷銀
審訂者　王雲海

武學

影印本崇儒三之二八至四五
大典卷二九九五

天聖七年〔一〕（己巳，一〇二九）

1.因唐之制置武舉，應三班院使人〔二〕、文武子弟實有軍謀武藝，許詣兵部投牒取應。先投軍機、策、論三卷，每卷三道，召人保委，主判官先詳所業，視人才、驗行止，先試步射一石弓力，馬射七斗弓力〔三〕，問策一道，合格即引見召試。

〔一〕天聖七年 「天聖七年」四字原脱，據群書考索·後集卷二九引會要文、長編卷一〇七天聖七年閏二月壬子、宋史卷九仁宗紀補。

〔二〕三班院使人 「使人」疑爲「使臣」之誤。

〔三〕馬射七斗弓力 「馬射七斗弓力」六字原脱，據群書考索·後集卷二九補。

2.掌教授兵法書學，以朝官已上判學〔一〕。慶曆三年五月丁亥〔二〕，詔置武學於武成王廟〔三〕，以太常丞阮逸爲教授。八月戊午〔四〕罷武學，改教授、太常丞〔五〕阮逸兼國子監丞。其有願習兵書者，許於本監聽讀〔六〕。

〔二〕「掌教授兵法……判學」一句，當在「置武學於武成王廟」之後，疑有錯亂。
〔二〕慶曆三年五月丁亥　「慶曆」及「丁亥」四字原脱，據舊批及長編卷一四一補。
〔三〕武成王廟　「成」字原作「城」，據長編卷一四一及本書下頁熙寧五年七月二十七日條改。
〔四〕八月戊午　「戊午」二字原脱，據長編卷一四一、玉海卷一二二補。
〔五〕太常丞　「常」原誤作「當」，據同上書改。
〔六〕許於本監聽讀　「許」原誤作「詳」，據同上書改。

3. 皇祐中嘗罷是科。言事者以文武並用，廢一不可，宜復此科。分爲三等：上等取其學識深遠、策對優絶；次等取其策對優長、騎射兼有；下等取其擊刺抛射〔一〕、翹傑魁俊。量能而官，因材而任。委以巡警之司，縣尉之職。觀其提一旅之衆，佐一司之重。能激勵士卒翦滅盗賊〔二〕，然後取而用之〔三〕，豈不利於國家乎？豈有不勝於卒伍而爲之乎？惟陛下復之無疑。

〔一〕下等取其擊刺抛射　「其」原作「有」，據本條上文改。
〔二〕能激勵士卒翦滅盗賊　「勵」原作「厲」；「翦」原作「剪」，均據群書考索·後集卷二九改。
〔三〕然後取而用之　「用」原作「取」，據同上書改。

嘉祐八年（癸未，一〇六三）

1. 樞密院奏：以爲文武二選不可闕一。與其任用不學之人，臨時不知應變；不若素習韜畧之士，緩急驅策可以折衝。况今朝廷所用人，稍有稱聲者〔一〕多由武舉而得，則此舉不可廢罷明矣。

〔一〕稍有稱聲者　「有」原誤作「用」，據群書考索·後集卷二九改。

熙寧五年〔一〕（壬子，一〇七二）

1. 七月二十七日〔二〕，樞密院言：「古者出師，受成於學，文武弛張，其道一也。將帥之任，民命是司，長養其材，安得無素。洪惟仁祖嘗建武學，横議中輟，有識悼之。國家承平及此閑暇，臣等欲乞復置武學〔三〕，以廣教育，以追成先朝之志。」詔：「於武成王廟置學，選文武官知兵者充教授。凡使臣未參班、并門陰草澤人，并許召京朝官兩員保任，仍先試驗人材弓馬，應武舉格者方許入學，給常膳，習諸家兵法。教授官纂次歷代用兵成敗次第，及前世士大夫忠義之節足以訓者，講釋之。願試陣隊者量給兵伍。肄習在學及三年，則具藝業保明考試，以等第班行安排，未及格者逾年再試。凡試中，三班使臣與三路巡檢、監押、寨主。白身試中，與經畧司教押軍隊準備差使，三年無遺闕，與親民或巡檢，如至大使臣，歷任中無贓罪杖以上及私罪情理重大者，兩省或本路鈐轄以上三人同罪保舉〔四〕堪將領者，並與兼諸衛將軍。外任迴，歸環衛班。學徒試中，並家狀内開坐於某人下受學，來任用有勞效，教授官並優與旌奬。如不勤其職，致學徒廢墮，亦等第行罰。仍差韓縝判武學，郭固同判。賜錢萬緡充食本。

〔一〕「熙寧五年」　四字原脱，據舊批及玉海卷一一二、治跡統類卷一二、長編卷二三四等書補。

〔二〕七月二十七日　「七月」，玉海卷一一二、治跡統類卷一二、長編卷二三四、群書考索·後集卷二九及本書選舉一七之一二等均作「六月」。

〔三〕乞復置武學　「置」原誤作「制」。

〔四〕同罪保舉　「同」原誤作「司」，據原書選舉一七之一二改。

2. 十月二十一日，武學言：「試密州司法參軍蔡碩邊策一道，詞理稍優。」詔除初等職官、武學教授。

八年（乙卯，一〇七五）

1. 十月十三日，武學言：「上舍生員曹安國昨不預薦名。契勘本人未建學已應武舉，兩試秘閣中選。兼久充職掌，委實材畧可用。欲乞將來依得解人例，赴秘閣再試。」從之。

元豐元年（戊午，一〇七八）

1. 四月二十五日，詔經任大小使臣無贓私罪，聽召保官二人量試驗，充武學外舍生。

2. 六月癸丑，詔武學上舍生〔一〕，在學一年，不犯第二等過，委主判同學官保明免解，從上毋過二人，內於貢舉法自應免解，及該免解後又在學二年以上無殿罰，免閣試。

〔一〕「六月癸丑，詔武學上舍生」十字原脱，據長編卷二八九、長編紀事本末卷七四補。

三年（庚申，一〇八〇）

1. 六月十八日，武學上新敕令格式，詔行之。

六年（癸亥，一〇八三）

1. 四月二十七日，詔武學博士蔡碩罷博士，專編修軍器什物法度，仍支舊任職錢〔一〕。先是，監察御史王桓〔二〕奏：「近武學補上、内舍生，其博士蔡碩以修軍器法制權罷職事，乞權差官攷試。按碩自元豐四年，以兼編修，除本學直日外，餘悉不復總領，已一年有餘。且博士職專教導，而碩一月之間，詣學者不過七八。碩知力不能兼，當辭其一。而乃利其俸入不自祈免者，盖恃兄確爲宰相，而人莫敢議故也〔三〕。如此，何以示天下。」故有是命。

〔一〕仍支舊任職錢　「仍」原作「的」；「職」原作「鐵」，據長編卷三三四、長編紀事本末卷七四改。
〔二〕王桓　「桓」原誤作「相」，據同上書補。
〔三〕而人莫敢議故也　「莫」字下原衍一「不」字，據同上書改。

哲宗元祐元年（丙寅，一〇八六）

1. 四月十四日，國子監言：「武學上舍生劉貫，公試弓馬、策義，累入優等，比科場策藝俱優之人自爲異等，乞詳酌施行。」詔劉貫特與三班差使〔一〕，候武學諭有闕，與差。

〔一〕特與三班差使　「特」原誤作「時」，據長編卷三七五改。

2. 七月二十九日，詔武學上舍生補中及一年〔一〕，公試弓馬策議皆入優等，不曾犯五等罰，令保明聞奏，量材録用，仍每年不得過一名〔二〕，令看詳國子監太學條制所立法〔三〕。

〔一〕補中及一年　「中」字原脱，據長編卷三八三補。
〔二〕「公試弓馬……不得過一名」共三十三字原脱，據同上補。
〔三〕令看詳國子監太學條制所立法　「令」原誤作「今」，據同上書改。

紹聖四年（丁丑，一〇九七）

1. 十一月五日，詔武學博士自今中書省選差。從三省請也。

徽宗建中靖國元年（辛巳，一一〇一）

1. 三月十七日，詳定所續修到武學敕令格式看詳，冠以紹聖爲名。從之。

大觀二年〔一〕（戊子，一一〇八）

1. 十一月十七日，學制局言：「奉御筆：武學三人取一名爲上舍生，雖多，以百人爲額。分三十人爲上等，七十人爲中等，其餘爲下等。看詳諸路武士入貢到闕，類聚試上舍，合格者，對本路元貢等應補。上等者釋褐，中等者赴殿試，下等者補武學内舍，不合格者爲外舍，係是四等。今上、中二等依前御筆分數，其餘若並爲下等，又緣有不合格人舍降充外舍〔二〕。今欲乞除上、中等依前御筆外，將其餘人以十分爲率，内取合格者三分爲等，補入武學内舍。餘不合格者，爲外舍〔三〕。」從之。

〔一〕「大觀二年」四字原脱，據玉海卷一一二補。
〔二〕不合格人舍降充外舍　「人」字下「舍」字疑是衍文。
〔三〕爲外舍　「舍」字下原衍「一」「者」字。

四年（庚寅，一一一〇）

1. 八月十二日，詔：「武學監厨，舊係國子監公厨官兼管，司計係生員。崇寧四年專差使臣，所

管職事不多。其監厨可依舊令國子監公厨官兼管，司計依舊差生員。」

政和元年〔一〕（辛卯，一一一一）

1.八月二十八日，大司成張邦昌等言：「準大觀重修武學令，諸貢士以年終集於武學，次年春試。應補上等者，取旨釋褐；中等俟殿試。契勘文士上等留太學俟殿試，其武士上等，欲依文士上等已降指揮施行。」從之。

〔一〕政和元年　舊批「政和□年」，據原書選舉一七之二三補。

三年〔一〕（壬辰，一一一二）

1.三月五日，詔：「武學博士依太學博士法，朝廷差人。」大觀四年歸吏部，至是復堂除。

〔一〕「三年」　原誤作「二年」。按以下三條內容，在群書考索・後集卷二九均係于三年，第二條又見於長編拾補卷三二，亦係於三年，三條干支記日正與本書合，據改。

2.六月八日，詔：「武學，州縣外舍生〔一〕稱武選士，內舍生稱武俊士。」

〔一〕州縣外舍生　「州縣」二字原脱，據長編拾補卷三二、群書考索後集卷二九補。

3.十七日，武學博士孫宗鑑言：「武士馬射、射親之格『上垛』、『中貼』皆有等第分數〔一〕，而『中的』獨爲闕文，則貼廣三尺二寸，而的又十之一，其工拙不同明甚〔二〕。一『中貼』已比兩『上垛』，乞以一『中的』比兩『中貼』〔三〕。」從之。

〔一〕皆有等第分數　「等第」，原作「第等」，據同上書改。
〔二〕「而『中的』獨爲闕文……工拙不同明甚」共二十七字原脱，據同上書補。
〔三〕乞以一『中的』比兩『中貼』　「乞」字原脱，據同上書補。

4.十月七日，尚書省言：「檢會大觀三年六月二十九日學制局〔一〕，武士充貢入上等，次年春試又入上等，係兩上人，合作上舍上等推恩。若兩上人不足三十人之數，即依文士法據闕增作中等。」從之。

〔一〕「學制局」下疑有脱文。

宣和二年（庚子，一一二〇）

1.十月二日，尚書省言：「武學依倣元豐法令，禮部同國子監、武學集議條畫。契勘州縣武學已罷，即別無武士升貢之法。内外願入在京武學人，乞依元豐法〔二〕試補入學。舉試人舊制係與武學外舍人類試，取一百人同上内舍生發解〔二〕。緣科舉已罷，不當循舊發解。今比做新舊法令，尚書省於大比試前一年〔三〕春季檢舉降敕下兵部，依元豐法奏舉。其被舉人限當年冬季到闕，與免補試入學，充外舍生，依與校定人赴次年公試。舉試人將來到闕并入在京武學人，並由學校升選。其考選升補推恩，並依大觀武學法。已上並候過將來大比試施行。武士該貢人已降指揮，特許貢發，特赴來年大比試。」從之。

〔一〕乞依元豐法　「乞」字原脱，據群書考索・後集卷二九、長編拾補卷四二補。
〔二〕同上内舍生發解　據同上書，無「内」字。
〔三〕前一年　「一」，群書考索・後集卷二九、長編拾補卷四二作「二」。

欽宗靖康元年（丙午，一一二六）

1. 正月十八日，詔武學替成資闕。

高宗紹興十六年〔一〕（丙寅，一一四六）

1. 三月一日，詔令臨安府修建武學。先是，上宣諭宰執曰：「近有士人陳獻利害，多以修建武學爲言。文武之道，不可偏廢。祖宗自有典故，令有司討論以聞。」故有是命。

〔一〕紹興十六年　「紹興」原誤補作「元豐」，據舊批及繫年要録卷一五五、劉時舉續宋編年資治通鑑卷六補。

2. 四月二日，宰執進呈臨安府踏逐到造武學去處，上曰：「舊日武士按試弓馬，全不如法，可令有司討論。若弓馬習熟，仍稍知書，則不負教養。」

3. 十九日，宰執進呈：「兵部討論到武士弓馬及選試去留格〔一〕，尋下國子監具到舊法，并殿前司省記子弟所格法，權行參照擬定。初補入學，步射弓九㪷，今欲依子弟所第四等格：步射弓一石〔二〕，公、私試若步騎射不中，不許試程文。第一等，國子監法一碩三㪷，子弟所格一碩五㪷，暗壓二㪷，今欲作一碩五㪷。第二等，國子監法一碩二㪷，子弟所格一碩三㪷，暗壓一㪷，今欲作一碩三㪷。第三等，國子監法一碩一㪷，子弟所格一碩二㪷，暗壓二㪷，今欲作一碩二㪷。第四等，國子監法一碩，子弟所格一碩，暗壓二㪷，今欲作一碩。第五等，國子監法九㪷，子弟所格無，今欲作九㪷，並不暗壓。」上可其奏，因宣諭曰：「國家設武選，所係非輕。今諸將子弟皆耻習弓馬，求換文資，數年之後，將無人習武矣，豈可不勸誘之」。

〔一〕武士弓馬及選試去留格 「選試」原顛倒，據原書選舉一七之二六、繫年要録卷一五五、通考卷三四改。

〔二〕步射弓一石 「射」原誤作「躬」，據同上書改。

4. 十二月二十九日，詔：「已降指揮，復興武學〔一〕，理宜一新。所有舊在武學之人，已經昨來罷學，等第推恩了當，難以復還舊籍。依復興太學文士入學體例，並令試補入學。」從國子司業陳誠之之請也。

〔一〕復興武學 「興」原誤作「與」。

二十六年（丙子，一一五六）

1. 四月八日，執政進呈次〔一〕，上曰：「昨因詣景靈宫朝獻，見武學屋舍頽弊，亦全無士人。向宣諭宰臣，雖舍宇略曾修葺，至於養士，元未嘗措置。文武一道，今太學養士已見就緒，而武學幾廢，恐有遺材。祖宗以來，武學養士自有成法。可令禮、兵部疾速措置，條具以聞。」沈該等曰：「陛下崇尚學校，兼隆文武。其留神如此，臣等敢不奉行。」

〔一〕宰執進呈次　「次」，原誤作「於」，據繫年要録卷一七二改。

2.二十二日，詔：「武學生上舍十五人，内舍二十五人，外舍四十人爲額，其外舍使臣至下班祇應不得過十人。」禮、兵部討論：舊教養額共二百人，上舍生不得過三十人，内舍生七十人，外舍生一百人，使臣至下班祇應〔一〕不得過三十人。故有是命。

〔一〕使臣至下班祇應　「至」字原脱，據上文補。

3.同日，詔：「武學博士、學諭各置一員，内博士於文臣有出身、或武舉出身曾預高選人充，其學諭差武舉補官人」〔一〕。

〔一〕差武舉補官人　「補官」二字原脱，據宋史卷一五七、通考卷三四補。

4.同日，詔：「武學置學正員〔一〕兼學録，掌儀一員兼司書，直學一員兼司計。」

〔一〕置學正員　「正」字下疑脱「一」字。

5.同日，詔：「武學置六齋，每齋差置長、諭各一人。」

6.同日，詔：「武學補外舍生，類聚五人以上附私試。仍别爲號，先試步射一碩弓，如不合格，不許試程文。既無私試可附，候及十人以上者聽試。以步射、程文合格者，約五人取一人。」

7.同日，詔：「將來武士補入撥齋參入之後，依文士例，令長諭具名次等申堂，博士簾試七書義一道。」

8.七月二十四日，詔：「武學生元降指揮以八十人爲額。緣所立外舍生額太窄，其外舍生元係四十人，可添作七十人；內舍生二十五人，可減作二十人；上舍生十五人，可減作一十人，通以一百人爲額。」從兵部、國子監請也。

二十七年（丁丑，一一五七）

1.二月八日，詔：「武學補中生員，依太學生例給綾紙、贊詞。」

（年月待考）〔二〕

1.劉才邵曰：「臣聞文所以致治，武所以定功，二者相須，闕一不可。故上之人選材以爲用，下之人因時以有爲，雖不一致，然會其大要不過文與武而已。自昔盛時莫不並用而不偏廢，至唐設爲武舉，其校試選舉之法，可謂詳矣，然不聞興學，是養之無其素，安得爲盡善哉。必也養之有其素，則武勇之士蘊奇謀、負絶藝者，莫不有以成其才，争挾所張以趨功名〔二〕。用才之際，豈患其乏乎。國朝規摹，遠出前古，設科置學，既兩得之，逮兹聖時，恢隆至治，祇率祖宗之成憲，興崇學校之教法，文化之美，郁郁乎比隆於周。乃者復建廟學，教養武士，用三舍之法，以升遷之，待之可謂至矣。多士家被教養，作成之賜，莫不思自策勵以仰稱德澤，而可用之才將輩出矣。於是兼收而無遺，豈不盛哉。」……

〔一〕此條舊批「隆興元年」，案劉才邵櫰溪居士集載周必大序文稱：才邵「年二十四，大觀三年釋褐甲科。……奉祠卒於家，年七十二。」據此，才邵於紹興二十八年已卒，不當再有隆興元年上書。

〔二〕争挾所張以趨功名　「張」字疑爲「長」。

孝宗乾道二年〔一〕（丙戌，一一六六）

1. 二月八日，詔復置太學正、武學諭各一員。

〔一〕乾道二年　「乾道」二字原脱，據舊批及玉海卷一一二補。

四年（戊子，一一六八）

1. 二月十四日，詔：「武學放行公試一次，如有應格，合該升補内舍人〔一〕，即候有闕日，依名次

填撥。」先是，兵部言：「國子監申：據武學外舍生鄒詡〔一〕等狀：本學每年開公試一次。目今內舍二十，名額已滿，內舍林鏞等已係優等校定。今年八月，上舍試合該升補敕令格式兼行，不同者從本學法，國子監、太學令諸請長候已填闕而叁假者，候有闕撥入。又承乾道二年五月十四日已降指揮節文，當年補試，額外取放，如有撥填下盡人數，候有闕依名次對撥施行。照得上項，並係無缺，先次取放，假有闕填撥。今來武學內舍既有定額，其鄒詡等所乞先試公試，候內舍有闕日撥填，既非額外增取，依倣太學〔三〕外舍補試待闕，委無妨礙。兼本學每年十二月，月各有試，內公試係當一月月試之數，其月書季考等排月參考。今若不行申請乞與先試放行公試，即一年之內，常闕一試。又每年三月一日書簿，無可抄轉，委係闕礙。兼學校教養士人，除科舉外，惟每月私試，用以激勵。今若無公試可爲升補內舍之階，即外舍私試校定並爲無用，無以誘勸。兼今年係上舍試年分，及來年係省試年分，必有升補上舍及過省人數，若先次取放，不過待闕半年以上，必有闕額可撥。欲乞依今來鄒詡等所乞，放行公試一次，如有應格，合該升補內舍人，即候有闕日依名次撥填施行。」故有是命。

〔一〕合該升補內舍人　「合該」原作「內設」，據下文「上舍試合該升補敕令格式」改。
〔二〕鄒詡　「詡」原作「翊」，據本條下文改。
〔三〕依倣太學　「倣」原誤作「放」，據文義改。

五年（己丑，一一六九）

1. 四月二十六日，詔：「武學補試依太學條法，仍將在外奏舉得解到省試下人補試，臨期比較合格人數取放施行。」兵部言：「臣僚劄子〔一〕：乞放行武備，仍乞將去年武學發解人數，與四方待試士子同試，如太學補例。據國子監申：契勘乾道二年，武學補試依已降旨揮，將過省闕額十七人許行補試了當。今據武學申，有過省外舍生計八人，合行作闕收使。」故有是命。

〔一〕臣僚劄子　「劄」字上原衍「曰」字。

2.二十七日，詔：「武學補試，令兵部將曾比試中人，與曾得解人衮同補試。」先是，進士王材等狀：伏覩乾道元年重修貢舉令〔一〕，武舉補試並不曾該載。昨來司業申請：紹興初建立武學，少有士人就試，所以權將下省人填闕。今來就補試人甚衆，在學生徒有待闕者，乞令武舉下省人與待補生同試。比聞武舉下省人徑就赴朝廷陳請〔二〕撥入學。且文、武二學事體一同，豈武學無補而太學有補。太學既以下省人及舊舉人方許就試，而武學特以下省人徑撥入學，理實未當。又況祖宗法，武學補試本待外舍人，至揭榜日〔三〕，先將外舍生盡撥入學，方許舊舉人參。而舊舉人亦不許就私試争校定，未有只撥舊舉人〔四〕不許外人補試之理。且太學補試，士人泛濫，動以萬數，朝廷欲革其弊，遂許下省人與舊舉人應試。若或舉士人僅有數百〔五〕，非文舉之比，自合與舊舉人一例收試。若恐太濫，則已前曾比試中人，自弓馬程文，凡二中選，可與舊舉人同試。」故有是命。

〔一〕重修貢舉令「　令」原誤作「今」。
〔二〕赴朝廷陳請　「朝」原誤作「乾」。
〔三〕至揭榜日　「日」原誤作「曰」。
〔四〕舊舉人　「人」字原脱，據上下文補。

〔五〕若或舉士人僅有數百　「或舉」疑爲「武舉」，以和下文「文舉」相照應。

3. 一十八日，詔：「武學升補内舍，每年公試一次。其外舍有校定人中，參考榜上等者，只以弓馬、程文相稱榜爲正，據闕升補。即住學曾滿三季以上，不與校定，而參考入上等者，候滿一年，私試四入等及不犯三等以上罰，或有校定而參考在中、下等，候再試參考入中等，聽陞補外舍生〔一〕。」以國子司業程大昌有請，下本學勘會，而博士劉敦義等參酌來上也。

又詔：「武學公試並依比太學上舍法，不以馬、步、射親，並許通計五等。」以國子司業程大昌有請〔二〕，下本學看詳，而博士劉敦義等言：「武學外舍生赴公試，元降指揮除射親許試五等弓外，步射、馬射止許試第三等以下弓。其已上兩等弓力，即無法試，設使試人於三項設法俱中極等，方得十一分。其或稍有差跌，便成不及十分。竊恐分數太窄，程文雖入優等，及至參考弓馬之時，分數難以對入優等，即升補内舍絶難，無以誘進在學之人。」故有是命。

〔一〕聽陞補外舍生　「陞補外舍生」六字原脱，據宋史卷一五七選舉三及原書崇儒三之四○補。
〔二〕以國子司業程大昌有請　「以」字原脱，據上文補。

4. 同日，詔：「兵部請解移籍人，自今後不以曾未上待闕簿，並不許撥入武學。」亦以國子司業程大昌有請，下本學看詳，而博士劉敦義等言：「勘會昨來初興武學，生員尚少，遂許兵部曾請解人充補移籍入學。今來興學日久，逐次補中生員，尚自無闕撥填。欲乞武學只許曾經補試中人，與前曾參入學籍破食後請長假人兩項對撥外，所有兵部請解移籍人〔一〕不許撥入。」故有是命。

〔一〕請解移籍人　「移」字原脱，據上文補。

5. 五月二日，兵部言：「國子監申：武學公試已降指揮，依乾道四年並前後已得指揮，許附太學補試，同吏部銓試一處鎖院引場試。所有合差考試官一員，就用吏部銓試已差官外，於武學官及武學有出身官内，止合差一員充武學公試考校官。官合於鎖院日降敕宣押入院。」從之。

6. 十日，詔：「武學許行補試，所有差办人物及應干合用公使錢、雜費之類，並依乾道二年補試及前後已得指揮施行。」

7. 六月二十七日，詔：「武學補試中蔡鎬等人已下所屬〔一〕給降素白綾紙八道，付監依例書填給付。」先是，武學正高震等狀：「伏覩武學敕令格式與太學兼行，竊見太學每遇補中學生，盡給綾紙。震等未蒙申請給付。乞依太學生例申給。」國子監勘會，依已降指揮，合給綾紙。故有是命。

〔一〕蔡鎬等人已下所屬　「人已」二字原顛倒。

六年（庚寅，一一七〇）

1. 六月二十三日，詔：「太學生員見有闕額，特與放行。今來秋補一次，仍不以得解人爲限，並依乾道二年以前指揮體例施行。其武學增作一百人爲額。今後太學闕二百人，武學闕三十人，取旨試補。」

九年（癸巳，一一七三）

1. 二月二十四日，詔：「武學上舍試取放優等一名。今後若及十人以上，方合取放。」以武學博士言：「內舍校定，太學則六名放優等二名〔一〕，則通放三名。惟武學則八名止放一名。又上舍亦合放優等，乃以內舍校定人少之故，上舍未嘗取及十人，因亦不放優等，皆非所以爲激勵多士之道。欲乞增置武學員額及添放優等。」得旨送國子監看詳，本監申：「本官所請上舍試與放優等一名，照得在法試上舍，以就試人每三人取合格者一人不及三人亦取一名，人才不及則闕之，所取人十分爲率，上等一分、中等二分、下等七分。緣武學上舍試，依上條係十人以上合取放優等一名。其內舍生元額止二十人，赴上舍試取到六人合格，即係不及十人以上分數〔二〕，不合取放優等。今來內舍生雖以二十六人爲額，取八人亦係不及十人之數。」故有是命。

〔一〕放優等二名　「名」上原衍一「人」字。

〔二〕十人以上分數　「數」字下删去原重復上文「舍生元額……十人以上分數」共二十八字。

淳熙元年（甲午，一一七四）

1. 正月二十八日，詔：「武學外舍生有校定公試合格，用程大昌所請五等弓馬法，與程文五等相參，入上中等者，即與據闕陞補；入下等者，候將來再試入等，依名次據闕陞補。其參入上中等，當年

無闕，陞補不到之人，候將來再試入等，亦與依名次據闕陞補。」先是，武學博士樊仁遠言：「武學生以一百三十人爲額，自紹興二十七年，國子祭酒楊椿申請，以外舍生歲終預校定，次年公試合格，不分等第盡行據闕陞補。遂至每榜陞補少至七八人，多至十四五人。至乾道五年，國子司業程大昌病其濫進者多，申請以外舍生赴公試，有校定人入上等者聽補；入中下等者，候將來再試入中等者聽補，又立格太嚴〔一〕，兩年公試僅陞補一名。至乾道七年，國子祭酒芮燁〔二〕乞依舊行楊椿所立之法，當年補至十五人，復有濫進之弊。乞將前後申請斟酌中制，別立陞補校定法。」故有是命。

〔一〕又立格太嚴　「太」，原誤作「大」。

〔二〕芮燁　「芮」，原誤作「苪」，據原書選舉二〇之一五改。

2. 二月二十日，詔：「武學內舍生如曾犯第二等、第三等規罰，止礙當年選考行藝及當年陞補。若係上舍試年分，不曾犯第三等以上罰，即與陞補。」以兵部勘當，從武學學生之請，比付太學法。

3. 二十四日，兵部、國子監言：「武學生鄭突等乞依乾道四年內舍無闕先將上舍名闕〔一〕放行公試陞補，候上舍放榜日撥填。照得乾道四年，武學即無內舍闕額，承指揮借闕放行公試，共陞補過一十人。今來內舍亦無闕額，乞依例借已成優等校定人三人，及將來有校定人試中陞補上舍退下內舍闕額二名，通借五名放行，今年公試遇闕陞補。」從之。

〔一〕先將上舍名闕　「舍」，原作「名」，據上下文改。

二年（乙未，一一七五）

1. 十二月十七日，太上皇帝慶壽赦：「應紹興三十二年以前補中武學生，見年七十以上人，可令禮、兵部保明以聞，特與補承信郎。內舍、上舍生父母年七十以上，外舍生父母年八十以上，並與初品官，婦人與封號。已經官封者，父與轉一官資〔一〕，母與冠帔。令經所屬自陳保奏。」

〔一〕父與轉一官資　「父」，原作「入」，據原書崇儒一之四一改。

三年〔一〕（丙申，一一七六）

1. 四月三日，禮部、國子監言：「武學大、小職事該遇慶壽赦，參酌推恩人〔二〕，大職事三名，並與承兑解試〔三〕。上舍免省人一名，候將來殿試唱名到部日，與占射差遣一次。小職事十一人，並與將來解試一次。學生各賜束帛。」詔並依擬定。

〔一〕「三年」前原有「先是」二字，與上條慶壽赦文相連。據原書崇儒一之四一所載，「三年」即爲「淳熙三年」，與上條不接，今删去「先是」二字，獨立一條。

〔二〕參酌推恩人　「人」原誤作「入」，據同上書改。

〔三〕並與承兑解試　「承兑解試」，據原書崇儒三之四三，疑爲「永免解試」。

四年(丁酉,一一七七)

1. 二月十一日,詔:「武學武成王神像并兩廊從祀,令重行塑繪,其舊像權遷後殿西廊」。詳見褒崇先聖。

2. 七月十八日,詔:「自今武學博士、武學諭,並於武舉出身人内選差。」〔一〕

〔一〕並於武舉出身人内選差　「於」,原誤作「與」。

五年(戊戌,一一七八)

1. 五月七日,詔:「禮部、國子監量立武學國子員額,依太學國子例,收補武臣親屬教育。如文臣親屬願就武學、國子補試者聽。」先是,臣僚奏:「來歲省試後,太學、武學例有補試。欲量立武學國子員數,收補武臣親屬。」詔令兵部看詳,既而條具來上,故有是命。

2. 二十三日,詔:「武學博士改官,依太學博士條施行。」先是,武學博士樊擴言:「在法,國子博士及京官太學博士在職一年以上,減磨勘二年。至乾道元年六月初十日,所降指揮於太學字下添入『武學』二字,則是武學博士事體一同。今來選入太學博士,通歷任四考,在職一年,改合入官。而武學博士,通歷任却用五考,在職又須及二年。且武學博士立班序位、官品、請給並與太學博士一同,初無京官選人之别，而尚左、侍左立法自相抵牾。今來武學諭既已依太學正録在職一年、通歷任五考改合入官，修入淳熙侍左司勳格，今只乞依武學諭已降指揮，在職一年，通歷任五考，用禮部、國子監長貳舉主貳員，改合入官。」故有是命。

3. 七月三日，詔：「太學内舍既以十分方預優較，武學内舍亦以十分方入上等，無人則闕。」從禮部侍郎齊慶胄請也〔一〕。

〔一〕「從禮部侍郎齊慶胄請也」一句原爲小注，今改作正文。

七年（庚子，一一八〇）

1. 七月二十八日，詔：「武學博士、學諭並於武舉出身人内選差，比類文臣條格推賞。仍下敕令所司删修。」繼而武學博士孔異、武學諭蔡鎬言：「已降旨：武學博士、武學諭並於武舉出身人内選差，其賞格未嘗删修。異等見任博士、學諭各及一年以上，亦合照京官武學博士推賞。兼武學諭雜壓在國子太學正之下〔一〕，國子太學録之上，亦合照京官任正、録條格一體施行。」故有是命。

〔一〕兼武學諭雜壓在國子太學正之下　前一「學」字原脱；「在」字下原衍一「人」字。

八年（辛丑，一一八一）

1. 六月二十一日，詔：「武學國子生補試，有闕額七人，就試終場九人。依指揮每十人取三人。合取二人外，零分更取一名，共取三名。」

十年（癸卯，一一八三）

1. 十二月三十日，禮部、國子監言：「武學大小職事〔一〕該遇慶壽赦，參酌推恩人，上舍生免省人二名，已有減二年磨勘恩例，候將來殿試唱名到部日，與占射差遣一次；上舍生免解人一名，已有減二年磨勘恩例，候將來過省殿試唱名日，更與減一年磨勘。內舍生永免解人一名，內舍生今舉得解人二名，外舍生永免解人一名，即無恩例，候將來過省赴殿試唱名日，各與減一年磨勘。內舍生未該免解人五名，即無恩例，欲並與免解一次。學生五十九人，各倍賜束帛。」詔並依擬定。

〔一〕武學大小職事　「職」字原脱，據原書崇儒三之四一補。

十三年（丙午，一一八六）

1. 四月八日，詔：「武學生年七十以上，柯箕特與補承信郎。免省上舍生潘子震、周應迪、蔡紘依太學免省上舍生釋褐恩數〔一〕，並特與補承節郎。內願赴淳熙十四年殿試者聽。守年免省上舍生

〔二〕鄭覺興徑赴淳熙十四年殿試〔三〕。永免解内舍生陳昌齡，中等校定方公輔、黄士卿並候將來過省赴殿試唱名日，各與減二年磨勘。永免解外舍生沈仲剛等並候將來過省赴殿試唱名日，各與減一年磨勘。」以該慶壽恩，依兵部擬故也。祖父母、父母封敘見太學。

〔一〕釋褐恩數 「數」，原書選舉一八之六作「例」。
〔二〕守年免省上舍生 「生」字原脱，據同上書補。
〔三〕徑赴淳熙十四年殿試 「赴」字原脱，據同上書補。

十六年（己酉，一一八九）

1. 二月一日，禮部言：「武學堂名上一字犯皇太子名，合行迴避，乞改作立武堂。」從之。

2. 二月一日，詔「武學教閱堂」改爲「立武堂」。

光宗紹熙元年（庚戌，一一九〇）

1. 七月二十八日，右諫議大夫何澹言：「竊見武學教導之職，有博士、有諭。復置之初，兩員皆差文臣。近年以來，兩員皆差武臣。議者以謂，莫若一文一武之爲當。盖見今諸生較藝，一場弓馬、一場文字。習於武者〔一〕，察其弓馬之優劣；習於文者，審其文字之精粗。固有武舉全才之人，文字、弓馬皆能服衆，人無異議者，然不常而得也。中間固有不值其人而徒以充數，亦以弓馬絶倫而得之者，

出題乖謬，所出論題至云趙國充可爲忠言，豈不貽笑士類。況武臣而爲博士者，多得州麾而去，則其選亦焉可不重哉。欲望今後武學官闕，如是武舉之中有全材者，不妨並置。萬一闕出而未有其人，則莫若一文一武以相濟，庶幾可以爲擇人，而無冗濫員數之患。」從之。

〔一〕習於武者　「武」原誤作「文」，據下文改。

四年（癸丑，一一九三）

1. 正月二十六日，詔：「武學放行公試一次，候將來過省有闕日〔一〕，依名次撥填施行。」從閱禮齋學生徐習之請也。

〔一〕候將來過省有闕日　「來」字下原衍一「舍」字。

本門點校者　季懷銀
審訂者　王雲海

勘書

影印本崇儒四之一至一四
大典卷一七四二

宋朝三館書，直館官校對。太祖、太宗朝收諸僞國圖籍實館閣，亦或召京朝官校對。皆題名卷末。

太宗淳化五年（甲午，九九四）

1. 七月，詔選官分校史記、前後漢書。崇文院檢討兼祕閣校理杜鎬，祕閣校理舒雅、吴淑，直祕閣潘慎修校史記，朱昂再校。直昭文館陳充、史館檢討阮思道〔一〕、直昭文館尹少連、直史館趙況、直集賢院趙安仁、直史館孫何〔二〕校前後漢書。既畢，遣内侍裴愈齎本就杭州鏤板。咸平中〔三〕，真宗謂宰臣曰：「太宗崇尚文史，而三史版本如聞當時校勘未精，當再刊正。」乃命直史館陳堯佐、周起，直集賢院孫僅、丁遜覆校史記。尋而堯佐出知壽州，起任三司判官，又以直集賢院任隨領之。景德元年正月校畢，篇末并録差誤文字〔四〕五卷同進。詔賜帛有差。又命直祕閣刁衎、直史館晁迥與丁遜覆校前後漢書版本。迥知制誥，又以直史館陳彭年同其事。景德二年七月，衎等上言：「漢書，歷代名賢競爲注釋，其得失相參，至有章句不同，名氏交錯。除無可考據外，博訪群書，徧觀諸本，校定凡三百四十九，簽正三千餘字，録爲六卷以進。」即賜器幣有差。今之行者，止是淳化中定本，後雖再校，既已刻

版，刊改殊少。

〔一〕阮思道　「阮」原誤作「院」，據玉海卷四三改。
〔二〕孫何　「何」字原脱，據玉海卷四三補。
〔三〕咸平中　「中」字原脱，據玉海卷四三、宋朝事實類苑卷三一補。
〔四〕差誤文字　「誤」原誤作「務」，據玉海卷四三、宋朝事實類苑卷三一改。

真宗咸平二年（己亥，九九九）

1. 閏三月，詔三館寫四部書一本來上，當置禁中太清樓，以便觀覽。崇文院言：「先準詔寫四部書一本以備藏於太清樓，今未校者僅二萬卷。」真宗曰：「如龍圖閣所藏書，朕嘗閱覽，其間尚多訛舛。大凡讎校，尤須精至。可特詔委流内銓於常選人中擇歷任無過知書者以名聞。」又命吏部侍郎陳恕、知制誥楊億同試詩論各一首於銀臺司。第其優劣，得前大名府館陶尉劉鍇，前陳州宛丘尉慎鏞，前均州鄖鄉尉〔一〕沈京，前壽州安豐令張正符，前蔡州上蔡尉張遵，前光州固始尉聶震等六人。又詔有司推擇，再得四人，亦命恕等考試。得前舒州桐城簿王昱凡七人，並令於崇文院校勘，給本官俸料，太官供膳。張正符者，未卒業而死。

〔一〕鄖鄉尉　「鄉」原誤作「卿」。據宋史地理志一、元豐九域志卷一改。

三年（庚子、一〇〇〇）

1. 十月，詔選官校勘三國志、晉書、唐書。以直秘閣黄夷簡、錢惟演，直史館劉蒙叟，崇文院檢討、直秘閣杜鎬，直集賢院宋皋，秘閣校理戚綸校三國志，又命鎬、綸與史館檢討董元亨、直史館劉鍇詳校。直昭文館許衮、陳充校晉書，黄夷簡續預焉，而鎬、綸、鍇詳校如前。直昭文館安德裕、勾中正，直集賢院范貽孫，直史館王希逸〔一〕。五年，校畢，送國子監鏤板。校勘官賜銀帛有差，鍇時賜緋魚。初詔校晉書，或謂兩晉事多鄙惡不可流行者，帝以語宰臣，畢士安對曰：「惡以戒世，善以勸後，善惡之事，春秋備載。」帝然之，故命刊刻。惟唐書以淺謬疏畧，且將命官别修，故不令刊板。

〔一〕王希逸 「王」原誤作「而」，據麟臺故事卷二修纂、玉海卷五四景德册府元龜改。

六年（癸卯，一〇〇三）

1. 四月，詔選官校勘道德經。命崇文院檢討、直秘閣杜鎬，秘閣校理戚綸、直史館劉鍇同校勘。其年六月畢，并釋文一卷送國子監刊板。

景德元年（甲辰，一〇〇四）

1. 三月，直秘閣黄夷簡上校勘新寫御書凡二萬四千一百六十二卷，賜束帛緡錢有差。以校勘官劉

先是，繕寫御書及讎校並高班内品劉崇超專掌其事，至是特遷内侍高品。

〔一〕劉筠 「筠」原誤作「均」，據玉海卷三三、宋史卷三〇五本傳改。

二年（乙巳，一〇〇五）

1.二月，國子監直講孫奭言：「諸子之書，老、莊稱首，其道清虚以自守，卑弱以自持。逍遥無爲，養生濟物，皆聖人南面之術也。故先儒論撰以次諸經，唐陸德明撰經典釋文三十卷，内老子釋文一卷，莊子釋文三卷。今諸經及老子釋文共二十七卷，並已雕印頒行〔一〕，唯闕莊子釋文三卷，欲望雕印，冀備一家之學。又莊子注本前後甚多，率皆一曲之才妄竄奇説，唯郭象所注特會莊生之旨，亦請依道德經例差官校定雕印。」詔可。仍命奭與龍圖閣待制杜鎬等同校定刻板。鎬等以莊子序非郭象之文，因删去之〔二〕。真宗嘗出序文〔三〕，謂宰臣曰：「觀其文理可尚，但傳寫訛舛耳。」乃命翰林學士李宗諤、楊億，龍圖閣直學士陳彭年等别加讎校，冠於首篇。

〔一〕雕印頒行 「印」原誤作「即」。

〔二〕删去之 「删」原誤作「册」。

〔三〕真宗嘗出序文 「嘗」原誤作「當」。

四年（丁未，一〇〇七）

1. 八月，詔三館、秘閣、直館、校理分校文苑英華、李善文選，摹印頒行。文苑英華以前所編次未精，遂令文臣擇古賢文章重加編録，芟繁補闕換易之，卷數如舊。又令工部侍郎張秉，給事中薛映，龍圖閣待制〔一〕戚綸、陳彭年覆校〔二〕之。李善文選校勘畢，先令刻板。又命官覆勘。未幾宮城火，二書皆燼。至天聖中，監三館書籍劉崇超上言：「李善文選援引該贍，典故分明，欲集國子監官校定净本，送三館雕印。」從之。天聖七年十一月，板成。又命直講黄鑑、公孫覺校對焉。

〔一〕龍圖閣待制　「待」原誤作「侍」。

〔二〕覆校　「覆」原脱，據玉海卷五四補。

2. 十一月，詔以新定韻署送國子監鏤板頒行。先以舉人所用韻多有舛異〔一〕，乃詔殿中丞丘雍重定切韻。時龍圖閣待制陳彭年上言南省考試舉人未有定格，又命翰林學士晁迥，龍圖待制戚綸，直史館崔遵度、姜嶼與彭年同詳定條格，刻於韻署之末。大中祥符四年六月，又令詳定諸州發解條例附之。

〔一〕所用韻多有舛異　「韻」原誤作「印」，據玉海卷四五改。

大中祥符四年（辛亥，一〇一一）

1. 三月，詔崇文院校勘到列子沖虚真經仍加至德之號〔一〕。時真宗祀汾陰、朝陵回至中牟縣，幸

列子勸〔二〕，因訪所著書，命直史館路振、崔遵度，直集賢院石中立校勘。至五年，校畢，鏤板頒行。

〔一〕仍加至德之號　「加」原誤作「如」。

〔二〕列子勸　「勸」疑爲「觀」字。

五年（壬子，一〇一二）

1. 十月，詔國子監校勘孟子，直講馬龜符、馮元，説□吴易直〔一〕同校勘，判國子監、龍圖閣待制吴奭，都虞員外郎〔二〕王勉覆校，内侍劉崇超領其事。奭等言：「孟子舊有張鎰〔三〕、丁公著二家撰録，文理舛互。今采衆家之善，削去異端，仍依經典釋文刊音義二卷。是年四月以進。詔兩制與丁謂看詳，乞送本監鏤板。」

〔一〕説□吴易直　缺字疑爲「書」字。

〔二〕都虞員外郎　「虞」字疑爲「官」之誤。

〔三〕張鎰　原誤作「張鑑」，據玉海卷四三、宋史卷二〇五、通考卷六四、直齋書録解題卷三、舊唐書卷一二五張鎰傳改。

六年（癸丑，一〇一三）

1. 九月，翰林學士陳彭年、集賢校理吴鋭、直集賢院丘雍上準詔新校定玉篇三十卷，請雕印頒行。

詔令兩制官詳定改更之事。至天禧四年七月，刻板成，賜雍金紫。

八年（乙卯，一〇一五）

1. 十二月，詔樞密使王欽若都大提舉抄寫校勘三館、祕閣書籍，翰林學士陳彭年副之。又令吏部銓選幕職州縣官有文學者，赴三館、祕閣校勘書籍。初，館閣書籍以其夏延火，多復闕畧，故命購本抄寫。因命吏部〔一〕取常選人狀，先試判三節，每節百五十字以上，仍擇可者，又送學士院試詩、賦、論，命入館校勘。凡三年改京朝官〔二〕，京朝官亦有特命校勘者。京官校勘，若三年，皆奏授校理。大理評事晁宗慤改官及校勘皆三年，遂令先轉官，俟轉官後，又一年與校理。自是，校勘官遂皆四年授校理〔三〕，自宗慤始也。時彭年又起請以直館、校理及吏部試中選人分爲校勘官。又令翰林學士晁迥〔四〕、李維、王曾、錢惟演，知制誥盛度、陳知微，於館閣京朝官中，各舉服勤文學者一人爲覆校勘官。迥等遂以集賢院校理宋綬〔五〕、直集賢院孫奭、直集賢院麻温直〔六〕、集賢校理晏殊、崇文院檢討馮元充選。凡校勘官校畢，送覆校勘官覆校，既畢〔七〕，送主判館閣官點檢詳校。復於兩制擇官一二人充覆點檢官，俟主判館閣官點檢詳校訖，復加點檢。皆有程課，以考其勤惰焉。

〔一〕吏部　「吏」原誤作「户」，據長編卷八五、玉海卷四三改。
〔二〕凡三年改京朝官　「京朝官」三字原脱，據長編卷八五補。
〔三〕自是校勘官遂皆四年授校理　「自是」二字原脱，據長編卷八五引會要文補。
〔四〕晁迥　「迥」原誤作「逈」，據長編卷八五引會要文改。下同。

〔五〕集賢院校理宋綬　「院」字原脱，據長編卷八五引會要文補。
〔六〕直集賢院麻温直　「麻温直」，按長編卷八五引會要文作「麻温其」。
〔七〕既畢　原誤作「勘畢」，據同上書改。

天禧四年（庚申，一〇二〇）

1. 四月，利州轉運使李防〔一〕請雕印四時纂要及齊民要術付諸道勸農司提舉勸課。詔令館閣校勘，鏤板頒行。

〔一〕李防　「防」原誤作「昉」，據長編卷九五、宋史卷三〇三李防傳改。

乾興元年（壬戌，一〇二二）

1. 十一月，仁宗即位未改元判國子監孫奭言：「劉昭注補後漢志三十卷，蓋范曄作之於前，劉昭述之於後，始因亡逸，終遂補全，其於輿服、職官足以備前史之闕。乞令校勘雕印頒行。」從之。命本監直講馬龜符、王式、賈昌朝、黄鑑、張維翰、公孫覺，崇文院檢討王宗道爲校勘。奭洎龍圖閣直學士馮元詳校。天聖二年送本監鏤板。

仁宗天聖二年（甲子，一〇二四）

1．六月，詔直史館張觀，集賢校理王質、晁宗慤、李淑，祕閣校理陳詁，館閣校勘彭乘，國子監直講公孫覺校勘南北史、隋書，及令知制誥宋綬、龍圖閣待制劉燁提舉之。綬等請就崇文内院校勘成，復從外館。又奏國子監直講黄鑑預其事。隋書有詔刻板，内出板樣示之，三年十月版成。四年十二月，南北史校畢以獻，各賜器幣有差。南北史大中祥符中祕閣校理劉筠常請刻板未成〔一〕。又有天和殿御覽四十卷，乾興初令侍讀學士李維、晏殊取册府元龜撮善美之事爲之，至是成，亦令刻板，命祕閣校理陳詁校勘。

〔一〕常請刻板未成　「常」疑爲「嘗」字之誤。

三年（乙丑，一〇二五）

1．六月，詔館閣校勘官，直昭文館陳從易〔一〕降直史館，集賢校理聶冠卿、李昭遘並落職，坐校勘太清樓書舛互故也。初寫館閣書，詔借太清樓本，既成復還，多有污損，遂令留爲三館正本〔二〕，别寫送太清樓。是歲，功畢上之。及覽十代興亡論，差謬尤甚，遂有是命。自餘校勘官第賜金帛。

〔一〕陳從易　原作「陳從義」，據長編卷一〇三、宋史卷三〇〇、玉海卷五二改。
〔二〕三館正本　「正本」原誤作「本本」，據玉海卷五二改。

四年（丙寅，一〇二六）

1. 十月十二日，翰林醫官副官趙拱等上準詔校定黄帝内經、素問、巢氏病源候論〔一〕、難經，詔差集賢校理晁宗慤、王舉正、石居簡、李淑、李昭遘，依校勘在館書籍例，均分看詳校勘。

〔一〕巢氏病源候論 「候論」二字原脱，據玉海卷六三及宋史卷二〇七藝文六補。

2. 十一月，翰林侍讀學士、判國子監孫奭言：「諸科舉人，惟明法一科律文及疏未有印本，是致舉人難得真本習讀，乞令校定鏤板頒行。」從之。命本監直講楊安國、趙希言、王圭、公孫覺、宋祁、楊中和校勘，判監孫奭、馮元詳校，至七年十二月畢。

七年（己巳，一〇二九）

1. 四月，孫奭言：「準詔校定律文及疏，緣律疏與刑統不同，盖本疏依律生文，刑統參用後敕，雖盡引疏義，頗有增損。今既校爲定本，須依元疏爲正。其刑統内，衍文者減省，闕文者添益，要以遵用舊書與刑統兼行。又舊本多用俗字，寖爲訛謬，亦已詳改。至於前代國諱並復舊字，聖朝廟諱則空缺如式。又慮字從正體，讀者未詳，乃作律文音義一卷，其文義不同即加訓解，乞下崇文院雕印，與律文並行之。」

景祐四年（丁丑，一〇三七）

1. 十月十七日〔一〕，翰林學士李淑言：「竊見近日發解進士，多取別書、小説、古人文集，或移合經注以爲題目，競務新奥。朝廷從學取士，本欲興崇風教，返使後進習尚異端，非所謂化成之義也。況考校〔二〕進士，但觀詞藝優劣，不必嫌避正書。其經典子書之内，有國語、荀子、文中子，儒學所崇，與六經通貫。先朝以來嘗於此出題，只是國序〔三〕未有印本，欲望取上件三書差官校勘、刻板，撰定音義，付國子監施行。」詔可。

〔一〕十月十七日　原書選舉三之一八係該條於「景祐五年正月八日」。

〔二〕考校　原誤作「孝較」，據原書選舉三之一九改。

〔三〕國序　原書選舉三之一九作「國庠」。

嘉祐四年（己亥，一〇五九）

1. 二月，置館閣編定書籍官。以祕閣校理蔡抗〔一〕、陳襄，集賢校理蘇頌，館閣校勘〔二〕陳繹分史館、昭文館、集賢院、祕閣書而編定之。初右正言吴及言：「祖宗更五代之弊〔三〕，設文館以待四方之士，而卿相率繇此進，故號令風采，不減唐漢。近年〔四〕用内臣監館閣書庫，借出書籍，亡失已多。又簡編脱落，書史〔五〕補寫不精，非國家崇嚮儒生之意。請選館職三兩人，分館閣人吏編寫書籍。其私借出與借之者，並以法坐之。仍請重訪所遺之書。」因命抗等，令不兼他局，二年一出之。

〔一〕蔡抗　原作「蔡杭」，據長編卷一八九、通考卷一七四改，下同。
〔二〕館閣校勘　「校勘」原誤作「校理」，據長編卷一八九、玉海卷五二改。
〔三〕祖宗　「宗」原誤作「宋」，據長編卷一八九、玉海卷五二改。
〔四〕近年　原誤作「近古」，據長編卷一八九、玉海卷五二改。
〔五〕書史　「史」疑爲「吏」字。

2. 六月，又益置編校官，每館二員，給本官食〔一〕，公使十千。及二年者，選人、京官除館閣校勘，朝官除校理。

〔一〕給本官食　「本」原誤作「太」，據玉海卷五二改。

六年（辛丑，一〇六一）

1. 四月，以大理寺丞郭固編校祕閣所藏兵書。先是，四館置官編校書籍，而兵書與天文爲祕書，獨不預。大臣有言〔一〕固曉知兵法，乃命就祕閣編校，抄成黄本一百七十二册。固初以選換六宅副使，治平四年六月，以編書畢，遷内藏庫副使、路分都監。

〔一〕大臣有言　「臣」原誤作「有」，據玉海卷一四一、長編卷一九三及宋朝事實類苑卷三一改。

2. 十二月，三館、祕閣上寫黄本書六千四百九十六卷，補白本書二千九百五十四卷〔二〕。

〔一〕二千九百五十四卷　「二千」原誤作「一千」，據長編卷一九五、通考卷一七四及原書職官十八之五三和禮四五之三四改。

3. 二十二日，遣中使詔中書、樞密院〔一〕，合三館、祕閣官屬四十一人賜晏以嘉其勤。先是，白本書歲久多蠹，又多散失。既置官校正補寫，易以黄紙以絶蠹敗，至是上之。其編校官，昭文館職方員外郎孟恂、大理評事趙彦若，史館集賢校理竇卞、太平州司法參軍曾鞏，集賢院國子監直講錢藻，祕閣館閣校勘孫洙、國子監直講孫思恭，校定小學。太常博士張次立，自置局以來歷差。太常博士陳洙、太子中允王陶、國子博士傅卞、都官員外郎龔鼎臣、國子監説書鄭穆、屯田員外郎王獵、宣州太平縣令孫覺、屯田員外郎丁寶臣、揚州司理參軍沈括、宣州涇縣主簿林希、國子監直講顧臨、祕閣校理李常、史館校勘王存、著作左郎〔二〕吕惠卿、知睦州壽昌縣事梁燾、崇文院校書王安國亦造補四館之職。至熙寧中罷局。

〔一〕樞密院　原誤作「樞祕院」。
〔二〕著作左郎　「左」當作「佐」。

七年（壬寅，一〇六二）

1. 三月，詔參知政事歐陽修〔一〕提舉三館、祕閣，寫校書籍。

〔一〕歐陽修　原脱，據長編卷一九六、玉海卷五二補。

2. 六月，祕閣上補寫御覽書籍。先是，判閣歐陽修言：「祕閣初爲太宗藏書之府，並以黄綾裝之，謂之太清本。後因宣取入内，多留禁中，而書頗不完。請降舊本，令補寫之。」遂詔龍圖、天章、寶文閣、太清樓管勾内臣，檢所闕書録本〔一〕，於門下省謄寫，至是上之。賜判閣范鎮及管勾補寫官銀絹有差。

〔一〕録本　長編卷一九六嘉祐七年六月丁亥、玉海卷五二均作「録上」。

3. 十二月，詔以所寫黄本書一萬六百五十九卷，黄本印書四千七百三十四卷，悉送昭文館。七史板本四百六十四卷送國子監。以校勘功畢，明年遂罷局。以上國朝會要

神宗熙寧二年（己酉，一〇六九）

1. 八月六日，參知政事趙抃進新校漢書印本五十册，及陳繹所著是正文字七卷。賜繹銀絹有差。

元豐三年（庚申，一〇八〇）

1. 四月一日，詔校定孫子、吴子、六韜、司馬兵法〔一〕、三畧、尉繚子、李靖問對等書，鏤板行之。

〔一〕司馬兵法　「兵」字原脱，據原書崇儒四之一〇補。

六年（癸亥，一〇八三）

1. 十一月十五日，國子司業朱服言：「承詔校定孫子、吴子、司馬兵法、衛公問對、三畧、六韜。諸家所注孫子，互有得失，未能去取。他書雖有注解，淺陋無足采者。臣謂宜去注行本書〔一〕，以待學者之自得。」詔：「孫子止用魏武帝注，餘不用注。」衛公問對者，出阮逸家，盖逸依倣杜氏所載靖兵法爲之，非靖成書也〔二〕。

〔一〕臣謂宜去注行本書　「謂」原誤作「諸」，據長編卷三四一改。

〔二〕非靖成書也　「成」字長編卷三四一爲「全」字。

哲宗元祐元年（丙寅，一〇八六）

1. 三月十九日，宰臣司馬光言：「秘書省校書郎黄庭堅〔一〕好學有文，欲令與范祖禹及男康同校定資治通鑑。」並從之。

〔一〕黄庭堅　原誤作「黄廷堅」。

徽宗大觀二年（戊子，一一〇八）

1．八月二十七日，詔大司成分委國子監〔一〕、太學、辟雍等官校本監書籍，候畢，令禮部覆校。

〔一〕分委國子監　「分」原誤作「非」，據通考卷一七四改。

政和七年（丁酉，一一一七）

1．八月一日，宣和殿大學士蔡攸言：「莊、列、亢、桑、文子，皆著書以傳後世，有唐號爲經，並列藏室。宋朝始加莊、列、南華、冲虚之號，以其書入國子學。而亢、桑子、文子未聞頒行。乞取其書於祕書省精加讎定，列於國子學之籍，與莊、列並行。」從之。

八年（戊戌，一一一八）

1．四月二十四日，宣和殿大學士、寶籙宮使蔡攸言：「竊考内經所載，皆道德性命之理，五行造化之妙。唐有王冰者，嘗以意輒有增損，故所傳失真。本朝命儒臣校正，然與異同之説俱無所去取，錯亂失次，學者疑惑，莫知折中。今建學俾專肄業，親洒宸翰作爲一經。伏望特命儒臣精加刊正，斷自聖學，擇其中而行之。」詔依，奏送禮制局。

2.五月十三日，太師、魯國公蔡京言：「奉詔禮制局選建官吏校正内經，其詳定、詳議、承授官自合兼領外，合置檢討、檢閲、參議官。其理任請給並依禮制局校討官，仍許兼領。」詔太醫學司業劉植、李庶，通元冲妙先生張虚白充參詳官，大素處士趙壬，明堂頒朔皇甫自牧、黄次公，迪功郎龔璧，從事郎王尚充檢討官，上舍及第宋喬年、助教宋炳充檢閲官。後又詔刑部尚書薛嗣昌充同詳定官。

重和元年（戊戌，一一一八）

1.十一月十五日，詔曰：「朕閲内經考建天地，把握陰陽，其理至矣。然相生相尅，相刑相制，周流六虚，變動不居非常理〔一〕，非常理所能究者。唯天元玉册〔二〕盡之，可令頒政府與校正所，以内經考其常，以玉册極其變，庶幾財成其化，輔相其宜，以詔天下後世。」

〔一〕變動不居非常理　「非常理」疑是衍文。

〔二〕天元玉册　「玉」原作「王」，據本條下文改。

2.二十八日，提舉成都府路學事翟栖筠言：「竊惟字形書畫纖悉□曲，咸有不易之體，世之學者知究其義，而至於形畫則或畧而不講。從俗就簡，轉易偏傍，傳習既殊，漸失本真。如期朔之類從肉，勝服之類從舟，丹青之類從丹，靡不有辨。而今書者乃一之，若此者不可勝舉。故幼學之士終年誦書，徒識字之近似而不知字之正形，甚可歎也。臣竊見國子監有唐人張參、唐玄度〔一〕所撰五經文字及九經字樣，所以辨證書名，頗有依據。然其法本取蔡邕石經、許氏説文。而邕等之學顧有未盡，如是從日而從曰〔二〕，昏從氏而從民，謬戾者甚衆。願詔儒臣重加修定，去其訛謬，存其至當，分次部類，號爲新定五經字樣，頒之庠序。」從之。

〔一〕唐玄度　「玄」原作「元」，據宋史卷二〇二回改。
〔二〕如是從日而從曰　前「從」字原缺，據本條上下文義補。

1. 宣和初，提舉祕書省官建言，置補完御前書籍所〔一〕於祕書省，稍訪天下之書以資校對，以侍從官〔二〕十人爲參詳官，餘官爲校勘官。又進士以白衣充檢閱者數人，及年皆命以官。

〔一〕補完御前書籍所　「完」字通考卷一七四作「寫」。
〔二〕侍從官　「侍」原誤作「待」，據通考卷一七四改。

宣和四年（壬寅，一一二二）

1. 四月十八日，詔：「三館圖書之富，而歷歲滋久，簡編脱落，字畫訛舛，較其卷帙尚多逸遺〔一〕，甚非所以示崇儒右文之意。迺命建局，以補完校正文籍爲名〔二〕，設官綜理，募工繕寫，一置宣和殿，一置太清樓，一置祕閣。仍俾提舉祕書省官兼領其事。凡所資用悉出内帑，毋費有司，庶成一代之典。」

〔一〕較其卷帙，尚多逸遺　「帙」原誤作「秩」，據通考卷一七四改。

〔二〕以補完校正文籍爲名　「完」原書職官一八之二三，玉海卷五二皆作「緝」，通考卷一七四、宋史卷二〇二皆作「全」。姑存其異。「爲」字原脱，據同上諸書補。

六年（甲辰，一一二四）

1. 四月七日，詔殿中監察〔一〕、行户部侍郎王義叔並兼校正御前文集。

〔一〕殿中監察　按宋代無此官名，疑有誤。

2. 九月十九日，詔：「減罷校正御前文籍官吏。校勘官、校正官、對讀官各減一年磨勘。内呂晝進書已減三年磨勘，并今來減年恩例，與轉一官。任况進書已減一年磨勘，并今來減罷恩例，許赴將來殿試。使臣、專副依省員法施行。」中書省請併補完校正御前文籍併歸祕書省，只用館職校勘。少監充校勘官，校書郎、正字充初校正官，丞、郎、著作佐郎充覆校正官。詳定官十員，管勾一員並依舊。對讀官於校正對讀官内通留十員。其余合留人數，取押綾紙等使臣四人，點檢文字一人，手分五人，楷書六人，專副二人，對筭二人，通引官二人，庫子、庫司八人，兵士五十人，和雇人據合用數逐旋和雇。從之。

3. 十二月二十六日，手詔：「唐開元中以洪範『無偏無頗』，遵王之義，聲不協韻，遂改『頗』爲『陂』，誣僞汩真。可下國子監祕書省復從舊文以『陂』爲『頗』，使學者誦習不失箕子之言。」

十年〔一〕

1. 九月十八日，祕書省校書郎〔二〕衛膚敏轉一官，以校正所進書故也。以上續國朝會要

〔一〕十年　原批「宣和止七年，十年疑有誤」。按宋史卷三七八衛膚敏傳，膚敏於宣和六年召對，始爲祕書省校書郎，同年出使，賀金主生辰，七年再使金，靖康初始還。進所校書疑在宣和七年。

〔二〕祕書省校書郎　原誤作「祕書省校書省校書郎」，據宋史卷三七八本傳及長編拾補卷四八改。

高宗紹興二年（壬子，一一三二）

1. 四月十四日，祕書少監王昂言：「本省承節次降下御府書籍四百九十二種，今又有曾旼家藏書二千六百七十八卷未經校正，欲依故例，將降到書籍分定經、史、子、集四庫撥充祕閣，專人各行主管，置進帳、副帳、門牌庫經一本〔一〕，仍分官日校二十一板，於卷尾親書臣某校訖字。置課程簿〔二〕，每月結押，旬申本省照會，遇入伏，傳宣住校〔三〕。內有損壞脱落，大段錯謬不堪批鑿者，許將別本參考，重行補寫。所有造帳簿紙并裝背物料等，及校書朱、紅、雌黄、紙劄、筆，欲從本省遇合用報户部下左藏庫支供。」詔可。其後逐旋以館職讎校到書籍，本省繳進焉。

〔一〕門牌庫經一本　「本」原誤作「分」，據原書職官一八之二五改。

〔二〕置課程簿　「簿」字原脱，據原書職官一八之二六補。

〔三〕傳宣住校　「住」原誤作「主」，據原書職官一八之二六改。

2. 七月十三日〔一〕，詔：「昨曾統所進神宗皇帝實録脱落不同，又九卷不載舊史，付史館再加研考，仍專令胡珵、李彌正等校勘」。

〔一〕七月十三日　「七月」下原衍「七月」二字，今删。

二十七年（丁丑，一一五七）

1. 八月十五日，昭慶軍永宣致仕王繼先上重加校定大觀證類本草書，詔令祕書省官修潤訖，付國子監刊行。初，以本草之書經注異同，治説訛舛，令繼先辟御醫張考直、柴源、高紹功檢閲校勘。繼先言：「今之爲書，自嘉祐補注一千八十二種，唐慎微續添八種，唐本余七種，食療余八種，海藥餘一十六種〔一〕，新分條三十五種，陳藏器四百八十八種，本經外草本類九十八種，紹興新添六種，通前合一千七百四十八種，以爲定數。乃至旁搜方書，鈎探經典。續歷世之或闕，釋古今之重疑，目曰紹興校定經史證類備急本草。其卷目品類并校定序説依前三十二卷，及新添釋音一卷。」於是祕書省官修潤共成五册，并元本三十二卷，通三十八册上焉。以上中興會要

〔一〕一十六種　原作「十一六種」，據上下文改。

孝宗乾道三年（丁亥，一一六七）

1. 八月二十九日，祕書省狀：「勘會左朝散郎李燾所著續資治通鑑長編，其太祖一朝已蒙降付國史、日曆所外，所有太宗以後文字，伏乞朝廷給劄付本官抄録，送本省校勘，藏之祕閣。」有旨依。

七年（辛卯，一一七一）

1. 十一月二十八日，詔祕書省修寫太祖、太宗、仁宗、英宗、神宗、哲宗皇帝實録，精加讎校，逐旋進呈。以上乾道會要

本門點校者 陳廣勝
審訂者 王雲海

求遺書〔一〕　藏書

原影印本崇儒四之一五至三二
大典卷一七四二

太祖乾德元年（癸亥，九六三）

1. 平荆南，詔有司盡收高氏圖籍，以實三館。國初，三館書裁數櫃，計萬二千〔二〕餘卷。

〔一〕求遺書　原作「求書」，據永樂大典卷一七四二事目，補「遺」字。

〔二〕二千　「二」原誤作「三」，據通考卷一七四、玉海卷五二、治跡統類卷三、原書職官十八之四九改。

三年（乙丑，九六五）

1. 九月，命右拾遺〔一〕孫逢吉往西川取僞蜀法物、圖書、經籍、印篆赴闕。至四年五月，逢吉以僞蜀圖書、法物來上。其法物不中度，悉命毀之，圖書付史館。

〔一〕右拾遺　「拾」原誤作「捨」，據長編卷七、通考卷一七四、治跡統類卷二改。

四年（丙寅，九六六）

1. 閏八月，詔購亡書。凡進書者，先令史館點檢，須是館中所闕即與收納，仍送翰林學士院引試，驗問吏理，堪任職官者，官得具名以聞。是歲，三禮涉弼，三傳彭翰〔一〕、學究朱載皆應詔獻書，總千二百二十八卷。命分置館閣，賜弼等科名。

〔一〕彭翰　「翰」，長編卷七、通考卷一七四、治跡統類卷二均作「幹」。

開寶九年（丙子，九七六）

1. 江南平，命太子洗馬吕龜祥就金陵籍其圖書〔一〕，得二萬餘卷，送史館。僞國皆聚典籍，惟吴、蜀爲多，而江左頗精，亦多修述。

〔一〕就金陵籍其圖書　「就」字原誤作「佘」，據通考卷一七四、宋朝事實類苑卷三一改。

太宗太平興國二年（丁丑，九七七）

1. 十月，詔諸州搜訪先賢筆跡圖書以獻。荆湖獻晋張芝草書及唐韓幹畫馬三本，潭州石熙載獻唐明皇所書道林寺、王喬觀碑，袁州王澣獻宋之問所書龍鳴寺碑，昇州獻晋王羲之、王獻之、桓温凡十八

家〔一〕石版書跡，韶州獻唐相張九齡畫像及文集九卷。

〔一〕凡十八家　「凡」原誤作「二」，據玉海卷四三、原書崇儒四之二七改。

四年（己卯，九七九）

1. 五月，太原平。命左贊善大夫雷德源入城點檢書籍圖畫。

六年（辛巳，九八一）

1. 十二月，詔開封府及諸道轉運徧下管内州縣〔一〕，搜訪鍾繇墨跡，聽於所在進納，優給緡貫償之。并下御史臺告諭文武臣僚，如有收者亦令進納。是歲〔二〕，鎮國軍節度使錢惟治〔三〕以鍾繇、王羲之、唐明皇墨跡凡七軸獻。八年，祕書監錢昱又獻鍾繇、羲之墨跡八軸。並優詔答之。

〔一〕管内州縣　「管」原誤作「菅」。

〔二〕是歲　玉海卷四五作「七年正月己未」。

〔三〕錢惟治　原作「錢惟演」，據玉海卷四五、宋史卷四八〇本傳改。

八年（癸未，九八三）

1. 十月，越州以王羲之畫像并其石硯來獻。

九年（甲申，九八四）

1. 正月，詔曰：「國家勤求古道，啟迪化源，國典朝章，咸從振舉，遺編墜簡，宜在詢求。致治之先，無以加此。宜令三館所有書籍，以開元四部書目比校，據見闕者特行搜訪，仍具録所少書，於待漏院榜示中外。若臣僚之家有三館闕書，許上之。及三百卷以上者，其進書人送學士院引驗人才書判，試問公理，如堪任職官者，與一子出身。或不親儒墨者，即與安排。如不及三百卷者，據卷帙多少優給金帛。如不願納官者，借本繕寫畢，却以付之。」先是，太宗謂侍臣曰：「夫教化之本，治亂之原，苟非書籍，何以取法？今三館貯書數雖不少，比之開元則遺逸尚多，宜廣求訪。」乃下詔焉。

雍熙二年（乙酉，九八五）

1. 三月，殿直潘昭慶以褚遂良、歐陽詢、虞世南墨跡三本〔一〕來獻。

〔一〕三本　原作「三十本」，據太宗實録卷三二、玉海卷四五改。

淳化四年（癸巳，九九三）

1. 四月，詔以所購募先賢墨跡爲歷代帝王名臣法帖十卷賜近臣。

五年（甲午，九九四）

1. 四月，參知政事蘇易簡言："故知制誥趙鄰幾留心史學，以新唐書紀傳及近朝史書多有漏畧，遂尋訪自唐以及近代將相名賢事跡及家狀、行狀甚多，雖美志不就而遺藁尚在。望遣直史館錢熙〔一〕暫往宋州詢問鄰幾〔二〕家人，尋檢奏御。"從之。熙還，得鄰幾所撰補會昌已後日曆〔三〕二十六卷，文集三十四卷。所著鯫子一卷，六帝年畧一卷，史氏懋官志五卷，及它書又五十餘卷來上。皆鄰幾涂竄筆削之跡也。詔本郡以錢十萬賜其家。

〔一〕直史館錢熙　"史"字原脱，據長編卷三五、玉海卷五七、宋史卷四三九趙鄰幾傳補。

〔二〕鄰幾　原作"鄰家"，據宋史卷四三九趙鄰幾傳及本條上下文改。

〔三〕會昌已後日曆　"日曆"原作"日歷"，據長編卷三五、宋史卷四三九趙鄰幾傳改。

至道元年（乙未，九九五）

1. 六月十日，命内品監祕閣三館書籍裴愈乘傳〔一〕往江南、兩浙諸州購募圖籍，願送官者優給其

直，不願者就所在差能書吏繕寫〔二〕，以舊本還之。仍賫御書石本所在分賜之。愈還，凡購得古書六十餘卷，名畫四十五軸，古琴九。王羲之、貝靈該、懷素等墨跡共八本，藏於秘閣。

〔一〕乘傳　「乘」原誤作「葉」，據長編卷三八改。
〔二〕書吏　「吏」原誤作「史」，據長編卷三八改。

真宗咸平四年（辛丑，一〇〇一）

1. 十月二十七日，詔曰：「國家設廣内石渠之宇，訪羽陵汲冢之書，法漢氏之前規，購求雖至，驗開元之舊目，亡逸尚多。庶墜簡以畢臻，更出金而示賞式。廣獻書之路，且開與進之門。應中外士庶有收得三館所少書籍，每納到一卷給千錢，仰判館看詳，委是所少之書及卷帙別無違碍收納。其所進書如及三百卷已上，量材試問，與出身酬獎，或不親儒墨，即與安排。宜令史館抄出所少書籍名目，於待漏院張掛，及遺牒諸路轉運司，嚴行告示。」時直集賢院李建中上表，以所寫太清樓群書恐有謬濫，乞更選擇。真宗因閲書目，見亡書尚多，特有是命。

大中祥符八年（乙卯，一〇一五）

1. 四月，榮王宮〔一〕火，延燔崇文院、秘閣。於皇城外別建外院，重寫書籍，命翰林學士陳彭年提舉管勾。彭年請募人以書籍鬻於官者，驗真本酬其直與顧筆工傭等。五百卷以上優其賜，或藝能可采

者别奏候旨。於是獻書者十九人，悉賜出身及補三班。得萬七百五十四卷〔二〕。

〔一〕滎王宮　「滎」原作「榮」，據長編卷八四和八五、宋史卷二四五周王元儼傳改。

〔二〕萬七百五十四卷　長編卷八五作「一萬八千七百五十四卷」。

2. 九月七日，以故國子祭酒、知容州毋守素男克勤爲奉職。克勤表進文選、六帖、初學記印板，樞密使王欽若聞其事故也。

天禧元年（丁巳，一〇一七）

1. 八月，提舉勘書籍所言：「學究劉溥、侯惟哲獻太清樓無本書各五百卷，請依前詔甄録。」從之。

2. 十二月，王欽若言：「進納書籍，元敕以五百卷爲數，許與安排。後來進納併多，書籍繁雜，續更以太清樓所少者五百卷爲數，往往僞立名目，妄分卷帙，多是近代人文字，難以分别。今欲别具條貫，精訪書籍。」從之。

二年（戊午，一〇一八）

1. 五月，長樂郡主獻家藏書八百卷，賜錢三十萬，以書藏祕閣。

五年（辛酉，一〇二一）

1. 六月，景德寺僧溥清獻其祖、庫部員外郎陳鄂所撰四庫韻對九十八卷印板。詔賜錢十萬，度行者一人。

仁宗景祐元年（甲戌，一〇三四）

1. 七月二十九日，翰林學士張觀等言：「看詳館閣書籍，内古書或缺少三五卷便成不全部帙，欲據見少卷數曉示，許人詣館投納。」從之。

嘉祐五年（庚子，一〇六〇）

1. 八月，詔曰：「國家承五代之後，簡編散落。建隆之初，三館聚書僅纔萬卷。祖宗平定列國，先收圖籍，亦嘗分遣使人，屢下詔令訪募異本，補緝漸至。景祐中，嘗詔儒臣校定篇目，譌謬重復，並從删去。朕聽政之暇，無廢覽觀。然以今秘府所藏比唐開元舊録，遺逸尚多。宜開購賞之科，以廣獻書之路。應中外士庶之家，並許上館閣所闕書，每卷支絹一疋，及五百卷特與文武資内安排〔一〕。」先是諫官吴及乞降三館秘閣書目付諸郡長吏於所部求訪遺書，故降是詔。

〔一〕文武資内安排　長編卷一九二、玉海卷五二、通考卷一七四均無「武」字。

六年（辛丑，一〇六一）

1. 八月，詔三館秘閣校宋、齊、梁、陳、後魏、後周、北齊七史，書有不完者訪求之。

2. 十二月，詔兩制看詳天下所上應募之書，擇其可取者付編校官覆校，寫充定本。編校官常以一員專管勾定本。以上國朝會要

徽宗崇寧二年（癸未，一一〇三）

1. 五月四日，詔兩浙、成都府路有民間鏤板奇書，令漕司取索，送秘書省。

大觀四年（庚寅，一一一〇）

1．五月七日，秘書監何志同言：「漢著七畧，凡爲書三萬三千九百卷，隋所藏至三十七萬卷，唐開元間八萬九千六百卷。慶曆間〔一〕，嘗命儒臣集四庫爲籍，名之曰崇文總目，凡三萬六百六十九卷。慶曆距今未遠也，按籍而求之，十纔六七，號爲全本者不過二萬餘卷。而脱簡斷編亡散闕逸之數〔二〕浸多。謂宜及今有所搜採，視慶曆舊録有未備者，頒其名數於天下，選文學博雅之士，求訪總目之外別有異書，並借傳寫，或官給筆劄即其家傳之，就加校定，上之策府。」從之。

〔一〕慶曆間　「曆」字原誤作「歷」。本條下兩處同。
〔二〕亡散闕逸之數　「闕」原誤作「門」，據通考卷一七四、原書職官一八之一五改。

政和二年（壬辰，一一一二）

1．七月十七日，祕書少監趙存誠言：「諸州取訪遺書，乞委監官總領，庶天下之書悉歸祕府。」從之。

宣和四年（壬寅，一一二二）

1．四月十八日，詔：「朕惟太宗皇帝底定區宇〔一〕，作新斯文，屢下詔書訪求亡逸，册府四部之

藏，庶幾乎古。歷歲寖久，有司翫習，多致散缺。私室所闕，世或不傳。可令郡縣諭旨訪求，許士民以家藏書所在自陳，不以卷帙〔二〕多寡，先具篇目申提舉祕書省以聞，聽旨遞進。可備收録，當優與支賜。或有所秘未見之書，有足觀采，即命以官，議以崇奬。其書録畢給還。若率先奉行，訪求最多州縣，亦具名聞。庶稱朕表章闡繹之意。令禮部疾速遍牒施行。」

〔一〕底定區宇 通考卷一七四作「底寧區宇」。
〔二〕不以卷帙多寡 「帙」原誤作「秩」，據通考卷一七四改。

五年（癸卯，一一二三）

1. 二月二日，提舉祕書省言：「奉旨搜訪士民家藏書籍，悉上送官參校有無，募工繕寫，藏之御府。近滎州助教張頤進五百四卷，開封府進士李東進六百卷。與三館秘閣參校，内張頤二百二十一卷，李東一百六十二卷委係闕遺，乞加褒賞。」詔張頤賜進士出身，李東補迪功郎。

七年（乙巳，一一二五）

1. 四月九日，提舉祕書省言：「取索到王闡、張宿〔一〕等家藏書，與三館祕閣見管書目〔三〕比對到所無書六百五十八部、一千五十一册軸，計二千四百一十七卷，及集祕書省官校勘得並係善本。看詳逐人家藏書籍，比前後所進書數稍多。」詔王闡補承務郎，張宿補迪功郎。以上續國朝會要

〔一〕張宿　原脱，據通考卷一七四及本條下文補。

〔二〕書目　原作「帳目」，據通考卷一七四改。

高宗建炎四年（庚戌，一一三〇）

1. 六月十日，上諭輔臣及吴説寫大字。張守曰：「臣昨聞聖訓欲就蘇遲宣取蘇軾書，遲近將到數軸，未敢投進。」上曰：「可令進來。軾書無非正論〔一〕，言皆有益。朕不獨取其字畫之工而已。」

〔一〕軾書無非正論　「軾」原誤作「試」。

紹興元年（辛亥，一一三一）

1. 三月十八日，進士何克忠上太祖皇帝實録四册，國朝寶訓一十二册，名臣列傳二册，國朝會要三册。詔：「何克忠所獻書内，會要雖係節本，當文籍殘缺之際，首先投進，可特與補下州文學，其書付祕書省，仍令録本進入。」

2. 六月十六日，故右金吾衛上將軍張楙妻、鎮國夫人王氏以亡夫家藏六朝實録、會要、國史志等書計二百二十二册來上。詔令禮部降度牒十道付張楙家，其書付秘書省。

3. 七月二十四日，處州縉雲縣若澳巡檢唐開上王珪重修國朝會要三百卷。詔再與轉一官，其書降付祕書省，仍令本省録本進入。

4. 九月十三日，將仕郎黄濛上太祖皇帝實録〔一〕五十卷，太宗皇帝實録八十卷，真宗皇帝實録一百五十卷，仁宗皇帝實録二百卷，英宗皇帝實録三十卷，天聖南郊鹵簿册記一十册。詔送祕書省。既而賜濛空名度牒五道，不受，乞白身補官恩例，詔與循一資。

〔一〕太祖皇帝實録　「實」原誤作「五」，據宋史卷二〇三改。

5. 十一月八日，太常少卿趙子書〔一〕等言：「本寺見闕陳祥道禮書〔二〕、開元禮義鏡、禮義羅、禮粹、通典、開寶通禮、三禮圖、郊廟奉祀禮文、國朝會要王珪、章得象編、六典、禮閣新編續編附、政和宣和續編太常因革禮、大觀禮書并看詳、六家謚法、政和續編會要、開元禮百問、太常新禮、江都集禮、曲臺禮、宗藩慶系録、開元禮義纂、五禮精義。竊慮臣僚之家有謄寫本，許令投進，乞依昨進會要體例推恩。」從之。

〔一〕趙子書　「書」原誤作「畫」，據宋史卷二四七本傳改。

〔二〕陳祥道禮書　「禮」原誤作「理」，據玉海卷三九、通考卷一八一經籍八改。

二年（壬子，一一三二）

1. 二月二日，詔：「御前圖籍以累經遷徙，散亡殆盡。訪聞平江府賀鑄家所藏，見行貨之於道塗，可委守臣盡數收買，祕書省送納。」已而將仕郎賀廩以所藏書籍五千卷上之，詔與本家將仕郎恩澤一名，廩仍令吏部先次注合入近便差遣。

2. 三月四日，故太常少卿曾旼男温夫以家藏累朝典籍二千餘卷來上。詔並送秘書監收管，温夫與補將仕郎。

3. 七月一日，太平州蕪湖縣進士韋許上家藏太宗皇帝御書并書籍，詔特補迪功郎。

4. 十月九日，右司諫〔一〕劉棐言：「臣少嘗遊蜀，見眉州進杜諤〔二〕萃八十余家春秋之説，而又自立説以斷之。願詔宣撫處置使司上其書各十部，留之禁中，頒之經筵，賜祕書省、國子監等處。」詔劄與張浚，如有本，令津發前來。

〔一〕右司諫　「諫」原誤作「監」，據原書職官六三之一二、儀制六之二二、中興小紀卷一三改。

〔二〕眉州進杜諤　「進」字後疑脱「士」字。

5. 十一月二十三日，祕書少監洪炎言：「福州故相余深、泉州故相趙挺之家藏國史、實録善本。

嚴州前執政薛昂收書亦廣。太平州蕪湖縣僧寺寄收蔡京書籍。望下逐州諭令來上，優加恩賚。內有蔡京寄書，乞令本路轉運司差官前去根取。」從之。

三年（癸丑，一一三三）

1.正月十二日，詔曰：「湖州管下故執政林攄家有道君皇帝御書，太祖以來國史、實録、國朝會要等書及歷代經、史、子、集，書集全備〔一〕。開元寺有仁宗皇帝御書一大匣，道場山天聖、報本二寺各有祖宗御書，令本州守臣勸誘獻納。」

〔一〕書集全備 「集」疑爲「籍」字。

2.二月六日，臣僚言：「竊知韓琦家書有二府忠義百卷，所謂『嘉謀』、『嘉猷』皆在於是而世不傳，獨琦之孫柖有之。乞詔柖取索真本，付秘書省謄録投進，候録畢却行給還本家。」從之。

3.四月二十一日，右司員外郎劉岑言：「竊惟祖宗創業之初，開三館以儲未見之書。艱難以來，兵火百變，文書之厄莫甚今日，雖三館之制具在，而向來之書盡亡。乞詔四方求遺書以實三館，果得異書且應時用，則酬以厚賞。」從之。

4.五月一日，左承奉郎〔二〕林儼上家藏道君皇帝御書、御畫、御筆、劄答共七軸，并祖宗實録、國朝

便近入合與次先部吏令仍儼，名一澤恩郎仕將家本與詔。卷二十二百一千二籍文文古及等史國、要會

遣差。

〔一〕左承奉郎　「左」字原脱，據中興聖政卷一三、繫年要録卷六五補。

5.七月六日，祕書少監曾統等言：「伏聞前任本省官洪楫有神宗皇帝朱墨本實録、神宗哲宗兩朝國史、哲宗實録、國朝典章故事文字，望取索名件，官給紙劄，借本繕寫各一部，仍選差官校對，赴本省收藏。」從之。

6.十月二十三日，知靜江府許中上政和重修國朝會要一部，政和修定謚法一部，宣和重修鹵簿記一部。詔國朝會要送中書門下省準備檢照，謚法並鹵簿記〔一〕並送祕書省。

〔一〕鹵簿記　原誤作「鹵部國記」，據本條上文改。

四年（甲寅，一一三四）

1.六月二十三日，起居郎常同言：「渡江以來，始命搜訪典記，祖宗正史、實録、寶訓、會要得於搢紳士庶之家，殘缺之餘，補緝僅足，良亦艱矣。然今三館秘閣尚寄佛廬〔二〕，籤軸苟簡，藏貯不精。且宅都未定，有遷徙之慮；閭閻相比，有延燒之虞。一旦守護不謹，則累朝盛典又復散落矣。臣愚謂

宜少給筆劄之費，別録副貳之書，藏之名山、道觀、僧寺，依收掌御書例，量賜撥放，以酬守護之勞。庶使國朝之書永久常存，不至散缺。」詔：「比搜訪到祖宗正史、實録、寶訓、會要，令史館各抄録二本，一本進入，一本付祕書省。」

〔一〕三館秘閣尚寄佛廬　「寄」原誤作「書」，據繫年要録卷七七改。

五年（乙卯，一一三五）

1. 閏二月十二日，詔史館、秘書省：「四庫書籍未備，令下諸路州縣學及民間見收藏官書并刊到書板〔一〕，不以經、史、子、集、小説、異書〔二〕，仍具目録一本申納祕書省。」

〔一〕刊到書板　「刊」原誤作「開」，據繫年要録卷八六、中興聖政卷一七改。

〔二〕異書　原作「異時」，據繫年要録卷八六、中興聖政卷一七改。

2. 三月十九日，承節郎毛剛中上仁宗皇帝康定中於觀文殿所纂鑑古圖記一十卷，詔特轉一官。

3. 五月三日，詔令婺州取索故直龍圖閣趙明誠家藏哲宗皇帝實録繳進。

4. 七月二十八日，僧寶月上李衛公必勝集、兵鈴、水鏡、武畧要義，管子青田記，墨子，鬼谷子風雲

論，曹武祖新書，諸葛亮玉局通關祕訣，郭元振安邊策、六賓集、平胡策論、天地龍虎風雲鳥水六花八陣等營圖、陣圖，凡三十九種。詔賓月特補下州文學。初，樞密院〔一〕言：「其僧賓月乃國初功臣史珪之後，自來傳習家藏古今兵書。當國家艱難之時，不吝所有，盡出投獻，其志可嘉，仍能通曉意義。」故有是命。

〔一〕樞密院　「密」原誤作「祕」。

5.九月四日，大理評事諸葛行仁獻册府元龜等書，凡萬一千五百一十五卷，詔與本家將仕郎恩澤一名。

六年（丙辰，一一三六）

1.五月二十八日，詔：「史館見闕元祐七年十一月至十二月〔一〕，元祐八年一全年實録文字，應臣僚士庶有收藏者，許赴史館送納。其先到者，與轉一官。如不願轉官或白身人與恩澤一資，仍並與陞擢差遣〔二〕。從史館修撰范冲請也。

〔一〕十二月　原誤作「二十月」。

〔二〕差遣　原誤作「差遺」。

七年（丁巳，一一三七）

十一月十八日，李彌遜〔一〕繳王問改正審量追官不當狀。先是，宣和間，於王問取書萬卷，補問承務郎。吏部以近有諸葛行仁進書，止補迪功郎爲不倫，追問兩官。問訴之，得旨改正。上因謂宰臣曰：「搜訪書籍自亦美事。朕遭多難，方右武之時，故行仁之賞不得不薄。太上皇朝承平無事，留意墳典，因人獻書而授一京官亦不爲過也。然既有論駁，可止鐫一官。」

〔一〕李彌遜　「遜」原作「孫」，據中興小紀卷二三、繫年要録卷一一七改。

九年（己未，一一三九）

1. 四月二十五日，平江府吴江縣進士李德光上真宗皇帝語録及五帝功臣繪像圖共二册，詔送史館。

2. 五月四日，史館言：「見闕神宗正史地理而下十三志及哲宗一朝紀、志、列傳全書。竊見中原初復，東京及諸州舊史必有存者，望委留司於國史院、秘書省等處檢尋上件正史，如無正本，但有副本净草，或部秩不全，並差人津發前來，仍乞下臣僚之家搜訪投進，降付本館，優與推恩。」從之。

3. 八月二十三日，起居舍人王鉌言：「竊見國朝會要備載祖宗以來良法美意。凡故事之損益，

職官之因革，與夫禮樂之文，賞罰之章，憲物容典，纖細畢具，粲然一王之法，永貽萬世之傳。今朝廷討論故事，未嘗不遵用此書。比經兵火之餘，公私所藏類皆散逸。深慮歲月既久，寖成湮墜。望詔祕書省，令訪求善本，精加讎校。」從之。

十二年（壬戌，一一四二）

1. 十二月十二日，詔福州故相余深家有收藏監書，可委萬庭實説諭投進〔一〕，據所進取旨推恩。

〔一〕説諭投進 「説」字原缺，據繫年要録卷一四七補。

十三年（癸亥，一一四三）

1. 閏四月一日，詔沈嘉猷進監本春秋三傳，可令户部倍賜束帛。

2. 三日，上宣諭輔臣曰：「昨日吴説上殿劄子，理會搜求書籍，云湖、臺之間寄居士大夫家多有之，緣無立定恩賞，人家不肯將出，卿等可令檢會〔一〕太宗朝搜訪遺書推賞之制，依倣立定。」

〔一〕檢會 「檢」原誤作「撿」。

3. 十二月，詔：「紹興府陸寘家藏書甚多，令本府取目録〔一〕繳申秘書省，據現闕數許本家投進，仍委帥臣關借謄寫繳奏。陸寘子孫散居它州，令守臣依此施行。」

〔一〕目録　「目」原誤作「睦」。

4. 二十五日，權發遣盱眙軍向子固言：「比降旨令秘書省以唐藝文志及崇文總目據所闕者榜之檢鼓院〔一〕，許外路臣庶以所藏上項之書投獻。尚恐遠方不知所闕名籍，難於搜訪抄録，望下本省以唐藝文志及崇文總目應所闕之書，注闕字於其下，鏤板降付諸州軍照應搜訪。」從之。

〔一〕檢鼓院　「檢」原誤作「撿」。

5. 七月九日，内降詔曰：「國家用武開基，右文致治。自削平於僭僞，悉收籍其圖書，列聖相承，明詔屢下，廣行訪募，法漢氏之前規，精校遺亡，按開元之舊目，大闢獻書之路，明張立賞科，簡編用出於四方，卷秩遂充於三館，藏書之盛視古爲多。艱難以來散失無在。朕雖處干戈之際，不忘典籍之求。每令下於再三，十不得其四五，今幸臻于休息，宜益廣于搜尋。夫監司總一路之權，郡守寄千里之重，各諭所部悉上送官。苟多獻於遺編，當優加於褒賞。故兹詔示，想宜知悉。」先是，上謂輔臣曰：「向累降指揮搜訪遺書，至今未有到者。朕觀國朝初承五代之後，文籍散缺，太宗皇帝留意於此，及得李煜、孟昶兩處圖籍，一時號稱足備。又詔天下訪求先賢墨跡，當時昇州等處以羲、獻而下十八人書跡及鍾繇書急就章爲獻。南渡以來，祖宗御府舊藏舉皆散失，計士庶之家應有存者，可委諸路轉運司遍下逐州縣尋訪，如有投獻，並令具名，實封附遞以聞。其所納過，當議分等給賞，或命以官，或酬以帛。」至是降詔行下。

十四年（甲子，一一四四）

1．七月二十九日，上諭輔臣曰：「秘府書籍尚少，宜廣求訪。」秦檜曰：「陛下崇儒尚文，是宜四方翕然向化。」上曰：「崇儒尚文，治世急務。」李文會曰：「若非干戈偃息，此事亦未易舉也〔一〕。」

〔一〕亦未易舉也　「易」原誤作「是」，據繫年要録卷一五二改。

十五年（乙丑，一一四五）

1．三月十七日，詔左朝奉郎、知建州李德昭以家藏南齊褚淵墨跡一軸來上，賜銀絹一百疋兩。

2．九月二十一日，祕書省言明州進士陳暘投獻書籍七百五十六卷，並是本省合用之數，詔與永免文解。

3．十月二日，普州安岳縣進士秦真卿上家藏書明皇賜近臣古史三節，墨跡一軸。詔真卿與免文解一次，仍令本州支賜錫一千貫〔二〕。

〔一〕支賜錫一千貫　「錫」疑是「錢」字。

4. 十一月三日，祕書省言忠訓郎張掄〔一〕投獻書籍五十一種，並係本省見闕數目，奉詔與轉一官。

〔一〕張掄　繫年要録卷一五四作「張掄」。

5. 閏十一月七日，提舉祕書省秦熺言：「奉詔下諸路搜訪遺書及先賢墨跡圖畫〔一〕，如願徑赴祕閣投獻者，并許從本所保明，依故事推賞。不願投獻者，令所在州軍借本，專委見任官一員，依本下所定下册樣字體傳寫，候歲終據已傳録申發到，取卷秩最多，繕寫如法及最滅裂處，取旨賞罰。及臣僚藏書之家，仍乞從本所説諭置曆，逐旋閲借，令所在州軍差人如法送祕書省，候抄録畢給還。如遇投獻到書籍，先下秘書省看詳，如實係闕書并卷秩全備者，方許計數推賞。今措置〔二〕欲行下逐路專委轉運司，逐州軍專委知通，廣行搜訪，仍每季具見行抄録名件申所。」並從之。先是，祕書省正字王曮言：「恭覩陛下比歲以來，屢下求書之令，然州縣施行未稱上旨。蓋州縣以謂文籍之事固非刑政所急，祕書之繳初無賞罰之權，是以得而慢之。臣以謂宜以求書之政令，命以專行，施於四方，皆知有重臣一意總覈，則一卷之書必有受其功者，搜裒以獻，當不敢後。」上諭輔臣曰：「可令秦熺專領其事。私家所收書亦甚愛惜，宜立賞以勸之。」至是熺條具行下。

〔一〕搜訪遺書及先賢墨迹圖畫　「及」原作「乃」。

〔二〕措置　原作「錯置」。

十六年（丙寅，一一四六）

1. 七月十八日，詔明州奉化縣陳泰初投進神宗皇帝、哲宗皇帝御集共一百一十八册，與轉一官。上因諭輔臣〔一〕曰：「書籍尚未備，宜有以勸誘之。可令秦熺措置立定賞格〔二〕，鏤板行下。」既而提舉祕書省比擬賞格，如投獻到晉、唐墨跡真本者，取旨優異推恩，秘閣闕書、善本及二千卷者，有官人與轉官，士人與永免文解或免解。不及二千卷以上者〔三〕，比類增減〔四〕推賞。如願給者，總計工墨紙劄優與支給。諸路監司守臣求訪到晉、唐真跡〔五〕及善本書籍，應得上件賞格者，比類推賞。其投獻到書籍，先下秘書省校對，如委是善本，方許收留。

〔一〕上因諭輔臣　「諭」字原脱，據繫年要録卷一五五、玉海卷四三補。
〔二〕立定賞格　「立」原誤作「定」，據繫年要録卷一五五、玉海卷四三改。
〔三〕不及二千卷以上者　「卷」原作「石」，據本條上文改。
〔四〕比類增減　「減」原誤作「滅」，據繫年要録卷一五五改。
〔五〕晉唐真跡　「真跡」前原衍一「到」字，據本條上文及繫年要録卷一五五改。

2. 八月四日，詔：「聞西蜀〔一〕藏書甚多，宜委逐路帥臣恪意搜訪，仍令提舉秘書省每月檢舉催促。」

〔一〕西蜀　原作「四□」，據繫年要録卷一五五改補。

十七年（丁卯，一一四七）

1. 十月二十九日，宗室秉義郎不惬以家藏米芾臨王羲之破羌帖來上，詔與優便遣〔一〕。

〔一〕優便遣　疑爲「優便差遣」。

2. 十一月八日，提舉祕書省秦熺言：「右迪功郎，前嚴州建德縣主簿錢雲駁家首必閱借到闕書二千九百九十餘卷，望量與推恩，以勸來者。」詔與循一資。

十八年（戊辰，一一四八）

1. 二月二日，提舉祕書省秦熺言，進士武傑獻李邕披雲帖已繳進，詔與免文解一次。

2. 三月一日，提舉祕書省秦熺言：「左迪功郎、新成都府〔一〕司理參軍郭師心獻唐褚遂良臨黄經一軸已繳進，乞推恩。」詔與循一資。以上中興會要

〔一〕成都府　「成」字原誤作「城」。

二十五年〔一〕（乙亥，一一五五）

1. 詔右迪功郎陳友迪投進書藏書籍〔二〕，特差監潭州南嶽廟。

〔一〕該年記事原在「十七年」前。
〔二〕陳友迪投進書藏書籍　「書藏」，疑爲「家藏」。

2. 十一月二十五日，提舉祕書省秦熺言：「眉州進士蘇藻獻蘇元老文集二十五册，柳公權等書畫三軸。又彭州進士王偃獻蔡襄、米芾書，黄筌、孫知微等畫共一十五軸，望賜推恩。」詔與永免文解。

二十九年〔一〕（己卯，一一五九）

1. 詔：「昨降指揮求訪書籍，至今投獻尚少。蓋監司郡守視爲不急，奉行滅裂，可檢舉申嚴行下。」

〔一〕該年記事原在「十六年」後。

2. 十月十二日，上因論輔臣曰：「祕府求訪書籍，近日來者稍多。前日所立賞格，宜更加勸誘，庶幾繼有來者。」

3. 十九日，詔右文林郎賀廩獻碑刻二百七十三本，與堂除差遣。

孝宗乾道七年（辛卯，一一七一）

1. 正月十日〔一〕，國史院言：「本院見編修四朝正史，合要神宗皇帝〔二〕昨在京所修正史、帝紀、志、傳等，并四朝聖旨、御筆及應干詔旨等文字，本院獲降到指揮，許令投進。昨據資州助教楊志發繳進元祐宰臣呂大防家所藏神宗皇帝、哲宗皇帝兩朝御筆，元祐皇太后遺詔，已蒙朝廷將楊志發特補榮州文學，出官了當，委是優異。本院竊慮諸路州縣臣僚士庶之家有收得上件四朝文字，不知楊志發推恩因依，未肯投獻，乞朝廷等降指揮下禮部，將楊志發推恩事理〔三〕鏤板遍下諸路州軍，專委知通，多出文榜曉諭搜訪，許令投獻，優與推恩。如文字詳備者，亦乞將知通推恩施行。」從之。

〔一〕正月十日　本條又見影印本職官一八之五八至五九，繫於「七年二月十一日」。
〔二〕神宗皇帝　原書職官一八之五九「神宗」下爲「哲宗」，無「皇帝」二字。
〔三〕楊志發推恩事理　「志」字原脱，「理」原誤作「禮」，據上文及原書職官一八之五九補改。

2. 十一月二十二日，中書舍人、兼同修國史〔一〕、兼實録院同修撰趙雄等言：「本院見修四朝國史，緣歲月深遠，文字散逸，首尾考證甚難。今聞右修職郎、監臨安府都鹽倉李丙樂於收書，勤於考古，嘗纂丁未録，卷秩浩瀚〔二〕，起治平之末，迄靖康之元，其間議論更革，往往編年該載殆備，乞給劄傳寫。如見得此書果可以稽考四朝未盡事迹，即乞從本院保明，量加旌擢。不唯有助大典，亦足爲學者之勸。」詔依，其合用紙劄令臨安府應付。以上乾道會要

〔一〕同修國史　「同」原誤作「司」。

〔二〕卷帙浩瀚　「瀚」原誤作「澣」。

淳熙三年（丙申，一一七六）

1. 五月九日，禮部侍郎兼同修國史李燾言：「見編修四朝正史，合要名臣墓志、行狀、奏議、著述等文字照使。今詢問得吏部侍郎徐度有自著國紀一百餘卷，其子行簡見在湖州寄居，乞下所屬給札抄録，赴院以備參照。」從之。

2. 十一月二十四日，參知政事龔茂良言：「嚴州近刊資治通鑑紀事〔本末〕〔一〕一書，乃袁樞所編。其書有補治道，或取以賜東宫，增益見聞。」詔本州印十部，仍以卿本先次來上。

〔一〕紀事〔本末〕　「本末」二字原缺，據玉海卷四七補。

六年（己亥，一一七九）

1. 六月二十七日，吏部侍郎閻蒼舒言：「伏見四川州郡藏書最多，皆是邊防利害、修城制度、軍器法式，專司法令不可悉數，皆三館所當有。臣在蜀時見瀘州軍器架模一書最爲詳備，乞下祕書省録見有書目送四川制置司參對四路州軍官書目録，如有所闕〔一〕，即令本司抄寫，赴祕書省收藏。」從之。

〔一〕如有所闕　「闕」原作「關」。

十三年（丙午，一一八六）

1. 九月二十五日，祕書郎莫叔光言：「國家崇建館閣，文治最盛。太上皇帝再造區夏，紹興之初，已下借書分校之令，至十三年詔求遺書，十六年又定獻書推賞之格，圖籍於是備矣。然至今又四十年，承平滋久，四方之人益以典籍爲重。凡搢紳家世所藏善本，監司郡守搜訪得之，往往鋟板以爲官書。乞詔諸路監司守臣，各以本路、本郡書目解發至祕書省，聽本省以中興館閣書目點對，如有未收之書，即移文本處取索，庶廣祕府之儲。」詔祕書省將未發書籍徑自關取。

十五年（戊申，一一八八）

1. 七月十一日，實録院言：「奉旨編集高宗皇帝御製，今來合要〔一〕臣僚士庶之家并僧道等處被受或收藏高宗皇帝御筆手詔，及詩、頌、雜文、注解、經義等文字照使，内行在從本院取索抄録，其臨安府并諸州軍欲乞令逐路轉運司嚴切遍下所管州、軍、縣、鎮等處搜訪，借本抄録，仍出賞募人投獻。如稍多者，從本縣保明，優與推恩。」從之。以上孝宗會要

〔一〕合要　原作「要合」，據原書職官一八之七二改。

光宗淳熙十六年（己酉，一一八九）光宗已即位未改元〔一〕

1. 七月十五日，吏部尚書兼侍讀顔師魯言：「臣頃者伏覩撫州刊行祖宗官制舊典一書，吕式製度粲然明備，誠當今之龜鑑，萬世之法程。臣試摭一二爲陛下言之。『太師之官曠世不拜，使相、節度非勳賢不除。禁從，例必先考其履歷，始以選授。省府之任，寔爲繁劇之地，尤加推擇。館閣之職皆須薦進，未有不由召試而入藩府。監司先理資序，未有超躐數等而除。正郎、員外，則有三行之異，官雖未分左右，而出身清濁於此可辨。京官選人，則有勳階之轉。人材欲其諳練，故仕進新舊於此別焉。至於銜帶閣職，拘以員數。管軍立格，尤爲至嚴，横行諸司使帶遥郡者，邊功優異，始得落爲正任。内臣任都知久次者，方帶留後觀察，未嘗輙以正任承宣使予之。』若此之類，未易槩舉，皆所以別其流品〔二〕而限其名秩也。故當時人知要官顯職不可以妄求，高爵厚禄不容於倖得，各安義命，以修職業，而

奔競之門塞，躁進之俗銷矣。今朝廷官制行之既久，固未易遽改。然祖宗立法之意，周思熟慮，至嚴且密，僅見此書，深爲有關時政。望下撫州宣取一帙，置之禁庭，萬機之暇，特賜親覽，庶幾仰體成規，熟知舊典，除授之際，抑揚高下皆有據依而無僥滄之失。」從之。以上光宗會要

〔一〕按「光宗」二字及小字注文皆爲校者所加。

〔二〕流品 「流」原誤作「留」。

本門點校者 陳廣勝

審訂者 王雲海

編纂書籍

影印本崇儒五之一至一七
大典卷五八一八

太平興國七年（壬午，九八二）

1.九月，命翰林學士承旨李昉，學士扈蒙，直學士院徐鉉，中書舍人宋白，知制誥賈黄中、吕蒙正、李至，司封員外郎李穆，庫部員外郎楊徽之，監察御史李範，祕書丞楊礪，著作佐郎吴淑、吕文仲、胡汀，著作佐郎直史館戰貽慶，國子監丞杜鎬，將作監丞舒雅，閲前代文集，撮其精要，以類分之，爲千卷。雍熙三年十二月書成，號曰文苑英華。昉、蒙、蒙正、至、穆、範、礪、淑、文仲、汀、貽慶、鎬、雅繼領他任，續命翰林學士蘇易簡，中書舍人王祜〔一〕，知制誥范杲、宋湜與宋白等共成之。帝覽之稱善，降詔褒諭，以書付史館，賜器幣〔二〕各有差〔三〕。

〔一〕王祜　原誤爲「王祐」，據歐陽修文忠集卷二二太尉文正王公神道碑、長編卷二四太平興國七年八月辛亥、同書卷二五雍熙元年十月癸巳等條改。

〔二〕器幣　「幣」原誤作「弊」。

〔三〕此條下原附有崇文總目二行，李燾長編五行，熊克九朝通略注文一行，鄧名世姓氏辨證注文六行，周必大識語三十八行，皆見中華書局影印本文苑英華卷首纂修文苑英華事始；又全録文苑英華目録共一六頁有餘，但不及今本之詳。原批謂：「自此下皆非會要，宜銷。」今從原批删去。

本門點校者　鍾劍麟
審訂者　王雲海

校勘經籍

影印本崇儒五之一八
大典卷二〇三五八

淳熙四年（丁酉，一一七七）

1.十一月十五日〔一〕，詔臨安府校正開雕聖宋文海，專委祕書郎呂祖謙〔二〕。既而祖謙言：「文海元是書坊一時刊行，去取未精，名賢高文大册尚多遺落，今乞一就增損，仍斷自中興以前銓次，庶幾可以行遠。」從之。

〔一〕十一月十五日　原作「十月五日」，據朝野雜記·乙集卷五、呂祖謙東萊集卷三、玉海卷五四淳熙皇朝文鑑改。

〔二〕呂祖謙　原作「呂祖謌」，據本書下條、宋史卷四三四本傳及玉海卷五四改。

六年（己亥，一一七九）

1.二月八日，詔祕書郎呂祖謙編次文海，採取精詳，觀其用意，有益治道，可除直祕閣添差浙東安撫司參議官。祖謙以病丐祠，故寵之。

本門點校者　鍾劍麟
審訂者　王雲海

獻書升秩

影印本崇儒五之一九至四三

大典卷一七四一

太宗太平興國五年（庚辰，九八〇）

1. 八月，以鄉貢進士孟瑜〔一〕爲光州固始縣主簿。瑜，長沙人，嘗著野史三十卷。石熙載在湖南時，瑜嘗出入門下，頗見厚，至是來獻其所著書，熙載以言，而有是命。

〔一〕孟瑜　長編卷二一太平興國五年八月甲戌條作「孟渝」。

雍熙三年（丙戌，九八六）

1. 正月，著作佐郎樂史獻所著書貢舉事二十卷，登科記三十二卷〔一〕，題解二十卷，唐登科文選五十卷，唐孝悌録十五卷、續五卷，續卓異記〔二〕三卷，太宗嘉之〔三〕，以史爲著作郎直史館。

〔一〕登科記三十二卷　郡齊讀書後志卷一、宋史卷二〇三、秘書省續四庫書目卷一皆作「三十卷」。

〔二〕續卓異記　「記」字原脱，據宋史卷三〇六樂黄目傳補。

〔三〕太宗嘉之 「之」原作「定」，據同上書改。

淳化三年（壬辰，九九二）

1. 七月，翰林承旨蘇易簡獻故著作郎、直史館羅處約平生所著文十卷，號東觀集。易簡與處約俱蜀人，少相友善，哀其死也，收拾遺草上之。詔藏史館。

至道元年（乙未，九九五）

1. 五月十九日，同州馮翊縣民李元真詣闕獻養蠶經一卷。有司以非前代名賢所撰，不敢以聞。帝遽索觀之，憐其不忘本業，留書禁中，賜元真錢一萬。

二年（丙申，九九六）

1. 四月，知長州欒史獻總仙集三十七卷并目録四卷。帝宣示宰臣等，稱其從政之餘能有譔述，詔付史館。

真宗咸平二年（己亥，九九九）

1. 五月，比部員外郎刁衎獻本説十卷，召試學士院，授祕閣校理。

三年（庚子，一〇〇〇）

1. 四月，直昭文館勾中正上石本大小篆、八分三體書孝經。真宗召至便殿，坐問其直館凡幾歲，中正言，太平興國二年，自潞州録事召入，太宗擢寘館殿。帝又問所書孝經幾許時方畢，曰：「凡十年。」遂賜金紫，藏其書於秘閣，仍命别進三本送三館。八月二十四日，又賜中正詔書曰：「汝志在儒書，精通字學，得史籀之舊法，見蔡邕之古文，深窮旨歸，老益遒健，省閲之外，嘉歎尤多。」

2. 八月十八日，翰林學士承旨宋白言，看詳爛柯山人蔡望所進新注陰符經，難於施行，乞付史館，從之。望特授中嶽廟主簿。

四年（辛丑，一〇〇一）

1. 正月，武勝軍節度使、知河南府李至表上故史館編修楊文舉所注尹玉羽春秋字源賦，詔以賦送秘閣，賜文舉子寧同學究出身。

2. 十二月，工部侍郎致仕朱昂上資理論三卷，詔付史館，仍令寫本留中。

六年（癸卯，一〇〇三）

1. 五月，知廣州凌策〔一〕獻海外諸蕃地里圖。

〔一〕凌策　原誤作「陵策」，據宋史卷三〇七凌策傳改。

2. 八月，太僕少卿、直秘閣錢惟演上咸平聖政録二卷。

景德元年（甲辰，一〇〇四）

1. 五月，直昭文館宋惟翰獻新注楊雄太玄經〔一〕十卷，詔付史館。

〔一〕太玄經　「玄」，原避宋諱作「元」，據漢書卷八七楊雄傳、隋書卷三四經籍三改。

二年〔二〕（乙巳，一〇〇五）

1. 十一月，南郊鹵簿使王欽若上鹵簿記三卷，詔獎之，記付史館。

〔一〕二年　原作「二十」，據玉海卷五七、長編卷六一景德二年十一月乙巳朔條及葉渭清眉批改。

大中祥符五年（壬子，一〇一二）

1. 正月，以懷安軍鹿鳴山人黄敏爲本軍助教。敏通經術，嘗注九經餘義四百九十篇，轉運使滕涉以其書上進，帝令學士晁迥等看詳。迥等言所著撰甚有可採，故特有是命。

九年（丙辰，一〇一六）

1. 九月六日，大理寺丞郭昭度上其父翰林侍讀學士贊集三十卷，詔賜名文懿集，仍付史館。贊謚文懿，因以名集。

天禧二年（戊午，一〇一八）

1. 七月十八日，富順監言本監神龜山人李見撰易樞十卷，詔附遞以聞。

五年（辛酉，一〇二一）

1. 五月，太常博士鄭向表進所撰五代開皇紀三十卷及天禧聖德頌一首求試，詔令與優便任使。

仁宗天聖元年（癸亥，一〇二三）

1. 七月十七日，龍圖閣直學士馮元，御史中丞劉筠，知制誥錢易，龍圖閣侍制滕涉、劉燁，知雜蔡齊，表上徐州文學劉顏集輔弼名對〔一〕并目録四十一卷。詔顏與家便簿尉，仍諭宰臣等以所進書甚有可採，見令録本以備觀覽。

〔一〕輔弼名對　「名」原作「召」，據郡齋讀書志校證卷七、直齋書録解題卷五改。

2. 九月十六日，中書門下言，將作監致仕胡旦〔一〕先撰漢春秋一百卷，久未進納。詔令本州附遞進納，候致取旨。二年二月，州以旦書上進，詔授祕書監致仕，仍命一子爲京寺主簿。

〔一〕胡旦　原作「胡但」，據玉海卷四一和四七、長編卷一〇二天聖二年一月癸亥條及本書下文改。

二年（甲子，一〇二四）

1. 六月，故司空致仕、贈中書令張齊賢妻臨淮郡夫人柴氏上齊賢文集，仍言孫男子奭進士登第，歷官兩任，乞爲末品京官，詔與奉禮郎。

五年（丁卯，一〇二七）

1. 二月，知寧州楊及上重修五代史。仁宗曰：「五代亂離，事多淺近。」宰臣王曾等曰：「五代安危之迹本末昭然，其餘可爲鑑誡而不足師法。」帝深以爲然。

2. 十二月二十二日〔一〕，祕書監致仕胡旦上演聖通論七十二卷、五代史畧四十三卷、將帥要畧五十三卷，乞給賜錢米充紙劄之費，仍乞男彤賜一名目。詔襄州舊俸外月特給米麥各三石，彤與文資官。

〔一〕二十二日　玉海卷四七作「天聖五年十二月二十一日辛卯」。

景祐元年（己丑，一〇四九）

1. 正月十三日，刑部員外郎、河北轉運使王沿上春秋集傳十五卷〔一〕。帝嘉其好學，降詔獎諭，仍加直昭文館。

〔一〕十五　原作「五十」，據長編卷一一四景祐元年正月甲戌條、玉海卷四〇及崇文總目卷一下改。

2. 十月十三日，知制誥丁度上春牛經序。詔編修院令司天監再看詳寫録以聞。編修院言，與司天監王立等看詳修定，乞改名土牛經，送崇文院鏤板頒行，從之。

3. 十二月二十一日，都官員外郎、充崇政殿説書兼國子監直講賈昌朝上言：「撰到春秋要論五册，如堪聖覽，乞付臣點句及音切字乞進納。」〔一〕詔昌朝令舍人院試。

〔一〕乞付臣點句及音切字乞進納　第二「乞」字疑爲「訖」。

寶元二年(己卯，一〇三九)

1. 二月一日，太常丞詹庠上君臣龜鑑六十卷，詔書奬諭，仍令審官院與先次差遣。

康定元年(庚辰，一〇四〇)

1. 三月十八日，太子中允阮逸上鍾律制議并圖三卷，詔送秘閣。

2. 七月五日，集賢校理李昭遘上太宗晋邸聖制三卷、永熙政範二卷，降詔褒諭。

3. 九月四日，翰林學士晁宗慤等上大理評事蘇舜賓集獻納大典一百卷，翰林學士王堯臣等上前渭州軍事推官魏庭堅撰四夷龜鑑三十卷，殿中丞、充武勝軍院伴讀王琥獻平戎萬畧，大理寺丞王縯上少陽佳範十卷。詔舜賓、庭堅候得替與試，琥、縯降詔奬諭，書並送史館。

4. 十二月十七日，翰林學士王堯臣上通判滑州、秘書丞蔡亶撰通志論十三篇，備言攻守之策，如其可采，乞於陝西緣邊任使。詔知乾州。

二年（辛巳，一〇四一）

1. 二月十日，右班殿直、閤門祗候、濠州都監趙珣上所撰聚米圖，詔詢赴闕。

2. 八月，詔：「臣僚子孫進納家集，須得盡以編録，如或分次重叠投進，苟求恩澤者，仰中書勘會以聞，必行朝典。」

慶曆五年（乙酉，一〇四五）

1. 閏五月〔一〕，龍圖閣直學士歐陽修上澤州進士劉羲叟注釋司馬遷天官書及著洪範灾異，召試舍人院，命以爲試大理評事。

〔一〕閏五月　「長編卷一五六慶曆五年六月癸亥條作「六月」。

六年（丙戌，一〇四六）

1.七月九日，參知政事宋庠上所撰紀年通譜。庠取十七代正史并百家雜説，凡正僞年號成一書。詔送史館。

八年（戊子，一〇四八）

1.三月，中書言，臣僚子孫將父祖文集編進，陳乞恩澤，多是亡殁多年，狂妄僥求。詔：「今後丞郎並龍圖閣直學〔一〕以上薨卒，五年内如有家集並許親的子孫投進，當議送兩制看詳。如文章典雅，爲衆所推，即具聞奏，特與依例施行，其文集仍乞館閣〔二〕。」

〔一〕龍圖閣直學　「學」字下疑脱「士」字。
〔二〕仍乞館閣　此下疑有脱文。

皇祐三年（辛卯，一〇五一）

1.九月二十二日，大理評事孫坦進周易析藴十卷，帝賞其勤博〔一〕，命任回與試館職。

〔一〕賞其勤博　「勤」原誤作「勒」，據玉海卷三六改。

2. 十二月〔二〕，觀文殿學士丁度等上前後漢書節義，賜名曰前史精要。

〔二〕十二月　按長編卷一七一皇祐三年十月甲申條、群書考索·前集卷一六皆作「十月」。

四年（壬辰，一〇五二）

1. 二月，宗室右屯衛大將軍克繼上廣夏竦所集古文韵六卷。帝謂輔臣曰：「宗室中嚮學者鮮，獨克繼孜孜於字學，宜降詔獎諭。」仍以其書送秘閣。

2. 五月二日，以太常丞致仕代淵爲祠部員外郎致仕。以臣僚上其所著周易旨要二十卷，而帝嘉其高尚，故特寵之。

五年（癸巳，一〇五三）

1. 六月，皇侄右神武大將軍宗諤上治原十五卷，降詔獎諭。

2. 七月，蘄州判官李虛一上溉漕新書四十卷，詔送河渠司以備檢閱。其書蓋記古今河渠事。虛一特循一資。

3.閏七月二十五日，以益州布衣章詧爲本州助教，以田況上其所撰楊雄太玄經發隱〔一〕三篇，特録之。

〔一〕太玄經發隱 「玄」原避宋諱作「元」，據漢書卷八七楊雄傳、隋書卷三四經籍三回改。

4.十一月，管勾司天監公事周琮上軍中占三卷，詔送秘閣。

至和元年（甲午，一〇五四）

1.九月，翰林學士王洙上周禮器圖。先是，洙講周禮，帝因命畫車服冠冕籩豆簠簋之制，及是〔一〕圖成而上之。

〔一〕及是 「是」字原脱，據長編卷一七七至和元年九月丙寅條補。

2.十二月十八日，廣南西路轉運判官宋咸上所著周易十卷，下兩制看詳，翰林學士楊察等乞送館閣，仍加褒諭，從之。

3. 二十七日，睦州團練使宗諤上纂歷代宗屬事蹟六卷，名曰太平盤維録，降詔獎諭。

三年〔一〕（丙申，一〇五六）

1. 正月，定州鄉貢進士趙肅上兵民總論十卷，詔免將來文解，省試雖不合格，令貢院特以名聞。

〔一〕三年　長編卷一七八繫於至和二年正月庚辰。

2. 九月，詔臣僚進家集，自今〔一〕量與支賜，更不推恩。

〔一〕自今　原作「自令」。

嘉祐二年（丁酉，一〇五七）

1. 四月二十六日，通判黄州趙至忠言：「陷蕃年深，異類之種皆耳目所覩，今偶録其事纂成三册，并北庭建國而來僭位之人子孫圖一本。」詔許進入，仍轉官移通判陳州。

2. 五月十六日，國子博士寇諲進祖準文集一十卷。詔以準曾任宰相，文集特送館閣，諲賜銀絹各五十疋兩。

3. 十一月二十七日，屯田郎中宋咸上所注論語，司封員外郎吳秘上所注太玄經〔一〕及音義，集賢校理何涉〔二〕上所著治道中術三十篇，並降敕奬諭，書送秘閣。

〔一〕太玄經　「太」原作「大」，「玄」原避宋諱作「元」，據長編卷一八六嘉祐二年一月己亥條及漢書卷八七楊雄傳、隋書卷三四經籍三改。

〔二〕何涉　原作「河涉」，據長編卷一八六嘉祐二年十一月己亥條及本書下文嘉祐四年「七月十七日」條改。

三年（戊戌，一〇五八）

1. 閏十二月，皇侄右千牛衛將軍克頎上周禮樂圖，降敕奬諭。

四年（己亥，一〇五九）

1. 二月二十二日，權廣南西路轉運使宋咸上所注楊子及孔叢子，賜三品服。

2. 七月十七日，賜故度支員外郎、集賢校理何涉子前永興軍臨潼縣主簿接錢百千，以果州上涉所撰春秋本旨五卷及判河州府文彦博奏乞賜涉贈官，仍優録其子孫故也。

3. 八月，殿中丞致仕龍昌期上所注周易、論語、孝經、道德陰符經，詔賜五品服、絹百疋，既而翰林學士歐陽修等以爲异端害道，不可以推奬，乃奪所賜服而罷遣之。

五年〔一〕（庚子，一〇六〇）

1. 五月，國子博士趙至忠獻契丹蕃漢兵馬機密事十册，并契丹出獵圖，詔賜銀絹一百疋兩。

〔一〕五年　長編卷一八五嘉祐二年四月辛未條小注作「六年五月」。

英宗治平元年（甲辰，一〇六八）

1. 六月二十七日，尚書駕部員外郎、通判保州路綸獻其父振所纂九國志五十卷，詔付史館。振在真宗時知制誥。所謂九國者，吴楊行密，南唐李昇，前蜀王建，後蜀孟知祥，閩王潮，北漢〔一〕劉崇，南漢劉隱，楚馬殷〔二〕，西楚高季興〔三〕，吴越錢鏐〔四〕、行密等，當五代時分據州縣以自立，其實十人，而振以爲九國者，以前、後蜀同一國名也。以上國朝會要

〔一〕北漢　原作「東漢」，據宋史卷四八二世家五、玉海卷四七改。

〔二〕馬殷　原作「馬商」，據舊五代史卷一三三世襲列傳二、玉海卷四七改。

〔三〕高季興　原脱「高」字，據長編卷二〇二治平元年六月辛酉條、舊五代史卷一三三世襲列傳二改。

〔四〕錢鏐　原作「錢璆」，據長編卷二〇二治平元年六月辛酉條、宋史卷四八〇世家三改。

神宗熙寧三年（庚戌，一〇七〇）

1.十二月十六日，明州鄞縣草茅王珦上篆書正宗要畧三卷，命爲御書院祗候。

五年（壬子，一〇七二）

1.八月十一日，詔潁州〔一〕令歐陽修家上修所撰五代史。

〔一〕潁州　原誤作「穎州」，據宋史卷八五地理一改。

六年（癸丑，一〇七三）

1.九月三日，虞部郎中趙至忠上虜廷僞主宗族、蕃漢儀制、文物憲章、命將出師、攻城野戰次第、兵衆户口州城錢粟都數、四至鄰國遠近、地里山河、古跡等共十一册，并戎主閱習武藝於四季、出獵射虎等圖各二副，外有戎主登位儀制圖、拜木葉山圖，并入國人使宴圖，詔賜絹三百疋。

八年（乙卯，一〇七五）

1.七月四日，右諫議大夫沈立進都水記二百卷、名山記一百卷，降詔奬諭。

九年（丙辰，一〇七六）

1. 正月十三日，宣徽北院使〔一〕王拱辰上平蠻雜議十篇，詔送安南招討使。

〔一〕宣徽北院使　「徽」原作「宗」，據長編卷二七二熙寧九年正月庚午條、宋史卷三一八王拱辰傳改。

2. 八月八日，詔宰臣王安石，令具故男雱所注孟子入進。

元豐元年（戊午，一〇七八）

1. 閏正月十二日，大名府元城縣主簿吴璋上所注司馬穰苴兵法三卷，詔送武學看詳。其後武學言義有可采，詔璋候武學教授有闕，試兵機時務策一道取裁。

2. 五月二十三日，前守化州文學趙世卿進安南邊説五篇及自陳安南戰棹司差使有功，詔世卿與正官注荆湖南路主簿。

三年〔一〕(庚申，一〇七九)

1. 五月十五日〔二〕，太子少師致仕趙槩上所集諫林，上批可降詔奬諭，庶以勸爲學老而無斁者。

〔一〕三年　玉海卷六一、長編卷二九八元豐二年五月辛巳條皆作「二年」。
〔二〕十五日　按玉海卷六一作「十四日辛巳」，長編卷二九八繫此條於「元豐二年五月辛巳」，與玉海同。

六年(癸亥，一〇八三)

1. 五月四日，舒州防禦使克敦進父保静軍節度使、蕭國公承幹文集十卷，詔承幹父子世以藝文儒學名于宗藩，在朝廷旌善與能之義，宜有寵褒，可加贈安定郡王，克敦降詔奬諭。

哲宗元祐四年(己巳，一〇八九)

1. 六月十八日，吏部侍郎范百禄進所撰詩傳補注〔一〕二十卷，詔以其書送祕書省。

〔一〕詩傳補注　原脱「注」字，據玉海卷三八、長編卷四二九元祐四年六月丁巳條補。

五年（庚午，一〇九〇）

1. 十一月一日，給事中范祖禹言：「太祖時，以聶崇義所撰三禮圖畫於國子監講堂。伏見太常博士陳祥道專意禮學，所進禮書一百五十卷，比之聶從義圖尤爲精密，乞送學士院及兩制或經筵看詳，如何施行，請付太常寺與聶從義圖參用。」詔送兩制看詳以聞。

八年（癸酉，一〇九三）

1. 正月二十二日，工部侍郎兼權祕書監王欽臣言：「高麗獻到書内有黄帝鍼經，篇帙俱存〔一〕，不可不宣布海内，使學者誦習。」依所請。

〔一〕篇帙俱存　「帙」原作「秩」，據長編卷四八〇元祐八年正月庚子條改。

2. 同日，翰林侍讀學士、國史院修撰范祖禹言：「太常博士陳祥道注解儀禮〔一〕三十二卷，精詳博洽，非諸儒所及，乞下兩制看詳，并所進禮圖付太常以備禮官討論。」從之。

〔一〕儀禮　原脱「禮」字，據長編卷四八〇元祐八年正月庚子條及宋史卷二〇二藝文一補。

紹聖二年（乙亥，一〇九五）

1. 正月十七日，國子司業龔原等言：「故相王安石在先朝嘗進尚書洪範傳，解釋『九疇』之義，本末詳備，乞雕印頒行，以便學者。」從之。

2. 三月九日，龔原言，贈太傅王安石在先朝嘗進其子雱所撰論語、孟子義，取所進本雕印頒行。詔令國子監録本進納。

3. 五月二十八日，國子監看詳尚書左僕射章惇奏興化軍處士張弼所著易義可備採録，詔張弼與葆光處士，其易義送秘書省。

4. 十一月八日，龔原請下王安石家取所進字説雕印，以便學者傳習，從之。

徽宗崇寧元年（壬午，一一〇二）

1. 四月二十九日，禮部言：「知懷安軍雍黄中言，乞將本軍金堂縣前任雅州嚴道縣令謝湜所撰周易義十二卷、春秋義二十四卷、總義三卷投進。本部勘會，今來所乞事，緣元符令文係於元祐敕内删去『詩賦雜文字劄』六字，看詳意義已明，近來尚有申乞投進之人。欲乞申明行下，如有進獻詩賦雜文書劄之人，在外即令所在州軍自陳，委本處知通，在即經禮部〔一〕委國子監長貳取索看詳，如實可採，即行保明進納。」從之。

〔一〕在即經禮部　疑有脱誤。

大觀四年（庚寅，一一一〇）

1. 正月九日，登仕郎、新授守潭州長沙縣丞朱克明言：「伏見許氏説文，其間字畫形聲多與王文公字説相戾，輒於許氏説文部中撮其尤乖義理者凡四百餘字，名字括。」詔克明除書學諭。

政和元年（辛卯，一一一一）

1. 四月十七日，詳定九域圖志何志同等奏：「送到新漢州教授陳坤臣所進郡國人物志一部，合一百五十卷，送編修九域志〔一〕所看詳。據編修官陸修等狀，看詳所進郡國人物志，包括諸史上下千載間，文婉而事詳，因成一書，可藏諸館閣，緣漢晉郡國之境與今不同，人物往往不合，竊慮不須編入九域志。」詔依奏，其書送秘書省，陳坤臣與改合入官。

〔一〕九域志　原作「九閲志」，據上下文及玉海卷一五改。

七年(丁酉,一一一七)

1.二月十一日,詔:「唐耜進字説集解三十册,極有功力,有助學者,與知州差遣,其字説集解令國子監傳示學生。」

宣和三年(辛丑,一一二一)

1.十月二十一日,詔朝請郎、直祕閣、管勾江州太平觀林虚直龍圖閣。以所進文集可采,故有是命。

七年(乙巳,一一二五)

1.八月二十九日,詔新知虢州安泳進周易解義,特賜進士出身。

欽宗靖康元年(丙午,一一二六)

1.六月六日,詔:「朝請郎、知揚州〔一〕葉焕於政和八年曾進繼明集論〔二〕,言嫡長建儲之意,兼聞其人明爽有詞學,可召赴闕,量才擢用。」焕先於宣和四年四日〔三〕上繼明集論總六十五卷,時焕權

發遣興元府，以狂妄犯分送吏部，與監當，至是召用。以上續國朝會要

〔一〕揚州　「揚」原作「楊」。

〔二〕繼明集論　按宋史卷二〇八、靖康要録卷六作「繼明集」。

〔三〕四年四日　疑爲「四年四月」。

高宗建炎四年（庚戌，一一三〇）

1. 六月二日，詔：「令婺州於進士李季處取索所獻編次傳習異書，選見任官一員，官給紙劄謄寫。即令所委官同李季點對申送前來，内李季日給食錢一貫。」

2. 七月二十九日，禮部尚書謝克家等言：「伏見故翰林學士范祖禹所著唐鑑既已進，及仁皇訓典、帝書〔一〕二書有益治道，可備睿覽。今祖禹之子、前宗正少卿冲，寓居衢州，望下本州，給以筆劄，令冲勘讀投進。」從之。

〔一〕帝書　直齋書録解題卷九、宋史卷二三及一五八著録范祖禹帝學八卷，此「帝書」，疑是「帝學」之誤。

紹興元年（辛亥，一一三一）

1. 六月三日，詔明州慈溪縣丞諸葛行言上家藏國朝訓典〔一〕等書，特補行言兄行仁將仕郎。初行

言先以其書投獻，與轉兩官，而行言自陳此書皆係父兄自年褒集〔二〕，乞將轉官恩改授兄行仁一官，庶幾得以自安，特從其請。

〔一〕國朝訓典　原作「國朝典訓」，據繫年要録卷四五紹興元年六月戊辰條、玉海卷四九改。

〔二〕褒集　疑是「裒集」。

2. 七月七日，監行在都進奏院章倣上歐陽修纂太常因革禮一百卷〔一〕，詔降付太常寺，仍令秘書省逐旋借本校勘抄録，藏于本省。

〔一〕一百卷　原脱「卷」字，據玉海卷六九、群書考索・前集卷二三補。

3. 九月十九日，秘書少監程俱上所編麟臺故事五卷，詔送秘書省。

4. 二十一日，進呈次，富直柔曰：「近張沖等進太乞光照辯誤歸正論十首，送趙公竑看詳。」上曰：「其書可用否？」秦檜曰：「臣素不習其書。」上曰：「朕從來不好問占卜術數，此皆無益於治，要當修人事以承天命耳。」直柔曰：「人主造命，固不當問命。」上曰：「極是。」

三年（癸丑，一一三三）

1. 六月九日，大理卿李與權言：「嘗歷考典籍，凡聖賢所以立言垂訓，與夫往昔君臣刻意庶獄之事，斷章取義，類聚條分，凡三百事，列十門，總爲一書，名曰士師龜總，寫成五册，望賜宣取。」詔令與權別録副本繳申尚書省。

四年（甲寅，一一三四）

1. 九月六日，詔史館校勘鄧名世以所著春秋四譜〔一〕六卷、辨論譜説十篇、古今姓氏書辨證四十〔二〕卷來上，賜進士出身。

〔一〕春秋四譜　原脱「四」字，據玉海卷四〇、卷五〇及宋史卷二〇二藝文一補。

〔二〕四十　原作「十四」，據玉海卷五〇、直齋書録解題卷八及宋史卷二〇四藝文三改。

五年（乙卯，一一三五）

1. 四月一日，詔：「徽猷閣待制、提舉江州太平觀胡安國，經筵舊臣，令以所著春秋傳纂述成書進入，以稱朕崇儒重道之意。」十年三月書成來上，降詔獎諭，既而推恩〔一〕除寶文閣直學士，仍賜銀絹三百匹兩。

〔一〕推恩　原作「摧恩」。

2.六月三日，起居郎兼侍講朱震言：「故龍圖閣直學士、左朝請大夫致仕楊時〔一〕，學有淵源，行無瑕玷，嘗著三經義辨，有益於學，日者，許令本家進入。詔旨方頒，時已淪謝，恐此書遂致散落，誠爲可惜，望下南劍州取索抄録投進。」從之。至紹興十年，時子適止以父解中庸篇及論語義來上，與適陞等差遣。

〔一〕左朝請大夫致仕楊時　「致仕」原作「到仕」，據宋史卷四二八楊時傳改。

3.七月八日，衢州進士毛邦彦獻春秋正義，詔賜絹三十匹。

六年（丙辰，一一三六）

1.二月六日，詔迪功郎林儵以纂述易書〔一〕來上，特循兩資，與堂除差遣。

〔一〕易書　宋史卷二〇二藝文一著録「林儵易説十二卷」。

2.三月六日，江南西路安撫制置大使兼知洪州李綱上靖康間編修到奉迎録，詔送史館。

3.五月十二日，左朝請大夫、充秘閣修撰、提舉臨安府洞霄宮林虡以先臣希元豐中所修寶訓副本繕寫〔一〕來上，詔送史館。

〔一〕繕寫　「繕」原作「善」。

4. 二十四日，成忠郎李沆以高祖文易所編皇宋大典三卷來上，詔其書送祕書省，李沆與轉一官。

5. 八月三日〔一〕，中書門下省言，右中奉大夫直寶文閣曾紆男、右通直郎惇，親賫祖布所著三朝正論真蹟〔二〕投進，已送史館。緣曾紆身故，詔惇與轉一官，仍令户部支賜銀絹一百匹兩。

〔一〕八月三日　玉海卷六二作「五年四月庚午」。

〔二〕三朝正論真蹟　「真」原作「直」。

6. 六日，翰林學士、知制誥、兼侍讀、兼資善堂翊善朱震言：「奉詔看詳文旦春秋要義，及校正崔岩上祖先子方著述春秋經解，乞與推恩。」詔文旦轉一官，岩補上州文學。

7. 十九日，詔：「前國學生馮邦傑所進注孫子，文詳意備，實見用心，可賜絹二十疋。」

8. 九月二十七日，中書舍人、兼直學士院、兼侍講〔一〕陳與義言：「看詳進士何疇進孫子解全，備見其用心，粗可觀覽。又成忠郎徐衡進諸葛武侯書，觀其文理，恐是後人附託，非亮之書，或可存之，以備廣覽。」詔何疇、徐衡並令户部賜束帛。

〔一〕侍講　原作「侍請」。

七年（丁巳，一一三七）

1. 二月〔一〕二十一日，詔：「林保所獻中興龜鑑，頗有可採，可特賜紫章服，其書令進入。」

〔一〕二月　玉海卷五五作「三月」。

2. 七月十二日，左朝請大夫、充徽猷閣待制邵溥上先臣伯温所著辨誣，詔送史館。

3. 閏十月三日，詔：「江浚明獻陣圖策〔一〕，頗有可採，賜絹十疋。」

〔一〕陣圖策　繫年要録卷一一六紹興七年閏十月辛酉條作「陣圖」。

4. 十一月二十三日，詔右迪功郎李時雨上玉壘忠書，文采議論俱有可采，可循一資〔一〕。

〔一〕循一資　繫年要録卷一一七紹興七年十一月辛亥條作「循二資」。

5. 八月二十三日，夔州州學教授李昌言，請獻所撰要覽，見在本任。詔令本州取索，實封以進。

6. 四月十五日，翰林學士、知制誥、兼侍讀、兼資善堂翊善朱震言：「奉詔看詳布衣王𢍰孝經解義，推廣孝弟，言有可采。」詔賜絹三十疋。

7. 五月六日，詔布衣柴宗愈上中興聖統〔一〕，博采傳記，次序詳明，其言有補，與免文解一次。

〔一〕中興聖統　「中」原作「忠」。

8. 六月五日，知簡州李授之上所著易解，詔送秘書省，授之與除直秘閣。

九年（己未，一一三九）

1. 正月一日，詔左朝奉郎、新差通判閬州勾龍庭實，編類春秋三傳至十七史，共二十部，令臨安府給紙劄繕寫以進。

2. 十五日，右承事郎、主管台州崇道觀王銍以編集哲宗皇帝元祐八年補録及七朝國史來上，詔特轉一官。

十年（庚申，一一四〇）

1.正月二十九日，詔歐陽安永上祖宗英睿龜鑑〔一〕，令户部賜束帛，仍令秘書省録本進入。

〔一〕祖宗英睿龜鑑　原作「祖宗龜鑑」，據玉海卷四九、群書考索·前集卷一七改。

2.七月一日，左奉議郎、試中書舍人王鈇言：「左朝請大夫鄧郃獻稽古武備集，看詳所獻文字，援引該貫，備見用心。」詔郃與陞等〔一〕差遣。

〔一〕郃與陞等　「郃」原作「剖」，據本條上文改。

3.十月十六日，樞密都承旨周聿言，泉州進士王文獻注解司馬濃二萬餘言，用心精專，頗有文理，其間時有舛誤。詔文獻特與免解一次。

4.十二月十日，國子監言，國學永免解進士程全一進孝經解，發明經意，有足觀采，詔與差充太學職事。

十一年（辛酉，一一四一）

1.六月十五日，詔撫州布衣吴曾進春秋左氏傳發揮等書，據立議證多有可觀，特與補右迪功郎。

2. 十一月二十七日，詔布衣林獨秀所進孝經指解，釋義雖不盡明，而文理稍通，令户部倍賜束帛。

十二年（壬戌，一一四二）

1. 十二月二日，詔進士董自任所上春秋總鑑委有可采，與永免文解，差充太學職事，其書送秘書省録本進入。

十三年（癸亥，一一四三）

1. 正月二十四日，秘書省言，看詳左朝散大夫、主管台州崇道觀王普所進先臣賓講論語口義，義論純正，有補治道。詔送史館。

2. 閏四月二十一日，進士蔡直方撰到椒通覽二册，與永免文解。

3. 五月十一日，中書後省言，看詳左迪功郎何俌〔一〕上中興龜鑑，學術通明，議論純粹，觀其所陳，有補治道。詔與轉一官。

〔一〕何俌 「俌」原作「補」，據繫年要録卷一四九紹興十三年五月丁卯條、玉海卷五五紹興中興龜鑑改。

4. 八月二十三日，詔湖南路安撫司參議官王銍上太玄經解義〔一〕等，令户部賜銀三百兩，其後又進祖宗八朝聖孝通紀論語，轉一官。

〔一〕太玄經解義　「玄」原避宋諱作「元」，據漢書卷八七楊雄傳、隋書卷三四經籍三改。

5. 九月十八日，衢州布衣柴翼〔一〕上春秋尊王聚斷，上謂輔臣曰：「柴翼所進春秋，止是編成門類，後立説甚無意思。朕以爲大率説經，不可遠三綱五常之道，若好立異，便須穿鑿，不足道也。」

〔一〕柴翼　繫年要録卷一五〇紹興十三年九月辛未條作「柴翼益」。

十四年（甲子，一一四四）

1. 十二月十三日，左朝奉郎、知榮州〔一〕楊朴進禮部韻括遺，詔轉一官。

〔一〕知榮州　繫年要録卷一五二紹興十四年十二月己丑條作「知資州」。

十五年（乙丑，一一四五）

1. 十月二十七日，詔貴州文學劉翔所進易解，通達經旨，與教授差遣。

十六年（丙寅，一一四六）

1. 三月八日，上謂輔臣曰：「近日〔一〕鄭邦哲投進左氏韻類，却曾留心，宜薄有以旌賞之。」詔邦哲與轉一官。

〔一〕近日 「近」原作「進」。

2. 二十二日，處州學生耿世南以編類徽宗朝詔、誥、宰執以下詞章來上，賜絹二十疋。

3. 四月十七日，左奉議郎郭伸上所著易解，上因宣諭輔臣曰：「易象深微，極難窮究，近時學者皆蹈襲前人之説，大率須有自得之學，仍不穿鑿，始可謂之通經。郭伸議論亦粗通，可略加旌勸。」於是詔伸與轉一官。

4. 七月四日，饒州進士董凌〔一〕上編集徽宗皇帝御筆手詔兩册，賜絹二十匹。

〔一〕董凌 「凌」玉海卷六四作「陵」。

5. 八月二十四日，左奉議郎、守監察御史王鐩以編述戚里元龜來上，詔與轉一官。

6.九月六日，祕書省、國子監言，撫州布衣吴澥進宇内辨、歷代疆域志各十卷，寡見論、責實論各二卷，謹始論五卷。又撫州布衣吴沆進易璇璣、三墳訓義各三卷，群經正論四卷，文理皆有可采〔一〕，内易璇璣犯仁宗皇帝舊名。詔吴沆爲犯廟諱，吴澥與永免文解。

〔一〕文理皆有可采　「理」原作「里」，據玉海卷三七改。

十七年（丁卯，一一四七）

1.四月十七日，上謂秦檜曰：「近覽迪功郎吴適所進大衍圖，辨證易中差誤，可令秘書省看詳，如委有可採，卿更詢審其人，當處以庠序之職。」

十八年（戊辰，一一四八）

1.二月十七日，權給事中韋壽成言，看詳福州進士陳夢協進十七史蒙求，文理可採。上宣諭曰：「所進蒙求昨日降出，可令有司加賜束帛，以爲奬勸。」

二十五年（乙亥，一一五五）

1.十月二日，右朝請郎張永年以故父闟文集來上，詔永年除直秘閣。

二十七年（丁丑，一一五七）

1. 五月二日，故左朝散大夫洪興祖男葳，以父興祖先嘗編纂徽宗皇帝御集七十二卷上之，已降付史館，未蒙推恩，詔興祖特贈直敷文閣。

2. 九月，祕書省同學官看詳興化軍免解進士彭與上所撰周易義解一十册、神授易圖四册、太極歌一册、易證詩一册、義文圖貳軸，潛心象數，多所發明，訓釋卦爻，辭義淹貫。詔與補上州文學，仍特許免解令赴省試。

二十九年（己卯，一一五九）

1. 七月十七日，國史院言：「知成都府雙流縣李燾申，有皇朝公卿百官表一百一十二卷，内九十卷係私自編纂，乞下所屬給筆劄雇工抄録。欲從朝廷下本路漕司借本抄録赴院，以備參照。」從之。

三十年（庚辰，一一六〇）

1. 三月七日，免解進士宋大明上周易解，給事中王晞亮看詳，文理簡當，極有可采。詔大明該今次

特奏名殿試，候唱名日與陞等。以上中興會要

孝宗隆興二年（甲申，一一六四）

1．十月三日，右朝請郎、直龍圖閣、權發遣兩浙路計度轉運副使朱夏卿狀，先父觀文殿大學士，左光禄大夫致仕勝非，手録渡江、復辟事迹〔一〕各一帙，乞令本家繕寫投進〔二〕。詔從之。

〔一〕渡江、復辟事迹　按通考卷一九七著録渡江遭變録一卷、建炎復辟記一卷。又，原本「事」下衍一「事」字。

〔二〕繕寫投進　「繕」原作「善」。

乾道二年（丙戌，一一六六）

1．六月四日，詔尚書兵部員外郎張行成以疾丐外，兼進易可采，除直徽猷閣知潼川府。

三年（丁亥，一一六七）

1．八月二十九日，詔給劄付左朝散郎李燾抄録所著續資治通鑑太宗已後文字。四川制置汪應辰劄子：「竊見左朝散郎李燾所著續資治通鑑〔一〕，自建隆迄元符〔二〕悉已成書，於實録正史之外，凡傳記小説采摭殆盡，考其異同，定其疑謬，精密切當，皆有依據。其太祖一朝編年已經投進，蒙付國史

日曆所〔三〕外，所有太宗已後文字，伏乞朝廷給劄付本官抄録，發送秘書省校勘，藏之秘閣。」故詔從之。

〔一〕續資治通鑑　「鑑」原作「監」，據本條上文及原書崇儒四之一四改。
〔二〕自建隆迄元符　「迄」原誤作「乞」。
〔三〕日曆所　「曆」原誤作「歷」。

四年（戊子，一一六八）

1. 五月一日，詔尚書禮部員外郎李燾進續資治通鑑長編一百八卷，纂述有勞，特轉兩官。先是燾奏得旨〔一〕依敷文閣直學士汪應辰奏，取所著續通鑑長編自建隆〔二〕迄元符，令有司繕寫校勘，藏於秘閣。燾面奉聖旨令投進，今先寫成五朝事迹，起建隆元年至治平四年閏三月，計一百八年〔三〕共一百八卷，宰執進呈。故有是命。

〔一〕燾奏得旨　「燾」原作「壽」，據本條上文及玉海卷四七、通考卷一九三改。
〔二〕建隆　原作「建炎」，據同上書改。
〔三〕一百八年　原作「一百八十年」，據同上書改。

六年（庚寅，一一七〇）

1. 三月二日，詔降下續資治通鑑長編一百七十六册，并資治通鑑一册付秘書省，令依通鑑紙樣及字樣大小繕寫續通鑑長編一部，仍將李燾銜位於卷首，依司馬光銜位書寫，限日近進納」。

七年（辛卯，一一七〇）

1. 九月二十一日，詔故廣南東路轉運判官王梁材孫衛卿進崇寧以來手詔一十六册，并編録詔旨寬恤文字七册，與免解一次。

2. 十二月三日，詔右修職郎處州龍泉縣丞方擬録進徽宗皇帝御筆手詔等六十三項，與減二年磨勘比類施行。從國史院請也。

八年（壬辰，一一七二）

1. 六月二日，詔右修職郎、監臨安府都鹽倉李丙所録到丁未録一百册，計二百卷，淹貫該博，用功甚多，特轉右承事郎。

九年（癸巳，一一七三）

1.閏正月二十三日，敷文閣直學士〔一〕、左通直郎、提舉江州太平興國宫胡銓言：「昨奉聖訓，令臣所解諸經，可繕寫進來。今先次繕寫到周易、周禮、禮記、春秋四經解，未敢擅便投進。」詔令投進。

〔一〕敷文閣直學士 「士」字原脱，據玉海卷四二補。

2.二月二日，故尚書刑部侍郎程振孫、饒州鄉貢進士邵，進故祖存日聞見抄寫崇寧以來詔旨等文字，謄録成二十册，并御製御書通計一百一十三件，詔與補下州文學。以上乾道會要

淳熙元年（甲午，一一七四）

1.五月二十九日，明州進士沈悫上海東三國史記五十卷，詔與免文解一次，仍賜銀絹一百匹兩，其書付秘閣〔一〕。

〔一〕「詔與免文解」以下原作小字注文。

三年（丙申，一一七六）

1.正月二十日，監臨安府糧料院錢閔上父周材所著毛詩解一部，候詔任滿日〔一〕與堂除差遣一

次。

〔一〕候詔任滿日　疑是「詔候任滿日」。又此下原作小字注文。

2.五月十六日，知資州馮震上其父轓建炎初被蒙〔一〕太上皇帝御筆一軸，詔付國史日曆所〔二〕。

〔一〕被蒙　原作「被夢」。

〔二〕日曆所　「曆」原作「歷」。

3.十月八日，通判潭州潘燾進裒集〔一〕到祖宗以來因革法令并修法樞要，詔與轉一官〔二〕。

〔一〕裒集　原作「褒集」。

〔二〕「詔與轉一官」原作小字注文。

四年（丁酉，一一七七）

1.七月九日，權刑部侍郎程大昌〔一〕上所著禹貢論五十二篇、後論八篇，詔付秘閣。

〔一〕程大昌　「大」原作「太」，據宋史卷四三三本傳改。

五年（戊戌，一一七八）

1. 六月九日，軍器少監張珖上所著論語拾遺〔一〕二十篇，詔付秘閣。

〔一〕論語拾遺　「拾遺」原作「捨遺」，據玉海卷四一改。

六年（己亥，一一七九）

1. 八月八日，新知池州王日休上所撰九兵總要三百四十卷。詔與轉一官，添差沿海制置司參議官。先是，日休投進九兵總要二十卷，降付中書後省國史院，看詳可采，令寧國府給札録寫，以書來上，故有是命。

八年（辛丑，一一八一）

1. 六月七日，知劍州王章上聖朝赦令德音一部，詔送秘閣。自建隆開國，止崇寧五年。

2. 八月五日，知閬州吕凝之上易書四十卷。上謂輔臣曰：「卿等更細看其書如何。」周必大奏曰：「此雍之學，蜀人張行成嘗推衍之，乾道中陛下曾召行成爲兵部郎官。凝之必講學於行成。」上曰：「行成所著頗畧。」必大奏曰：「凝之能逐年配以卦爻，所以加密。」上曰：「可與寺監丞差

遺。」

十年（癸丑，一一八三）

1. 六月二十二日，知潭州林栗奏所著春秋經傳集解，乞下所屬給筆劄繕寫投進。從之。十一年十二月四日進春秋經傳集解三十二卷，詔特轉一官，其書付祕書省。

十一年（甲辰，一一八四）

1. 十二月四日，知台州熊克進九朝通畧六十册〔一〕，詔特轉一官，其書付秘書省〔二〕。

〔一〕九朝通略六十册　按玉海卷四七淳熙九朝通略條作「一百六十八卷，一百册」，直齋書録解題卷四著録「九朝通略一百六十八卷」，與玉海同。

〔二〕「詔特轉一官」以下原爲小字注文。

十二年（乙巳，一一八五）

1. 二月一日，迪功郎任清叟進曾祖伯雨所撰春秋繹聖傳，詔付秘書省。

2.四月二十六日〔一〕，知潭州林栗進周易經傳集解三十二卷，繫辭上下二卷，文言、說卦序雜本文共爲一卷，河圖洛書、八卦、九疇、太衍總會圖、六十四卦立成圖、大衍揲著解共爲一卷，總三十六册。詔付秘書令學士院降敕書獎諭〔二〕。

〔一〕按此條原在「十一年十二月四日」條前，現按時間順序後置。

〔二〕「詔付秘書」以下原作小字注文。

3.十月二十一日，權發遣江陰軍胡介進父世將措畫川峽邊防戰守錢糧奏議三十卷，詔付史館。

十三年（丙午，一一八六）

1.正月一日，知福州趙汝愚言：「臣嘗備數三館，獲觀秘府四庫所藏及累朝史氏所載忠臣良士便宜奏章，論議明切，私竊忻慕，收拾編綴，殆千餘卷，因事爲目，以類分次，去其復重與不合者，猶餘數百卷，釐爲百餘門，始自建隆迄於靖康，推尋歲月，粗見本末。欲更於其間擇其至精至要尤切於治道者，每繕寫成十卷即作一次投進，伏望時於間燕深賜攷詳，庶因藥石之規，能致涓塵之益。」從之。其書一百五十卷，目録五卷。

2.三月五日，宰執進呈鄭大中進父建德所著漢規，上曰：「建德雖甚能文〔一〕，議論可采，可付秘書省，大中與免文解。」

〔一〕建德雖甚能文　「雖」疑是衍字。

3. 八月二十六日，詔新知龍州王稱所進東都事畧一百三十卷，計四十册，目録一册，付國史院。既而十四年三月十八日，翰林學士、兼侍講、兼修國史洪邁奏：「國家史册雖本於金櫃石室之藏，然天下遺文軼事散落人間，實賴山林博洽之氏廣記備言，上送有司以爲汗青之助。臣比承乏四朝史院，甑歲引日，僅能奏篇，既蒙聖恩，哀進崇秩，於此有人焉，嘗施功緒，卓然成勢，敢以姓名冒開宸扆。龔敦頤者，和州布衣也，其曾祖原，昔爲泰陵實録院官，故其家藏書〔一〕。念元祐黨籍諸臣及建中上書邪等〔二〕人表表名節，經崇寧禁錮，靖康流離，子孫不能盡存，平生施爲，漫不可考，故慨然屬意訪求闕遺，遂成列傳譜述一百卷，凡名在兩籍者三百九人，而書於編者三百五人，其不可得而詳者四人而已。王稱之父賞在紹興中亦爲實録修撰，稱承其緒餘，刻意史學，斷自太祖至於欽宗，上下九朝，爲東都事畧一百三十卷，其非國史所載而得之於旁搜者居十之一，皆信而有證，可以據依。臣之成書，實於二者有賴。敦頤舉進士不第，今爲不理選限登仕郎，稱今以承議郎差知龍州。欲望鑒二人鉛槧之勤，特加甄録，以爲學士大夫之勸。」詔王稱除直秘閣，龔敦頤特補與上州文學。

〔一〕「故其家藏書」　此下疑有脱漏。

〔二〕邪等　「邪」原作「雅」。按宋史卷四七二蔡京傳：「元符末以日食求言，言者多及熙寧、紹聖之政，則又籍范柔中以下爲邪等。」同書卷一九徽宗紀一：「詔中書籍元符三年臣僚章疏姓名爲正上、正中、正下三等，邪上、邪中、邪下三等。」今據改。

十四年（丁未，一一八七）

1.九月十七日，荆湖北路提點刑獄公事朱佺進伯父長文所著春秋通志十一册〔一〕，詔付秘書省。

〔一〕十一册　玉海卷四〇作「十册」。

十五年（戊申，一一八八）

1.三月八日，右諫議大夫謝諤進編集孝史五十卷，并序及目録共一十一册，詔付秘書省。

2.七月二十五日，中書後省言，看詳鄭鈞所進欽天要畧，編次有倫，其間評論切於事理，委有可采。詔鄭鈞循文林郎與近闕教授差遣。鈞任從政郎、前明州州學教授，采摭祖宗欽天事實裒類〔一〕爲書，名曰欽天要畧，總十有二門，析爲二十五卷上之。

〔一〕裒類　原作「褒類」。

十六年（己酉，一一八九）

1.正月二十三日，太傅史浩進尚書講議二十二卷，詔付秘書省。以上孝宗會要

紹熙三年(壬子,一一九二)

1.十一月二十四日,顯謨閣學士、通議大夫韓彦直上水心鏡一百六十七卷,詔彦直與轉兩官,其書宣付史館。以上光宗會要

本門點校者 鍾劍麟
審訂者 王雲海

説書除職　講書賜予

影印本崇儒五之四四

景祐元年（甲戌，一〇三四）

1. 五月六日，殿中丞楊中和言：「念臣九經第一名及第，今差知温州平陽縣，夙專講誦，政事非長，欲乞依舊在監説書。」詔充國子監説書。

嘉祐六年（辛丑，一〇六一）

1. 九月十三日，賜大名府國子監講書進士馬章絹十匹、米麥各十碩。

本門點校者　鐘劍麟

審訂者　王雲海

御製

影印本崇儒六之一至三
大典卷一三五八五

真宗天禧四年(庚申,一〇二〇)

1. 十一月壬戌,詔從丁謂等請,作天章閣奉安御集。十一月,中書言:「聖製已約分部帙,望命内臣規度。禁中嚴浄之所,别創殿閣緘藏。」從之。又出御製七百二十二卷付之宰相。十二月,輔臣以御書、御製共二卷進呈,皆帝親筆及親作草本。詔藏御集閣以天章爲名。

2. 十二月乙巳[一],興工。五年三月戊戌,閣成。五年二月,修天章閣功畢。庚子,有司具兩街僧道威儀、教坊作樂,奉御書自玉清昭應宫安於天章閣。

[一]十二月乙巳 「乙巳」原誤作「巳巳」,據玉海卷二八、長編卷九六天禧四年十二月乙巳條改。

3. 四月,召近臣、館閣、三司、京府官觀御書、御集于閣下,遂宴於羣玉殿。時輔臣集御製三百卷,又取至道元年四月訖大中祥符歲中書、樞密院時政記[二],史館日曆、起居注善美之事,録爲聖政紀,凡百五十卷,並命工鏤板。又以御書石本爲九十編,命中使岑守素等主其事,至是畢功焉。五年四月,詔以御書石本爲九十編，藏天章閣。閣在真宗時未嘗建官，至仁宗天聖八年十月，初置待制〔二〕，命范諷、鞠詠充職。景祐四年，增置侍講，以賈昌朝、趙希言、王宗道等爲之。慶曆七年，又置學士、直學士。仁宗于乾興元年八月辛亥，賜輔臣先帝御集三百卷，釋奠文集一部，清景殿詩二卷，三惑論并欹器論、天童經各一册，聖政紀畧一百五十卷。

〔一〕時政記　「政」原作「正」。

〔二〕置待制　「制」字原脱，據長編卷一〇九天聖八年十月壬寅條補。

4. 真宗宴後苑，作釣魚詩賜吕蒙正。〔一〕

〔一〕此條下原有與本條重出文字，今删去。

淳熙元年（甲午，一一七四）

1. 六月，召上天竺寺僧若訥講法華經，有御批問答類成一書，詔以大乘妙法蓮華經釋義爲名。

2. 九月十八日，幸玉津園宴射。賦七言詩，賜宰臣曾懷以下。預宴臣僚，賡和以進。

二年（乙未，一一七五）

1. 五月十日，御製詩一首賜新進士詹騤以下。詳見進士。

三年（丙申，一一七六）

1. 六月一日，御製詩書扇賜集英殿修撰、主管祐神觀張子仁。

四年（丁酉，一一七七）

1. 二月一日，御製改幸學。詔賜吏部侍郎兼直學士院周必大。

2. 三月一日，御製妙堂詩賜淮東提舉吴琚。

3. 十月一日，御製詩一篇賜少保史浩。以浩潛藩舊學，賜宴内苑，乃命宿于玉堂。翌日，有詩來上，因俯同其韵，復以賜之。

五年（戊戌，一一七八）

1. 十月二十一日，御製秋日幸秘閣觀圖書宴群臣近體詩一首，賜右丞相史浩以下。群臣咸皆賡和也。

六年（己亥，一一七九）

1. 六月四日，御製詩賜明州觀察使、提舉萬壽觀張子仁。

2. 十一月一日，宰臣趙雄等奏，欲就堂中請侍從宣示御製文字。上曰：「甚好。」雄等奏：「前日恭覩宸翰，不勝戰慄。」上曰：「此論欲戒飭臣下趋事赴功而已，豈爲卿等耶！邇來年穀屢豐，雨暘時若，中外晏然，皆卿等贊襄之力。」雄等奏：「孔子有言，迅雷風烈必變。夫迅雷不爲孔子設明矣。而孔子所以必變者，敬天之威故也。陛下訓教如此，何啻迅雷。臣等及中外小大之臣，無不震懼。」先是，上著論數百言，欲革取士用人之弊。論及誅賞，宣示從臣。故有此奏。

七年（庚子，一一八〇）

1. 五月一日，御製狠石銘跋，賜右丞相趙雄等。

八年（辛丑，一一八一）

1. 八月十一日，御製詩賜丞相史浩。以浩屢上丐歸之請，留之不可，於其行也，錫燕以賜之。

十年（癸卯，一一八三）

1. 二月十一日，御注圓覺經一部，賜徑山能仁禪寺僧寶印。淳熙十一年二月二十九日，一部二卷賜上天竺僧若訥〔一〕、慧持。

〔一〕上天竺僧若訥　「天」字原脱，「訥」原作「納」，據上文淳熙元年六月條補改。

十一年（甲辰，一一八四）

1. 四月二十五日，御製送行詩賜太保史浩。

2. 十一月一日，宰執奏事，謝賜太上稽山詩石刻。上曰：「太上詩規模宏大，所以賜卿者，正欲仰體太上之意，如『屬意種蠡臣』之句。」

十五年（戊申，一一八八）

1. 六月二十九日，詔寔録院，依典故編高宗皇帝御製。詳此國史院〔一〕。

〔一〕詳此國史院　「此」疑爲「見」。

〔光宗〕淳熙十六年〔一〕（己酉，一一八九）

1. 九月二十三日，御贊頂相一軸，賜左右街僧録〔二〕若訥。

〔一〕按淳熙十六年二月，宋光宗已即位未改元。

〔二〕僧録　按「録」字原缺，據原書道釋一之二及本書第三五九頁淳熙十六年九月十八日條改。此條宜入道釋門。

紹熙元年（庚戌，一一九〇）

1. 四月二日，詔高宗芝草贊、隆興御製芝草詩、壽皇芝草贊、紹熙御製芝草詩共四本宣付史館。

2. 五月十五日，賜聞喜宴于禮部貢院。是日，賜新及第進士余復以下御製詩一首。

三年(壬子，一一九二)

1. 十二月二日，御製御書至尊壽皇聖帝聖政序。

四年(癸丑，一一九三)

1. 五月二十三日，賜聞喜宴于禮部貢院。是日，賜新及第進士陳亮以下御製詩一首。

本門點校者 胡建華
審訂者 王雲海

御書

影印本崇儒六之四至二四
大典卷一七五三

淳化四年（癸巳，九九三）

1. 四月丙戌〔一〕，内出御八分書〔二〕千字文，賜宰臣、樞密使已下各一軸。

〔一〕四月丙戌 「四月丙戌」原脱，據玉海卷三三補。
〔二〕内出御八分書 「御」字原脱，「八」原作「分」，據玉海卷三三改。

五年（甲午，九九四）

1. 十一月〔一〕，賜近臣飛白書各一軸，别賜參知政事寇準飛白草書十八軸。先是，宰臣吕蒙正等皆以賜得，時準出使在外，至是始及焉。

〔一〕十一月 「一」字原脱，據長編卷三六淳化五年十一月丙辰條及玉海卷三三補。

至道元年（乙未，九九五）

1. 六月〔一〕，太宗草書經史故事三十紙，詔翰林侍讀吕文仲一一讀之。因遣刻石以數百本并列秘閣官吏姓名，付内侍裴愈，令於江東名山福地、道宫佛廟〔二〕各藏一本〔三〕，或高逸不仕、敦樸有行爲州里所稱者，亦分賜之。

〔一〕六月　「六月」原脱，據玉海卷三三及長編卷三八至道元年六月乙酉條補。
〔二〕道宫佛廟　「佛」字原脱，據玉海卷三三及長編卷三八補。
〔三〕各藏一本　「一本」，玉海卷三三作「三五本」，長編卷三八作「數本」。

二年（丙申，九九六）

1. 六月，出飛白書二十軸，賜宰相吕端等，人五軸。又以四十軸藏於秘閣，字皆方圓數尺。端等相率詣便殿稱謝。帝謂之曰：「飛白依小草書體，與隸書不同〔一〕。朕君臨天下，復何事於筆硯。但中心好之，不能輕弃，歲月既久，遂盡其法。然小草書字學難究，飛白筆勢罕工，朕習此書，使不廢絶耳。」

〔一〕與隸書不同　「書」字原脱，據長編卷四〇至道二年六月甲戌條補。

三年（丁酉，九九七）

1. 六月，真宗謂宰臣曰：「先帝多能，尤於筆法精妙，盡得諸家之體。所有御筆墨跡遍賜天下名山勝境，用垂不朽。」

真宗大中祥符〔一〕二年（己酉，一〇〇九）

1. 十一月，真宗以太宗鏤文紅管供御筆十有二管分賜宰臣王旦以下。因謂旦等曰：「先帝聽政之暇，常以觀書及攻筆法爲意，每見諸家字體精妙，無不學者，學之必成。」旦等言：「先帝筆法神氣英異，非人臣所及。如侍書王著，有名於時，然望先帝甚遠。」帝曰：「王著於侍書待詔中，亦無其比焉。」知節言：「先帝奕碁甚妙，但聖人泛涉游藝，必至精絶，然終非所好。」帝曰：「先帝亦著碁格勢，朕頃在宫中侍先帝，嘗見學鍾繇書，或自夙興，常手不釋卷。」

〔一〕大中祥符 「祥」字原誤作「詳」，據長編卷七二大中祥符二年十一月甲寅條及玉海卷三三改。

五年（壬子，一〇一二）

1. 十一月，内出太宗御集及御書法帖總三百三十六卷〔二〕示輔臣曰：「太宗嗜學〔三〕實由天縱，屬思援翰〔三〕，心極精妙。朕孜孜尋訪，殆無遺者。四方以朕購求，所納者甚衆，然或因先朝賜其家寶

藏，即復付之。」王旦曰：「以文章化人成俗，實自太宗始也〔四〕。五代以來，筆札無體。鍾、王之法幾乎絶矣。太宗在南宮，留意翰墨，斷行片簡傳之於外，則争求之，實爲楷法。自是學者書體丕變，實聖教所致。」帝曰：「太宗所用筆亦與人間不同。」顧向敏中、丁謂曰：「卿等未嘗見。」咸再拜陳乞。翌日，命賜之，人一雙。太宗御草孝經一卷刻石在秘閣，贊後法帖十二卷，小字法帖一卷，古詩一卷，倣鍾繇書一卷，草書筆法一卷，草書故事簇子七軸，草書雜時簇子十七軸，草書勑字簇子一軸，草書急就草一卷，草書千字文一卷，顛草書一卷，八分書故事一卷，八分千字文一卷，飛白書簇子二軸，著飛白書雜詩二軸，飛白書大字簇子二軸，帝字一軸，佛字四體書一卷，五體書一卷，三般大字簇子一軸，已上刻石在御書院。墨跡雜書四千八百九十四卷册：八百七十八卷御製，四千一十六卷册古詩、故事、藥方、墨跡。雜書簇子一千六百七十一卷，墨跡雜書扇百三十六柄，刻石雜書八百一十八卷，御製七百九十三卷，古詩、故事、刻石雜書簇子四百五十二軸，已上分藏於龍圖閣、太清樓、秘閣、御書院及内中。御製御書逍遥詠十一卷，緣識五卷，秘閣銓三十卷，秘藏詮禪樞要三卷，蓮花心經迴文偈頌三十卷，心輪圖一軸，注金剛經宣演一部，已上並印本隨大藏經頒行。副本百三十三部，總千九百四十四卷，並印本文集中録出歌詩、文賦，別行三百七十六卷，並印本刻石雜書三百四十七軸，刻石雜書簇子七百五十三軸，已上賜天下名山寺觀并中外臣僚及兖州至聖文宣王廟。

〔一〕三百三十六卷　「三百三十六」長編卷七九大中祥符五年十一月丙辰條作「三百六十」。
〔二〕太宗嗜學　「學」字原脱，據玉海卷二八補。
〔三〕屬思援翰　「援」字原誤作「授」，據玉海卷二八及群書考索・前集卷一八改。
〔四〕實自太宗始也　「實」字原誤作「青」，據長編卷七九改。

天禧五年（辛酉，一〇二一）

1. 二月，召輔臣觀御書于龍圖閣。

2. 四月，詔以御書石本爲九十編，藏天章閣。

乾興元年（壬戌，一〇二二）

1. 三月，仁宗遣内侍至中書，賜御書飛白字一軸。仁宗因至真宗靈位之側閲視，有飛白書筆，其筆以木皮爲之。遂取試書數字，帝素亦未嘗攻此書，偶兹閲試，而筆力遒健有如夙習〔一〕，尋命置其書於真宗靈御前，以申哀慕，及分賜執政近臣。是後書法益精，屢賜近臣。

〔一〕而筆力遒健有如夙習　「遒」原誤作「遇」，「如」原誤作「知」，據長編卷九八乾興元年三月丙子條及玉海卷三四改。

仁宗天聖三年（乙丑，一〇二五）

1. 四月，遣内侍以御書飛白書各一十軸賜宰臣〔一〕，宸翰猶逸，筆勢有法，飛白書尤爲精妙，至是命工模刻以賜之。

〔一〕以御書飛白書各一十軸賜宰臣　按長編卷一〇三天聖三年四月己未條作「賜輔臣御飛白書十軸」，無「各」字。又本條「宰」下脱「臣」字，據補。

四年（丙寅，一〇二六）

1. 五月端午，遣内侍賜中書、樞密院〔一〕御書飛白扇子各一合。

〔一〕樞密院　「密」原誤作「蜜」。

五年（丁卯，一〇二七）

1. 九月，慈孝寺真宗御容殿成。帝親飛白書額曰崇真殿，宣示宰臣等。

寶元二年（己卯，一〇三九）

1. 十一月二日，遣内侍就輔臣第〔一〕賜御飛白書各一軸。次日，面謝再拜訖，宰臣等奏曰：「陛下萬機之煩，翰墨不倦，神筆奇奥，曠古未常有。」帝曰：「聽政之暇，無所用心，特以此爲樂爾。」

〔一〕遣内侍就輔臣第　「輔」原誤作「轉」。

康定元年（庚辰，一〇四〇）

1. 六月八日，内侍省押班趙永德上真宗御製御書、碑銘、歌詩三十三軸，詔領恩州刺史。永德在先朝嘗管勾御藥院也。

二年（辛巳，一〇四一）

1. 六月二十八日，以飛白書〔一〕文詞字賜端明殿學士、翰林侍讀學士李淑。淑出守許州〔二〕，爲飛白狀寶章記〔三〕，摹石州廨。

〔一〕以飛白書　「以」字原脱，據玉海卷三四補。
〔二〕淑出守許州　「守」字原脱，據玉海卷三四補。
〔三〕爲飛白狀寶章記　按玉海卷三四作「飛白寶章記」。

慶曆二年（壬午，一〇四二）

1. 正月，大相國寺新修寶奎殿，摹太宗〔一〕御書寺額於石，帝飛白題之，命宰臣呂夷簡撰記，章得

象篆額，樞密使晏殊撰御飛白書記。初，帝謂輔臣曰：「昨構一小殿禁中，而有司不諭朕意，過爲華麗，然不欲毁其成功，今大相國寺方構殿，藏太宗親書寺額，可遷致之。」因言：「朕内寢多以黄布爲茵褥。」宰相吕夷簡等對曰：「陛下孝以奉先，儉以率下，雖聖人之盛德孰加乎此。」帝曰：「此遇與卿等言及之〔二〕，非欲聞于外，恐其近名耳。」

〔一〕太宗　「太」字原誤作「大」，據長編卷一三五慶曆二年正月辛未條改。

〔二〕遇與卿等言及之　「遇」疑爲「偶」字。

四年（甲申，一〇四四）

1. 三月，帝御邇英閣，出親書十有三軸，凡三十五事：遵祖宗之訓，奉真考之業，念祖宗艱難，思真宗愛民，守信義，不巧詐，親碩學，精六藝，慎言語，待耆老〔一〕，崇静退，求忠直，慎貴驕，保勇將，尚儒術，議釋老，重良臣，廣視聽，功無迹，戒喜怒，明巧媚，杜希旨，從民欲，慎滿盈，傷暴露，哀鰥寡，訪屠釣，構遠圖，絶朋比，斥諂佞，察小忠，鑒迎合〔二〕，罪己爲民，損躬撫軍，求善使過。

〔一〕待耆老　「待」字，玉海卷三四作「敬」，長編卷一四七慶曆四年三月己卯條同此。

〔二〕鑒迎合　「迎」字原誤作「近」，據長編卷一四七、玉海卷三七改。

五年（乙酉，一〇四五）

1. 十二月，以寶相佛閣爲慈尊閣，飛白書榜賜之。鳳翔府上清太平宫，五臺山真容院、寶章閣，并州舍利閣、奉先資福院、觀音殿、妙法院、正覺殿洎景靈宫等處，神御殿榜，皆帝飛白。每賜，即先召侍臣觀焉。

六年（丙戌，一〇四六）

1. 八月，賜宰臣賈昌朝洎從臣御飛白書人一幅。

七年（丁亥，一〇四七）

1. 八月，御崇政殿〔一〕，召近臣觀御書真宗皇帝加謚位版。初，帝跪設位版訖，再拜，泣涕久之。又觀新作郊廟祭器。

〔一〕御崇政殿　「殿」字原脱，據長編卷一六一慶歷七年八月丙寅條補。

八年（戊子，一〇四八）

1. 九月，御延和殿，召輔臣觀御書。

皇祐元年（己丑，一〇四九）

1. 二月二日，廣濟軍都監李惟賢進二聖御書一軸。詔移曹州兵馬都監。

2. 三月十五日，飛白書「天性」字賜端明殿學士李淑。時帝以御書賜近臣，淑方侍養，遣使就第賜之。

3. 九月，迢近臣〔一〕、宗室及臺諫官、三司、開封府推判官、武臣刺史以上赴迎陽門觀先朝御書。是月，親篆「明堂」二字、飛白「明堂之門」四字。詔詞以藏宗正寺。

〔一〕迢近臣　「迢」字當作「召」。

三年（辛卯，一〇五一）

1. 五月，召輔臣、館閣、臺諫官觀書于御書院。

至和元年（甲午，一〇五四）

1. 九月二十一日，故知明州慈溪縣王利用妻張氏進先帝御書飛白一軸，乞男度一名目。詔王度與下班殿侍、三班差使。奏納先帝御書者多矣，不過賜以金帛，今以優命，非常制也。

二年（乙未，一〇五五）

1. 五月，詔開封府自今有模刻御書字鬻賣者，重坐之。

嘉祐二年（丁酉，一〇五七）

1. 十一月十五日，駙馬都尉李瑋進飛白四字。帝書二十五字賜以寵之。

三年（戊戌，一〇五八）

1. 七月二十四日，帝御迎陽門。宣宰臣以下觀御書妙法正覺殿牌額，次赴天章閣觀御書，復出三聖御容以示群臣。

五年（庚子，一〇六〇）

1. 十月，詔自今臣僚之家毋得陳乞御篆神道碑額。

六年（辛丑，一〇六一）

1. 三月，御崇正殿，召輔臣觀御書兖州至聖文宣王廟榜。

七年（壬寅，一〇六二）

1. 十二月，幸龍圖、天章閣，召輔臣至待制、三司副使已上及臺諫官、皇子、宗室、駙馬都尉、管軍觀三聖御書。又幸寶文閣，親爲飛白書。

英宗嘉祐八年未改元**（癸卯，一〇六三）**

1. 十二月，詔以仁宗御書藏寶文閣，命翰林學士王珪撰記立石。

治平元年（甲辰，一〇六四）

1. 十二月，英宗召輔臣觀御篆孝嚴殿額于迎陽門，御篆神道碑額，太宗御製趙普碑文并書，又篆其額。皇祐中，王子融自河中府還，以唐明皇所題裴耀卿碑額上進，仁宗遂賜其兄曾碑曰旌賢。自後勳戚之家多賜之。仁宗：　旌賢故相王曾、旌忠故相萊國公寇準、舊學故相晏殊、旌功故樞密使曹利用、懷忠故相呂夷簡、旌忠勳德故樞密使張耆、顯功贈太師、尚書令兼中書令李繼隆、純孝觀文殿學士張觀、褒賢贈禮部尚書范仲淹、褒親獻穆大長公主、儒賢觀文殿學士高若訥、崇儒觀文殿學士丁度、清忠故樞密使王德用、思賢故相劉沆、旌忠元勳故樞密使狄青、褒忠故相陳執中、全德元老故相王旦、親賢隴西郡王李用和、教忠積慶宰相文彥博父洎、顯功魯國忠武公李繼隆、遺直故相李迪、旌勞故相程琳。英宗：　大儒元老故相賈昌朝、忠規德範故相宋庠。神宗：　兩朝顧命〔一〕定策元勳贈尚書令韓琦、忠勤懿戚贈侍中向經、決策定難顯忠基慶衛王高瓊、克難敏功鍾慶康王高繼勛、兩朝顧命定策亞勳贈太師中書令曾公亮，初賜兩朝顧命贊策勳德，復詔改之〔二〕。

〔一〕顧命　原作「顧會」，據東都事略卷六九韓琦傳：「神宗自爲碑文篆其首曰：　兩朝顧命定策元勳之碑。」宋史卷三一二本傳同，今據改。

〔二〕「神宗」以下七九字，據宋會要輯稿補編第八六九頁上徐松原輯稿補入。

神宗元豐五年（壬戌，一〇八二）

1. 九月二十七日，上御崇正殿，宣宰臣已下至中書舍人、觀察使以上觀景靈宮御書十一殿榜。

六年（癸亥，一〇八三）

1. 十二月二十九日，文彦博言：「仁宗皇帝賜臣御書，以卷軸甚大，私家難以寶藏，遂送功德院、寶勝禪院安置。因建閣奉安，愈爲精嚴，每年乞特賜撥放童行一人。」從之。

哲宗元祐二年（丁卯，一〇八七）

1. 九月十五日，賜宰臣、執政、經筵官宴于東宫，上親書唐人詩分賜之。詳見經筵門。

五年（庚午，一〇九〇）

1. 九月二十一日，御邇英閣。宰臣、執政、講讀、記注官各賜御書詩一首，上親書姓名於其後。詳見經筵門。

六年（辛未，一〇九一）

1. 三月一日，御邇英閣。宰臣吕大防奏曰：「仁宗所書三十六事，禁中有否。」上曰：「有。」大

防請令圖寫，置坐隅以備親覽。從之。

徽宗崇寧三年（甲申，一一〇四）

1. 十一月十六日，宰臣蔡京等言：「伏覩車駕臨幸辟廱，親書手詔，面賜國子司業吳絪等，乞下有司模勒刊石，頒賜諸路州學。」從之。

四年（乙酉，一一〇五）

1. 十月二十三日，中書省檢會應頒降天下御筆手詔，摹本已刊石訖，詔並用金填，不得摹打，違者以違制論。

大觀元年（丁亥，一一〇七）

1. 八月十七日，資政殿學士、中太一宮使兼侍讀鄭居中言：「近蒙賜臣御筆八行八刑書，欲望許以所賜模寫于石，立之宮學，次及太學、辟廱、天下郡邑，與石經比。」從之。

三年（己丑，一一〇九）

1. 四月二十五日，尚書户部侍郎蔡居厚等言：「比從近臣之請，凡御筆手詔刊印成策，半歲一頒。然内外之事總於六曹，六曹之司二十有四，逐司頒降各有先後，而日月不次檢照寔難。欲乞命後六曹〔一〕及諸處被受御筆手詔，即時關刑部，别策編次，專責官吏分上下半年雕印頒行。」即從之。

〔一〕欲乞命後六曹　「命」字疑爲「今」字。

政和元年（辛卯，一一一一）

1. 三月一日，議禮局乞以御書政和新修五禮序摹勒立石於太常寺。從之。

三年（癸巳，一一一三）

1. 三月十六日，大司成劉嗣明言：「檢會去年五月九日敕節文，所賜莫儔等御筆敕書，許令辟廱摹寫刊石，頒之四方，申命詞臣撰次本末，刊於敕書之下。近准降下鄭居中撰到記文，乞差官書寫并題蓋。」詔差中書侍郎劉正夫。

是年鄭居中再知樞密院，賜第建閣藏宸翰，上書其榜曰「動賢承訓」。

五年（乙未，一一一五）

1. 十月二十九日，御書「摛文堂」榜〔一〕賜學士院。以學士强淵明遷承旨，上爲增廣直廬，書榜寵之。

〔一〕御書摛文堂榜　「書」字原脱，據玉海卷三四、宋史卷三五六强淵明傳補。

七年（丁酉，一一一七）

1. 七月十七日，秘書少監畢仲愈言：「奉御筆近聞金耀門文字庫，有祖宗潛藩親書廟諱、奏牘洎元豐内批詔旨，皆得於塵壤之間，恭閲數四，殘楮斷幅，隨手紛紛，愴然于懷。可委官編次集類來上，劄付臣編次，乞下書藝局應副工匠物料，委近侍總領置局，計會編類，指畫表背進呈。」詔令秘書省應副，更不置局。

2. 九月一日，宣和殿大學士蔡攸言：「伏聞國子監、辟廱，已掛御書大成殿牌。乞許尚書、學士、侍郎、給舍、侍制〔一〕兩省同詣兩學瞻仰，仍分作兩日。」從之。

〔一〕侍制　「侍」當作「待」。

宣和二年（庚子，一一二〇）

1. 四月四日，姚古言：「自叨竊帥閫，并先兄雄累帥熙河，皆蒙降到宸翰不少，已於私家創造高閣寶藏。乞降賜閣名。」奉御筆賜名「褒勳之閣」。

2. 十六日，兵部侍郎蔡莊言：「先臣墓道先蒙賜題碑首。近日大臣及從官被受御書，例皆建閣，伏望錫之美名，依故相何執中、劉正夫家已得旨揮。」詔許建閣，仍以「褒忠顯功」爲名。

3. 八月二十日，御筆門下侍郎白時中於壽春府私第脩建御書閣畢工，可賜「御書醇儒之閣」。

4. 二十一日，新知福州、少傅、鎮江軍節度使余深〔一〕言：「奉御筆以臣私第建御書閣，蒙降賜御書「賢弼亮功之閣」牌一面，緣臣私第建閣係在福州，今欲乞依白時中私第御書閣例，差破使臣，其潛火兵士，止乞差一十五人。」從之。

〔一〕少傅、鎮江軍節度使余深　「江」字原誤作「西」，據宋史卷三五二本傳、宋宰輔編年録卷一二改。

三年（辛丑，一一二一）

1. 正月十七日，詔差開州防御使徐位，押賜唐州方城縣范致虚所建神霄玉清煉真宮殿、閣、門、室御書牌額，共一十五軸。

2. 八月二十四日，賜梁子美私第御書牌閣額爲「耆英之閣」。

四年（壬寅，一一二二）

1. 三月五日，駕幸秘書省。太宰王黼攝其事，乞宣付秘書。其畧曰：「鑾輅幸秘書省，詔宰輔、從臣暨館閣之士觀書于秘閣。俾恭閱祖宗謨訓、崇寧以來御書，復召輔臣、侍從及秘書少監至提舉官聽事，宣示御書千文、十體書、洛神賦、行草近詩并御畫。既恩許分賚，臣蒙恩獨賜匹紙金花千文一軸，御書二十二軸。上親出建隆真跡詩帖數幅，於是群臣始識藝祖書。又出太宗、真宗、仁宗翰墨至神考書孟子章句。上曰：『此先帝在藩邸時所作也。』」上色蹙然。

五年（癸卯，一一二三）

1. 正月十七日，大司樂畢完言：「爲裝成神宗皇帝御筆石本二軸投進，乞宣付秘閣收藏。」從之。

2. 十二月二十四日，賜太傅王黼私第御書載賡堂、膏露堂、移山堂、寵光亭、老山亭、榮觀齋、四友齋、隱安庵九牌。

1. 御書神道碑額：實録有止稱賜神道碑額而不言御書者，别載喪葬門。神宗：兩朝顧命定策元勳贈尚書令韓琦、忠勤懿戚贈侍郎向經、决策定難顯忠基慶衛王高瓊、克難敏功鍾慶康王高繼勳、兩朝顧命定策亞勳贈太師、中書令曾公亮。初賜兩朝顧命贊策勳德，後詔改之。哲宗：顯忠尚德贈太師富弼、忠清粹德贈太師温國公司馬光。徽宗：旌忠贈鎮潼軍〔一〕節度使趙隆、元豐受遺定策殊勳宰臣贈太師，徽宗實録止云賜碑額曰元豐受遺定策宰臣蔡確〔二〕之墓。確本傳所載又有「殊勳」二字，乃其子渭請御書，因而賜之。欽宗：張商英〔三〕。靖康元年九月，工部員外郎李士觀乞詔詞臣撰商英神道碑，詔：「依奏，碑額朕當親書。」實録不載額名，亦不載賜御書月日。

〔一〕鎮潼軍　「潼」原誤作「童」，據宋史卷三五〇趙隆傳改。

〔二〕宰臣蔡確　「確」原誤作「額」，據宋史卷四七一本傳改。又「臣」宋史本傳作「相」。

〔三〕張商英　「商」原誤作「商」，據宋史卷三五一本傳改。

高宗建炎元年〔二〕（丁未，一一二七）

1. 九月十七日，上書資治通鑑第四册賜黄潛善〔二〕。翌日，潛善稱謝，奏曰：「昨晚錫與執政同觀，皆言陛下筆力益妙於昔，盖聖學日新之盛。」上曰：「朕退朝省覽章奏罷，多游意翰墨，不以爲倦。」又曰：「近將孟子、論語治道處，手寫於絹屏，積之遂多。佗日回鑾，亦留屏於此。」潛善曰：「昔人几杖槃盂，皆銘識之以自警發，今陛下寫孟子王道政教之言在屏障間，亦古人自警發之意。」上

曰：「朕每日溫閱孟子五卷，愛其文詞簡明知要，所以信手多書於屏，取其宜於今者力行之，天下幸甚。」汪伯彥曰：「陛下留神此書，

〔一〕建炎元年　「元年」玉海卷三四作「二年」。

〔二〕黃潛善　「善」下原衍「稱」字，據玉海卷三四刪。

2. 二十二日，內出親書座右素屏旅獒一篇，大有、大畜二卦與孟子之言七章，凡十扇，遣中使宣示宰執。翌日，黃潛善等稱謝，奏曰：「陛下於書取謹德昭德之規，於易記大有畜賢之蓋〔一〕，曰正心誠意以齊家治國者，在德。立政造事以致君澤民者，在賢。所擴孟軻當年之格言，皆切本朝今日之急務。屏幛之內，聖賢滿前，因知心術之接在茲，非以字畫之妙爲貴。臣等愧衰職之非，宜幸聖學之多進。」有旨勿拜。潛善等皆再拜。

〔一〕畜賢之蓋　「蓋」：疑是「義」字。

四年（庚戌，一一三〇）

1. 八月八日，上手寫郭子儀傳付范宗尹，呼諸將示之。時韓世忠以進官到堂，上知世忠泪諸將不親文墨，故執政因而諭之。

紹興元年（辛亥，一一三一）

*1.*三月二十五日，宰執奏擬柯賜上所藏道君皇帝賜扎，欲給還。上曰：「此上皇御書，當須藏置內閣，不當降出。」

*2.*四月九日，以經筵上親書扇賜講讀官。

*3.*九月十一日，進士黄朝美上仁宗皇帝御書明堂牌碑本二軸。詔送秘書省藏之。

二年（壬子，一一三二）

*1.*七月一日，進士韋許上太宗皇帝御書，補迪功郎，兼進書籍，特有是命。

*2.*八月十六日，上出所寫孝經、詩、書篇章，遣中使宣示宰執。翌日，進呈畢，吕頤浩等奏：「蒙宣示御書，仰窺聖意，若稽于古，臣等不勝欣覩。」上曰：「朕瞻仰古先聖王之治，以爲規戒。」秦檜曰：「以此見聖學不廢。」

*3.*十月二十七日，臣僚言：「伏覩陛下躬洒宸翰，親裁睿詔，命有司摹黄庭堅所書太宗皇帝戒石

銘，勒諸堅珉，拓爲墨本，徧賜郡縣守令。伏聞近命五使廉按諸路，臣以謂與其馳驛而頒，孰若付之五使，賫行而賜之，仍使州縣謄本揭諸通衢。」詔依。令五使附行賫賜，其餘州縣，令禮部頒降，碑石於尚書省龕立。

三年（癸丑，一一三三）

1. 正月十一日，詔恤刑，手詔委尚書左、右司刻石頒降天下，其親扎候刻石子畢〔一〕，付大理寺置之治事廳。既而命樞密都承旨趙子晝〔二〕篆額，以紹興恤刑手詔爲目。其後以碑刻賜侍從及寺官，人各一本。

〔一〕刻石子畢 「子」疑爲「了」。

〔二〕趙子晝 「晝」字原誤作「畫」，據宋史卷二四七本傳改。

2. 五月十三日，將仕郎謝慥上仁宗皇帝御書飛白一軸，詔賜銀絹二十匹兩。

四年（甲寅，一一三四）

1. 五月二十八日，詔韓世忠私第御書閣以「懋功」爲名，從其請也。

2. 八月三日，處州進士王楊緻進太宗皇帝御書詩二軸，計一十篇。詔令户部支賜絹二十匹。

3. 九日，秦魯國大長公主上家藏仁宗皇帝在東宫時真宗皇帝所賜御製親書元良述一軸。詔送史館、秘書省。

4. 二十五日，賜故相韓忠彦御書神道碑額曰「世濟厚德之碑」。

五年（乙卯，一一三五）

1. 四月七日，上親書無逸篇，爲圖設于講殿之壁。先是，范冲輪對，論：「仁宗皇帝建邇英閣，嘗命儒臣蔡襄等寫尚書無逸篇并孝經天子、孝治、聖治、廣要道四章，爲二圖列于左右。元祐初，先臣祖禹爲侍講，乞檢尋二圖如仁宗故事。哲宗皇帝從之。願陛下脩祖宗故事，躬寫無逸篇，爲圖設於講殿。」至是，上乃書之。

2. 九月二十日，賜趙鼎御書尚書一部。翌日，鼎稱謝。上曰：「尚書所載君臣相戒敕之言。所以賜卿，乃欲共由此道以成治功。」六年十月，摹勒上石，鼎乞安於私第。

3. 九月，賜新及第汪應辰以下御書石刻中庸篇。廷試畢賜御書自此始。其後以周官或儒行、大學、皐陶謨及學記經解等篇皆就聞喜宴日賜之，舉故事也。

4.十月三日，上書車功詩賜宰臣趙鼎等。翌日，宣諭曰：「朕觀鴻雁、車攻，乃宣王中興之詩，當與卿等夙夜勉勵，脩政事攘夷狄。」鼎曰：「陛下游戲翰墨之間，亦不忘恢復，臣等敢不自勉。」

六年（丙辰，一一三六）

1.三月六日，江南西路安撫制置大使兼知洪州李綱上家藏道君皇帝御筆真跡，詔送史館。

2.十一月二十五日，故翰林侍讀學士王洙孫男楚老，上慶曆、皇祐御劄、手詔、飛白等，賜銀、絹各一百匹兩。楚老兼進四朝御容，故有是賜。

3.二十八日，賜成都府府學御書「大成之殿」四字，揭于宣聖殿額。先是，成都府府學教授范仲殳言：「府學大成殿，建於東漢初平中，制度簡樸，氣象雄渾。漢人以大隸記其脩築歲月，刻於東楹，至于今九百四十三年矣，盖天下棟宇之古無過於此。臣願陛下萬機之間，因御翰墨作「大成之殿」四字，揭之殿額，以著陛下睠蜀之意。」至是，從之。仍帶賜本學。

七年（丁巳，一一三七）

1.九月二十六日，樞密使秦檜言：「乞以賜臣御書羊祜列傳〔一〕，付有司刊石，以墨本頒諸宰執、大將、侍從。」上謙遜再三。趙鼎等奏：「陛下筆法精詣，實宜傳之天下後世以幸學者。」從之。

〔一〕羊祜列傳　「祜」字原誤作「祐」，據晋書卷三四羊祜傳及玉海卷三四改。

2.十二月十一日，上宣諭輔臣曰：「劉光世喜書，前日來乞朕所臨蘭亭帖，亦以一本賜之。因論書法甚詳，遂及法帖曰，其間甚有可議，如古帝王帖中有漢章帝千文。千文是梁周興嗣所作，何緣章帝書之？舉此一事，其他可知，豈不誤後世學者。」

九年（己未，一一三九）

1.二月十二日，詔紹興府天章寺祖宗御書，令守臣取進。先是，建炎四年，巡幸江浙〔一〕，御書凡五百五十軸卷，悉留越州。至是駐驆臨安，降詔取焉。

〔一〕巡幸江浙　「巡」字原作「迯」，「浙」字原誤作「淅」，據玉海卷三四改。

2.同日，詔興化軍進士蔡珌上太宗皇帝御書，可賜來帛〔一〕。

〔一〕可賜來帛　「來」字疑爲「束」。

3. 四月二十三日，親從額外指揮使王琪進太宗皇帝御書一百件，仁宗皇帝御書飛白五件，徽宗皇帝御書三件，德成之宫大字牌文一本。詔令進入。先是，琪詐陷虜庭，時在京於北軍處覩此御書，收而藏之。至是還朝投進。

4. 六月十三日，宰臣秦檜乞以上所賜御書真草孝經刻之金石，以布宣德意。上曰：「十八章世人以爲童蒙之書，不知聖人精微之學不出乎此也。朕宫中無事，因學草聖，遂以賜卿，豈足傳後。」檜請至再三，乃從之。

十年（庚申，一一四〇）

1. 五月十六日，御書中庸篇賜秦檜，乞刊石分賜墨本。從之。

十一年（辛酉，一一四一）

1. 二月二日，詔余深被遇徽宗皇帝擢任宰輔，當時所賜御筆，許令本家投進。從深男日章請也。

2.六月二十四日，詔萬安軍於蔡攸家收取徽宗皇帝御筆立皇太子詔。敍宣和末策立淵聖皇帝事，因及罪已奏天〔一〕。密表投進，宣付史館，實録院編類，送敷文閣藏之。從吉陽軍使楊雍請也。

〔一〕「敍宣和」至「罪已奏天」一七字原作大字正文。按此一七字，乃編者注明詔書内容之文，當用小字。

十二年（壬戌，一一四二）

1.四月二十四日，衢州學生趙修上家藏徽宗皇帝御書一紙。詔絹十匹〔一〕。

〔一〕詔絹十匹　「詔」下疑脱「賜」字。

2.十月二十二日，右承議郎、直龍圖閣張茂，上〔一〕政和中徽宗皇帝御書上清大洞真經一部，賜先臣商英〔二〕，乞賜宣取。詔令尚書省取進。

〔一〕「上」字下疑脱「言」字。

〔二〕商英　「商」字原誤作「商」，據宋史卷三五一張商英傳改。

十三年（癸亥，一一四三）

1.正月二十五日，詔親書經史，令户部尚書張澄將行在見有墨本，先次計置頒降施行。先是，湖州守臣秦棣〔一〕言：「祖宗御書賜在州郡，雖經兵火，多獲實存。乞將前後御書經史頒諸泮宫，使士子得以師承，咸仰崇儒設教之德意。」故有是命。

〔一〕湖州守臣秦棣　「棣」字原脱，據繫年要録卷一四八紹興十三年正月丙午條補。

2. 二月，内出御書左氏春秋及史記列傳，於秘書省宣示館職。觀閲畢，少監秦熺以下皆作詩以進〔一〕。

〔一〕皆作詩以進　「皆作」二字原脱，據玉海卷三四補。

3. 是年六月，内出御書周易。

十四年（甲子，一一四四）

1. 正月，出御書尚書。

2. 十月，出御書毛詩。

十六年(丙寅,一一四六)

1.六月,又出御書春秋左傳,皆就本省宣示館職。觀閱畢,並作詩以進。上又書論語、孟子,皆刊石立于太學首善閣及大成殿後三禮堂之廊廡。

2.七月,賜御書宣聖殿及門榜,並曰「大成」,御書閣曰「首善」。先是,修建太學〔一〕,國子監請依徽宗故事,乞賜宣聖殿及御書閣名榜,内御書閣,徽宗賜曰「求賢」,上改今名。至是,殿閣告成賜之,用鈞容樂迎至學安掛。

3.九月四日,上諭輔臣曰:「洪興祖欲進碑刻,此安用學書,只是看筆法精神,若不善刻者,字畫皆失真。朕收得王獻之洛神賦墨跡六行,置之几案間,日閲十數次,頗覺書有所得。近又寫尚書一部,已終篇矣。學寫字不如便寫經書,不惟可以學字,又得經書不忘。」已而降付,秦檜奏曰:「尋常諸生,終年未曾寫得一部經書,欲宣示從官,不惟觀陛下書法之妙,又令知聖學不倦也。」上曰:「朕宫中無所嗜好,唯學字觀書,所得甚多,可以養神。兼日聞所未聞,其樂無涯。」既而尚書委知臨安府張澄刊石,仍頒諸路州學。

〔一〕太學　「學」字原脱。

十四年（甲子，一一四四）

1. 六月十四日，上書乾卦賜龍圖閣學士、知宣州秦梓。又以湖州昨刊諸臣所書易十碑賜梓，令於私第御書堂一處安置。從梓請也。

2. 七月二十二日，左宣教郎、守殿中侍御史汪勃言：「竊觀陛下萬機之餘，親寫孝經。近頒之諸郡，皆止奉安於泮水，雖卿大夫多有不獲藏蓄爲恨，而況於庶人乎。乞令諸郡募工摹刻，自郡達縣，自縣達鄉〔一〕，皆使家藏而户曉，庶幾普天之下風俗曠然而大變。」詔令諸州刊石賜見任官，并係學籍諸生。

〔一〕自縣達鄉　「鄉」字原作「卿」。

十五年（乙丑，一一四五）

1. 三月十八日，邵武軍進士吴行成進徽宗皇帝御書吴融曉賦一軸。詔令户部支賜絹十匹。

2. 十月三日，上遣中使賜太師秦檜第御書閣榜曰「一德格天之閣」，仍就賜御筵。

十六年(丙寅,一一四六)

1. 三月二十二日,處州學士耿世南進徽宗皇帝御筆親帖三軸,賜絹二十匹。

2. 四月十四日,脩武郎張燕上太祖皇帝御書一卷,賜絹十匹。

3. 六月五日,饒州樂平縣進士馬孝友上仁宗皇帝飛白「風水」二字,賜絹十匹。

十九年(己巳,一一四九)

1. 九月二十九日,御書太師秦檜像贊,藏于秘閣。

二十年(庚午,一一五〇)

1. 三月二十八日,賜太師秦檜父敏學御書神道碑額曰「清德啟慶之碑」。

二十五年(乙亥,一一五五)

1. 十一月五日,賜故太師秦檜御書神道碑額曰「決策元功精忠全德之碑」。

二十六年(丙子,一一五六)

1. 閏十月二十七日,上書玉牒殿并殿門及祖宗屬籍堂榜,令揭于殿堂之額。以新建殿堂畢,從玉牒所請也。

2. 十二月二十八日,新知池州貴池縣陸沇,上寶藏哲宗皇帝賜故外祖、翰林學士顧臨御書即事詩一軸,詔送秘閣。

二十七年(丁丑,一一五七)

1. 四月,御試。上曰:「指陳時事切直者〔一〕,令寘之上列。」因親書以賜編排官、吏部侍郎李琳等。宰臣沈該請刻石頒諸臣僚,詔可。

〔一〕指陳時事切直者 「事」字原缺,影印本選舉八之四三,紹興二十七年三月十六日條作「指陳時事鯁亮切直者,」今據此於「時」下補「事」字。

二十九年（己卯，一一五九）

1. 六月十九日，處州縉雲縣進士朱逢辰繳進仁宗皇帝御書。詔令户部倍賜束帛。

2. 七月二十四日，尚書右僕射湯思退等言：「近恭覩戒諭，崇尚清白、禁止賂遺詔書親札〔一〕。上曰：「朕自少時留心翰墨，至今不倦，然乞不能臻其要妙。在唐惟太宗好二王書，當時士大夫翕然相尚，如歐、虞、褚、薛，皆有可觀。朕有舊藏文皇數帖，其間有『好謙自牧，上畏天，下畏群臣』等語，不惟字畫可喜，其用心實可爲後世矜式。」思退曰：「陛下天縱多能，精於藝學，過文皇遠甚，當與本朝太宗皇帝儷美齊驅，豈前代帝王所能髣髴。思退請以御書刊石頒中外臣僚。」詔可。

〔一〕詔書親札　「札」字原誤作「北」，據玉海卷三四改。

三十年（庚辰，一一六〇）

1. 五月辛巳〔一〕，上以玉堂二字親灑宸翰賜翰苑〔二〕。知制誥周麟之言：「欲以御書依典故就都堂宣示宰執，許本院摹勒上石，俟石刻成日，於秘書省曝書會，宣示館閣官，并以石本分賜。」詔可。

〔一〕五月辛巳　「五月辛巳」原脱，據玉海卷三四、繫年要録卷一八五補。

〔二〕賜翰苑　「賜翰」二字原脱，據玉海卷三四補。

孝宗隆興元年（癸未，一一六三）

1. 十月十四日，詔金山寺御書御製詩令刊石，將碑本投進。從兩浙運使朱夏卿之請也。

乾道元年（乙酉，一一六五）

1. 二月三日，賜太傅、寧遠軍節度使、和義郡王楊存中第御書閣榜曰「風雲慶會之閣」。

三年（丁亥，一一六七）

1. 二月，賜故贈太師陳康伯御書神道碑額曰「旌忠顯德之碑」。

六年（庚寅，一一七〇）

1. 五月二十四日，御書戒詔賜宰臣虞允文等。

2．八月二十八日，御書漢議郎崔實政論賜宰臣虞允文等。

七年（辛卯，一一七一）

1．正月八日，御書郭熙秋山平遠詩賜宰臣虞允文等。是日，宰執進呈畢，上宣諭曰：「朕無他嗜好，或得暇，惟書字爲娱爾。」允文等奏曰：「允文等外日對罷，顧見石塀上陛下草聖，筆力天縱，有飛動之狀。」上曰：「戲書不足觀，朕近寫得一軸。」因顧内侍取示允文等，廼郭熙秋山平遠詩，因以賜允文，且顧梁克家曰：「俟别寫賜卿。」上又曰：「太上真草皆極古今之妙，來日與卿等。」允文等頓首謝。

2．十一日〔一〕，遣中使賜左丞相虞允文養生論、右丞相克家長笛賦，皆太上真書。又賜克家御草書古柏行一軸。是日，宰執進呈。上宣諭曰：「前日過德壽宫侍宴太上，飲酒權甚〔二〕，宫中熙熙，和而有禮，本朝家法前世所不及也。已與卿等覔得御書，俟請寳來，即賜卿等。」已而遂有是賜。

〔一〕十一日　「一日」原誤作「十一月　日」，據玉海卷三四改。
〔二〕飲酒權甚　「權」疑爲「歡」。

3．二月，御書孫綽遊天臺山賦，賜容州觀使、幹辦皇城司夏執中。

4. 六月，御書上天竺靈應觀音寺并殿碑。

5. 九月二十一日，故少宰、觀文殿學士吴敏孫楠，進欽宗皇帝御書一百軸，特與補將仕郎。

6. 十月二十二日，詔右迪功郎劉愈進欽宗皇帝御書二軸，與減二年磨勘，比類施行。

八年（壬辰，一一七二）

1. 二月六日，御書「尚書左、右僕射可依漢制改作左、右丞相。」學士院降詔。

2. 八日，御書賜權禮部侍郎、兼直學士院周必大：「比來一二大臣同心輔正，夙夜匪懈，漸革苟且之風，以副綜覈之意，深可嘉尚。今因除授，宜示褒典。虞允文可特授正奉大夫、左丞相〔一〕。」

〔一〕左丞相　「左」原誤作「右」，據宋史全文卷二五下、宋宰輔編年録校補卷一七及宋史卷三八三本傳改。

3. 四月二十一日，賜新進士御書〔一〕益稷篇上與宰執虞允文等論寫此篇賜進士之意，詳見進士門。

〔一〕賜新進士御書　「書」字原脱，據宋史全文卷二五下補。

4. 七月十二日，詔朝請大夫毛奎孫勸進欽宗皇帝御書十軸，與免文解一次。

5. 同日，詔故端明殿學士、贈少保〔一〕親侄孫毛勒，進欽宗皇帝御書一百軸，特與補上州文學。

〔一〕贈少保　此下疑有脱文。

6. 八月一日，賜故太師、和王楊存中御書神道碑額曰「安民定功翊運忠德之碑」。

九年（癸巳，一一七三）

1. 二月二日，詔故中書侍郎陳過庭孫、進士述進欽宗御書十四軸，端明殿學士張深曾孫伯成進三朝御書十三軸，并續進欽宗皇帝詔旨一軸，各與免文解一次。

2. 同日，詔故刑部侍郎程振孫、饒州鄉貢進士邵進靖康御筆八十八軸，又宣和間爲欽宗皇帝東宫舍人日〔一〕，賜親書玉不琢不成器賦〔二〕、杜甫喜雨詩各一軸，及政和間頒降石刻御筆手詔等三册，與補下州文學。

〔一〕東宫舍人日　「日」字原誤作「曰」。

〔二〕玉不琢不成器賦　「玉」下原脱「不」字，據禮記正義卷三六補。

3. 四月二十八日，御書荔枝賦賜閤門宣贊舍人張延年。

淳熙元年（甲午，一一七四）

1. 五月一日，御書唐元積牡丹花詩扇，賜臨安府通判吴琚。

2. 六月一日，御書劉禹錫詩，賜集英殿修撰、主管祐神觀張子仁。

二年（乙未，一一七五）

1. 三月四日，宰臣葉衡奏謝：「昨日蒙遣中使宣示太上皇帝宸翰十軸，并御製跋語。得旨令臣閱畢可飲巵酒，以慶榮遇。仍宣示執政、侍從、臺諫，以其書省，臣欲就都省具巵酒與執政而下共侈非常之賜。」上曰：「甚好。」參知政事〔一〕龔茂良、〔簽書樞密院事〕〔二〕李彦穎同奏曰：「太上皇帝〔三〕宸翰刻石賜郡國者，臣等固嘗得窺。此十軸藏在御府，群臣無繇見者，今遂獲拜觀，不勝千載榮遇。」上曰：「太上皇帝於翰墨間，蓋是天縱，非尋常學力所能到，如鍾、王輩不足道。臣等與侍從、臺諫、兩省官環立展視，莫不駭心動目，即所未覩。」翌日〔四〕，拜謝訖，乞勒石，率預觀臣僚奉表稱謝，從之。上曰：「當以此表轉于德壽宫。」

〔一〕參知〔政〕事 「政」字原缺，據宋史卷三四及同書卷三八五本傳補。

〔二〕簽書樞密院事　六字原缺，據梁天錫宋樞密院制度之南宋樞密表補。
〔三〕太上皇帝　「太」字原作「大」，據本條上下文改。
〔四〕翌日　「翌」字原作「翼」。

三年（丙申，一一七六）

1. 九月十五日，太上皇帝御書白居易大巧若拙賦賜幹辦皇城司夏執中。

2. 十一月一日，御書杜牧戰論賜皇太子。

3. 同日，御書詩賜皇太子、嗣濮王士輵、永陽郡王居廣各一軸。

四年（丁酉，一一七七）

1. 二月十七日，詔：「知臨安府趙磻老就太學建閣，奉安太上皇帝御書石經，碑石可置之閣下，墨本于閣上，以光堯御書石經之閣爲名〔一〕，朕當親寫。」參知政事龔茂良等言：「自古帝王未有親書諸經及傳至數千萬言者，不惟宸章奎畫照耀萬世，其所以崇儒重道者可謂至矣。陛下聖孝，又欲親書題額以增斯文之重，天下幸甚。」上曰：「太上於字畫盖出天縱，朕嘗謂鍾繇字最工，猶帶隸體，如

太上宸翰，冠絶古今。」

〔一〕以光堯御書石經之閣爲名　「御書」二字原脱，據宋史全文卷二六上及本書下條補。

2.五月二十四日，知臨安府趙磻老言：「得旨就太學建造光堯太上皇帝御書石經閣，將欲就緒，其見在石經周易、毛詩、尚書、春秋左氏傳、論語、孟子外，尚有太上皇帝御書禮記、中庸、大學〔一〕、學記、儒行經解五篇，不在太學石經之數，今搜訪得舊本，重行模勒，欲補禮經之闕。」從之。

〔一〕大學　原作「太學」，據禮記注疏卷六十改。

〔光宗〕淳熙十六年〔一〕（己酉，一一八九）

1.四月七日，故太師秦申王府進納高宗皇帝御書二軸。詔送實録院。

〔一〕按淳熙十六年二月，光宗已即位未改元。

2.五月三日，御書「歸隱」二字，賜天竺彌陀福興院。

3.九月十八日，御書「彌陀興福之院」六字，賜左、右街僧録若訥〔一〕。

〔一〕以上二條應入道釋門。

紹熙元年〔一〕（庚戌，一一九〇）

1.正月四日，御書偈頌一首，賜左、右街僧録若訥。

〔一〕紹熙元年　「熙」字原誤爲「興」。

2.七月九日，御書四季草書扇面四軸，賜左、右街僧録若訥。

二年（辛亥，一一九一）

1.正月五日，御書草書勝常帖，賜左、右街僧録若訥。

本門點校者　胡建華
審訂者　王雲海

録賢

影印本崇儒六之二五至二八
大典卷四八四〇

仁宗嘉祐二年（丁酉，一〇五七）

1.十一月二十七日，三司使張方平等言：「故國子監直講孫復著述春秋之説四十餘年，并抄録到所撰春秋尊王發微二部，復惟一子大年，欲望特賜甄録。」詔孫復嘗在邇英閣講書，今又進到春秋尊王發微，其男大年特補郊社齋郎。後太常博士〔一〕胡瑗卒，近臣共援此例，官其一子。

〔一〕太常博士　「常」字原作「宰」，據宋史卷四三二儒林二改。

神宗熙寧六年（癸丑，一〇七三）

1.五月二十三日，右正言、直集賢院常秩言：「昨召對，蒙問及臣友王回之爲人，又被旨進其文編。竊以先王〔一〕之法善善以及子孫，故士者世禄，下逮漢魏管寧之徒，一時之篤行，被召不至，而猶得拜子爲郎，况回未及進用而不幸，有子汾，宜加甄録。」詔以汾補郊社齋郎。

〔一〕先王　原作「先生」，據長編卷二四五神宗熙寧六年五月癸亥條改。

徽宗建中靖國元年（辛巳，一一〇一）

1. 正月六日，詔録故監察御史王回一子爲爲廟齋郎〔一〕，以從臣王覿、曾肇、豐稷、張舜民、賈易、岑象求、上官均等列奏：「回有學術行義，嘗因鄒浩得罪，自蒙昭雪，擢爲御史，不數日而殞，家貧無歸，願加優卹。」故有是命。

〔一〕爲爲廟齋郎　按宋史卷三四五王回傳：「詔除子渙老郊社齋郎」。疑是「爲郊廟齋郎」。

高宗紹興元年（辛亥，一一三一）

1. 正月二十二日，詔趙普佐命之勳，猶漢蕭何，今子孫流落，所宜憫卹。令諸州郡博加尋訪，如法敦遣，赴行在量才録用。」

2. 九月十五日，明堂赦：「應曾任宰臣、執政官及節度使，明有勛德載在史册者，見今後嗣無人食禄，如有子孫，許於所在州軍投狀，委長吏以下勘驗詣實，保明聞奏，當議量才録用。若係國朝以來勳臣，雖不曾任前件官，亦依此施行。」

3. 十月二十六日，唐故尚書右丞相張九齡十二代孫進士昭，乞依赦書應曾任宰臣、執政官，明有勳德載在史册者，見今後嗣無人食禄，子孫許量才録用。念祖九齡之後，並無人食録，見今有祖九齡中書令告一道、明皇御書一道，并朝廷兩次用九齡勳臣之蔭，録用高祖瑛、曾祖錫出身告二道，及宗枝圖一本投進。詔昭特補中州文學。其張九齡告令尚書省給付本家。

四年（甲寅，一一三四）

1. 四月二十八日，江南西路安撫制置大使〔一〕趙鼎奏：「契勘洪州昨有試作監主簿潘興嗣自幼得官，高蹈不仕，朝廷察其高行，常除差遣，抗志不就。嘉祐間，宰相韓琦等奏乞加拔擢，凡所旌寵，每至輒辭。至元符三年，尚書右丞黄履又引孫侔、王回等例，乞録其後，遂官其孫淳，授太廟齋郎，調南康軍星子縣尉。蔡京用事，言者觀望，謂淳與陳瓘有連，每至京師必館於瓘家，實預論議。又與曾布有鄉曲之舊。故履因緣論薦，遂降指揮追奪，士論冤之三十餘年。今興嗣與淳皆卒，唯有孫濤亦復垂老，乞給還所奪官資與之，以爲廉退自守之勸。」詔潘濤特與補右迪功郎。〔二〕

〔一〕江南西路安撫制置大使　「大」字原脱，據繫年要録卷七四及七五、影印本職官四〇之五補。

〔二〕此條原在紹興三十一年十月二十六日條後，今據宋宰輔編年録卷一五、繫年要録卷七四移此。

五年（乙卯，一一三五）

1.十一月十九日，詔唐顏真卿之後顏邵補右修職郎，顏卓補右迪功郎，並特命詞給告。初，温州發遣顏真卿遠孫顏邵、顏卓，齎真卿所自書告身赴行在投進。上曰：「人皆有一死，或輕於鴻毛，或重於泰山〔一〕，在處死爲難耳。真卿在唐死節，可謂得所處矣。況今艱難之際，欲臣下盡節，其顏邵等可量與推恩，以爲忠義之勸。況仁祖時曾召顏似賢赴闕，亦嘗命之以官，自有故事。」故有是命。

〔一〕或重於泰山 「泰」原誤作「太」，據繫年要録卷九五紹興五年十一月乙亥條改。

六年（丙辰，一一三六）

1.二月六日，詔元祐石刻黨人葛茂宗男輔國與補惠州文學。

2.五月二十四日，給事中朱震言：「本朝西洛〔二〕程顥、程頤以傳道爲己任，學者負笈摳衣，親承其教，散之四方，或隱或見，莫能盡紀。其高弟曰謝良佐，曰楊時，曰游酢。時晚遇靖康、建炎之間，致位通顯，諸子世禄。酢仕至監察御史，出典州郡，亦有二子仕宦。獨良佐終於監竹木務，名在黨籍，著於石刻，終身不遇。雖以朝奉郎致仕，奏補其子克己入官。後逢巨賊於德安府，舉家被害，今止有一子克念流落台州，貧窶一身，朝夕不給。竊見黨籍諸人及上書得罪身後無人食禄者，朝廷皆寵之以官。良佐之賢，親傳道學，舉世莫知〔三〕，又遭禁錮而死，諸子衰替，最爲不幸。乞依黨人及上書人例，特官其子克念，使奉良佐之祀。」詔謝克念特與補右迪功郎。

〔一〕本朝西洛　「洛」原誤作「路」，據繫年要録卷一〇一改。

〔二〕舉世莫知　「知」，繫年要録卷一〇一紹興六年五月辛卯條作「及」。

八年（戊午，一一三八）

1. 三月二十八日，湖州言：「故太學博士、天章閣待制、侍講胡瑗以儒學被遇仁宗朝，今其家淪替，别無子孫，唯有胡滌服習儒業，鄉閭推重。欲望仰追仁祖待瑗之意，矜念胡滌已係免解進士，特褒録以爲天下學者之勸。」詔胡滌特與補下州文學。

2. 十二月五日，唐太師、魯國公顔真卿遠孫顔師與言：「昨蒙朝廷下温州搜訪顔氏之後，臣係嫡長，特以病患，緣本州催督，且令弟卓齎遠祖誥敕赴朝廷，蒙拘收就補迪功郎，未幾身故。今先臣之後依舊布衣，不繼世禄，乞將弟所得名目改正與臣被受，庶幾仰副國家興滅繼絶，不泯世禄之意。」詔顔師與可特與補右迪功郎。

三十一年（辛巳，一一六一）

1. 赦：「國朝勳臣後嗣無人食禄，録用子孫，許召陞朝官三員保明陳乞。内有全去失勳臣元授

告敕等干照，若實係勳臣之家，可令更召監察御史以上、管軍知閤御帶、監司、郡守二員，委保勳臣元任官職去失來歷因依，如無僞冒，特與推恩。」〔一〕

〔一〕此條原在紹興元年九月十五日條與十月二十六日條之間。

本門點校者　胡建華
審訂者　王雲海

賜處士號

影印本崇儒六之二九至三二
大典卷一三四四九

仁宗天聖八年（庚午，一〇三〇）

1. 九月二十六日，賜臨江軍玉笥山人朱旦善濟處士。旦善醫術，召至京師訪問，故賜。

嘉祐二年（丁酉，一〇五七）

1. 六月七日，賜絳州草澤韓退安逸處士。退居稷山，翰林學士承旨孫抃等言韓退有行義，故賜號。

神宗熙寧六年（癸丑，一〇七三）

1. 六月十九日，永興、秦鳳兩路察訪司言：「虢州盧氏縣有退安處士劉易户下役錢，未敢依品官例減半均納。」詔依七品官例。

哲宗紹聖二年（乙亥，一〇九五）

1. 五月二十八日，詔興化軍處士良弼詔〔一〕與葆光處士。以左僕射章惇〔二〕奏其所著易義可採故也。

〔一〕良弼詔　「詔」疑爲衍字。
〔二〕章惇　「章」字原誤作「張」，據宋史卷一八哲宗本紀、卷四七一本傳改。

徽宗大觀元年（丁亥，一一〇七）

1. 閏十月六日，詔睦州清溪縣主簿張壆〔一〕羊茹切特賜正素處士，與一子初品官。以兩浙路轉運提刑司奏〔二〕，壆初以郊社齋郎應進士舉及第，緣家無兼侍，不忍遠去父母，遂不出官，孝行著聞。元豐五年，父朝郎次道〔三〕告老於朝，壆子鎬例合受恩，乃以叔祖子侄無在任者，遂請以官命其曾孫，宗黨無不推服。元祐初，朝廷除命，並辭不受，一時士人愈高其節。崇寧四年身亡，有子未録，家益貧窘，乞賜謚號，故有是命。

〔一〕張壆　「壆」原誤作「舉」，據宋史卷四五八本傳改。
〔二〕兩浙路轉運提刑司奏　「奏」原作「奉」。
〔三〕父朝郎次道　「朝」字下疑有脱字。

政和三年（癸巳，一一一三）

1. 三月三十日，詔濮州王老志賜安泊處士。

政和十一年〔一〕

1. 十月十日，詔虔州贛縣免解進士李珙賜號養素處士。

〔一〕政和十一年　按政和八年十一月一日改元重和，不當有十一年，待考。又此條原在紹興五年十一月七日條前。

宣和六年〔一〕（甲辰，一一二四）

1. 十月十四日，詔今後處士更不令披度道士爲小師，所有天寧節回賜恩澤並罷。

〔一〕宣和六年　按該年的兩條記事原在大觀元年閏十月六日條後。

2. 十二月二十二日，詔丹華處士劉知常不出有司，自煉丹金造神霄寶輪四百九枚，所以州人列其性識高明，行義修潔，勤苦該博，通曉典故，精於屬文，爲諸生師表，而前輩諸公常所欽重，乞加召用。

故有是命。〔一〕

〔一〕按原書眉批「此條似有脱佚」。

高宗紹興三年(癸丑,一一三三)

*1.*六月二日,詔婺州東陽縣進士張志行賜號冲素處士。以浙東〔一〕福建路宣諭朱異奏志行力學有行,鄉里推服,嘗應舉宣和中〔二〕,知州劉安上、轉運使詹度等,列奏其甘貧守道,不求聞達,杜門窮經,雖老不倦故也。

〔一〕以浙東　「浙」字原誤作「淛」,據繫年要録卷六六改。又此條原在乾道六年十一月十六日條前。

〔二〕嘗應舉宣和中　「嘗」原作「常」。

五年(乙卯,一一三五)

*1.*十一月七日,中書舍人朱震言:「朝廷近以陳得一改造統元新曆一十七卷,賜號通微處士,與一子下州文學。竊見本朝熙寧間如翰林待詔之類,皆命之辭。得一歷學〔一〕專精,通貫古今,運策之妙不愧前人。欲望給告命辭,以爲韋布之光。」從之。

〔一〕「歷學」　疑爲「曆學」之誤。

七年（丁巳，一一三七）

1. 正月二十四日，詔温州平陽縣敦遣到道民俞居一道學通博，特補通元處士。

三十二年〔一〕（壬午，一一六二）

1. 五月二十五日，詔入内内侍省東頭供奉官、寄資武義大夫鄺詢爲久病，可將見任官特與換白雲處士，賜名守寧，仍命詞給告。

〔一〕三十二年　按「三十二年」上原誤標年號「宣和」，據繫年要録卷一九九删去。又此條原在政和三年三月三十日條後。

乾道五年（己丑，一一六九）

1. 三月二十六日，詔峽州長陽縣隱逸郭雍特賜冲晦處士。以湖北帥臣張孝祥等言：「雍名臣之後，父忠孝師伊川程頤，盡得其學。雍推原本意，著易、中庸之書十餘萬言，隱於峽州長陽縣山中，安貧樂道，行義高潔，乞賜褒擢。」故有是命。〔一〕

〔一〕此條原在嘉祐二年六月七日條前。

乾道六年（庚寅，一一七〇）

1.十一月十六日，詔邛州隱逸劉浩特賜冲隱處士。四川宣撫制置使司狀：「據邛州申以本州鄉官劉瓌等狀言，浩自壯歲棄儒慕道，專以符籙濟活爲心，菴舍静謐〔一〕，纖毫無取於人，濟活之功甚多，其祈晴禱雨果有應驗。」故有是命。

〔一〕菴舍静謐　「謐」字原作「諡」。

乾道七年（辛卯，一一七一）

1.百姓王慶年九十，賜耆德處士。此據政和七年五月高郵軍奏狀，不得其時〔一〕。加六字處士，特依例許封贈父母，依例月給乳樂錢。

〔一〕「此據政和七年五月高郵軍奏狀，不得其時」十七字原爲大字正文。按此十七字乃修書人語氣，今改作注文。檢影印本職官七七之六一載高郵軍奏狀，繫於政和七年五月九日。

2.八月二十八日，詔潤州丹陽縣東太一宫道士居宗惠特贈虚静處士，給告速行給降，仍下江寧府潤州量行應副，葬地並官給。事畢，應副過事件聞奏。

3. 十二月二十二日，翰林學士許光凝奏：「昨守鄧州，伏見宣教郎致仕王襄經術登科，年未六十，毅然請老退歸田園。事孀嫂如其母，養孤甥若己子，鄉黨後進教誨成就者不知幾人，鄰里貧民吉凶賙恤者不知幾家。伏望採察施行。」詔王襄賜處士。〔一〕

〔一〕此條原在仁宗天聖八年九月二十八日條前。

本門點校者　胡建華
審訂者　王雲海

賜先生號

影印本崇儒六之三三至三六
大典卷八五七〇　八五七一

真宗大中祥符三年（庚戌，一〇一〇）

1. 二月二十六日，華山隱士鄭隱賜號正晦先生。正字本音同仁宗諱。隱自言始以經術爲業，遇道士傳辟粟鍊氣之法，修習頗驗，遂居華山之王刀巖二十餘年，冬夏常衣皮裘。帝祀汾陰，召對行宮，作詩賜之，加賚茶藥束帛，固辭不受。〔一〕

〔一〕此條原在四月十二日條後，今前移。

2. 四月十二日，泰山隱士秦辨賜號〔一〕貞素先生。辨自言百三十歲。帝召至京與語，多言五代事，亦無他術，但能服食致年長，故賜號放還山。

〔一〕賜號　「賜」原誤作「説」，據長編卷七三改。

仁宗天聖六年〔一〕（戊辰，一〇二八）

1. 三月十六日，虞部員外郎史温之〔二〕祖虚白進賜冲静先生。虚白有高節，善爲文。五代亂離，隱居山巖。江南李氏累以禄秩誘之，介然不屈。至是，以家集來上，特有追褒。

〔一〕此條原在大中祥符三年條前。

〔二〕虞部員外郎史温之　「史温之」，長編卷一〇六作「史温己」。

至和元年〔一〕（甲午，一〇五四）

1. 八月十二日，賜信州貴溪縣龍虎山上清觀張嗣宗爲冲静先生〔二〕。

〔一〕至和元年　「至和」原誤作「致和」，據長編卷一七六改。又此年兩條記事原在大觀元年條後。

〔二〕冲静先生　「冲静」長編卷一七六作「冲靖」。

2. 十月十日，賜處州〔一〕祥符宫道士洞淵大師李思聰爲玄妙先生。

〔一〕處州　「處州」長編卷一七七作「虔州」。

徽宗崇寧四年（乙酉，一一〇五）

1. 六月，詔信州龍虎山上清觀漢天師三十代孫張繼先特賜號虚靖先生。

大觀元年(丁亥,一一〇七)

1. 二月二十九日,詔鳳翔府于仙姑〔一〕特授靖真冲妙先生〔二〕。

〔一〕于仙姑　「于仙姑」長編拾補卷二七大觀元年二月丙戌條作「虞仙姑」。

〔二〕特授靖真冲妙先生　「授」字原誤作「受」,據長編拾補卷二七改。按「靖真」長編拾補卷二七大觀元年二月丙戌條作「清真」。

政和三年〔一〕(癸巳,一一一三)

1. 三月二十三日,詔左街道録觀妙元明冲真虚壹大師徐知常可特授通虚先生〔二〕。

〔一〕政和三年　「政」字原誤作「致」,據長編拾補卷三二,政和三年正月甲戌條改。

〔二〕通虚先生　「通虚」,長編拾補卷三二政和三年正月甲戌條作「冲虚」。

致和〔一〕三年

1. 八月二十八日,詔茅山元符萬寧宫法籙道士笪静之特贈冲隱先生。

〔一〕致和　「致」疑是「政」字之誤。

政和三年〔一〕（癸巳，一一一三）

1. 十月一日，詔元觀法師程若清〔二〕可特授寶録先生〔三〕。

〔一〕政和三年　「政」字原誤作「致」，據長編拾補卷三二政和三年十月戊申條改。

〔二〕程若清　長編拾補卷三二作「程若虚」。

〔三〕寶録先生　「寶録」長編拾補卷三二作「寶籙」。

致和八年〔一〕

1. 十月二十一日，通直郎、管勾埭州玉清韓君丈人觀、兼注解聖濟經所編修道史檢討官劉揀奏：「伏蒙聖慈宣諭，授臣守静先生。陛下所以待高尚有道之士，如臣學術無取，昧於大道，兼臣見有家屬，宗跡同俗，若忝冒先生之號，恐未允心議，上負陛下盛時清净之化，所有告命，乞賜追號虚靖先生。」

〔一〕致和八年　「致和」疑爲「政和」之誤，政和八年即重和元年，該年十一月改元，十月尚屬政和。

宣和七年（乙巳，一一二五）

1. 二月三日，詔丹華廣範崇真處士劉知常除金庭輔教先生。續詔知常特授金庭輔教元明先生，視

中大夫。

2. 六月十九日，詔通妙處士劉厚特補通妙真應先生，及與封贈父母一次，仍視中奉大夫。

本門點校者　胡建華
審訂者　王雲海

賜名　賜第

影印本崇儒六之三七

趙抃自錢塘請老歸，加太子太保致仕。居高齋，東南名士多從之遊。卒，謚清獻。哲宗命蘇軾爲碑，賜名愛直。韓琦嘗稱抃真世人標表云。子屼、岏〔一〕，從子㟧，從孫霈、億。屼字景仁，擢進士第，再擢御史。論事忠鯁，清修有行義，能世其家，終太僕少卿。岏少登進士第，從胡瑗學，有文名，早夭，終監西京糧料院。㟧字孟遠，抃任以官，調德順法曹。元符末，應詔上書言：「章惇、蔡卞〔二〕托紹述以陷忠良，蔡京朋比姦邪，用之終必誤國。」崇寧初，京相，考此書，將㟧勒停，羈管處州。建炎贈朝奉郎。霈字公時，中上舍第，紹興間，爲右司諫，乞令有司具一歲錢穀之數以節浮費。上稱其極關治體，遷諫議大夫，晋貳吏部兼侍講，祠守蘇、秀卒〔三〕。其孫芹終永守。億歷郡守監司，以才稱。司穎，熙寧三年，諸路長吏應詔敦遣行義之士送舍人院試論，來者僅三千人，穎入優等，賜進士出身。

〔一〕子屼、岏　按「岏」原誤爲「屼」，據文同丹淵集卷三八趙君〔屼〕墓誌銘改。下同。

〔二〕蔡卞　「卞」原誤作「抃」，據宋史卷四七二本傳改。

〔三〕祠守蘇、秀卒　「卒」下原衍「卒」字。

本門點校者　胡建華

審訂者　王雲海

經筵

影印本崇儒七之一至三八
大典卷四八四六

高宗建炎二年（戊申，一一二八）

1. 三月十一日，講筵所言：「舊例，初御經筵，講讀經史先具奏，請點定。」詔：「講論語、讀資治通鑑。」

2. 四月七日，詔講讀官，故事，端午謝節料畢，罷講筵，至八月再開，可勿罷。上謂宰執曰：「朕以寡昧，適兹艱難，政事之餘，與卿等欵語，知學先王之道爲有益，方且夙夜孜孜於經史，今若講筵暫綴，則朕誦讀既多，有疑無質，徒費日力〔一〕，此事合如何？」黄潛善等奏，講筵願如聖意，勿罷。故有是命。

〔一〕徒費日力　「費」原誤作「廢」，據繫年要録卷一五建炎二年四月庚申、兩朝聖政卷三改。

四年（庚戌，一一三〇）

1. 八月四日，詔經筵日，令侍從官一員，具前代及本朝故事關涉治體者一兩事進入。從参知政事謝克家請也。

2. 十三日，資政殿大學士王綯言：「蒙恩除侍讀，依舊制，每年二月八日，取旨擇日開講，目今講筵所人吏未到，有失舉行。」詔：「候防秋日取旨。」時邊事未寧，將有事於親征也。

紹興元年（辛亥，一一三一）

1. 正月十三日，講筵所言：「近依舊制，春講於二月上旬擇日，奉旨差定講讀官開講。今已差秦檜兼侍讀，汪藻、胡交脩並兼侍講。自來講讀官並不限員，欲依令開講，除旦望假故，繫擇隻日講筵，仍乞令太史局選日。」從之。

2. 二月三日，詔越州，只今差撥人匠，將帶合用料物赴行宫門外東闕庭，搟截東壁二間，充講筵所、御覽書籍庫、講筵官直舍、人吏司房等。

3. 四月九日，内出御書扇，賜侍讀王綯、胡直孺，侍講汪藻、胡交脩、侯延慶各一柄。

二年（壬子，一一三二）

1. 七月十五日〔一〕，上謂輔臣曰：「儒臣講讀，若其説不明，則如夢中語耳，何以啓迪朕意？將來開講，欲令胡安國兼讀春秋，隨事解釋，不必作義，朕將欲咨詢。昔英宗皇帝時，司馬光爲講筵官，有請乞詰問，若知，則進獻其説；不知，則退而討論，此於帝學最爲有補。」

〔一〕七月十五日　玉海卷二六同此。繫年要録卷五六、兩朝聖政卷一二均作「七月甲戌（七月十六日）」。

2. 十一月三日〔一〕，詔講筵所：「今後住講日，令講讀官依講筵日分，除假故旦望，隔日輪官接續供進春秋口義一篇〔二〕，開講日依舊。所有日進故事，仍令侍從官依先降旨揮〔三〕，與講讀官、翰林學士、兩省官共進，却遇開講權免。」又詔：「六月十二日，並權免供進。」

〔一〕十一月三日　繫年要録卷六〇、兩朝聖政卷一二均作「十一月辛酉（十一月四日）」，本書影印本職官六之五九則作「十月二十九日」。

〔二〕一篇　「篇」原誤作「授」，據繫年要録卷六〇改。

〔三〕先降旨揮　影印本職官六之五九作「元降指揮」。

3. 十二月五日，新知江陰軍趙祥之〔一〕言，請以講筵官兼讀史書。上曰：「朕觀六經皆論王道，如史書多雜霸道，其間議論，又載一時捭闔〔二〕辯士〔三〕游説。」朱勝非曰：「春秋雖魯史，實尊王黜

霸。」上又曰：「孔子作經，經之祖，左氏作傳，史之祖也。」

〔一〕趙祥之言　「祥」繫年要録卷六一、兩朝聖政卷一二均作「詳」。

〔二〕捭闔　「捭」原誤作「押」，據同上書改。

〔三〕辯士　「辯」原誤作「辨」，據同上書改。

三年（癸丑，一一三三）

1. 四月九日，户部尚書兼侍讀黄叔敖言：「今後開講日分，遇聖節開啓、罷散日，乞權住講筵。」從之。

2. 七月二十六日，左司諫唐煇〔一〕言：「講筵所書寫人莫允中〔二〕經進書與换進義副尉，特不作非泛補授，乞行追改。」上曰：「此講筵所奏，御寶批也。既有例，當依例施行。」席益曰〔三〕：「此事固有前比，當如聖旨，然副尉而煩諫官論執，且乞賜允。」上卒從煇奏。

〔一〕左司諫唐煇　「煇」原作「輝」，據本門下文及兩朝聖政卷一四、繫年要録卷六七改。

〔二〕莫允中　繫年要録卷六七、兩朝聖政卷一四均作「慕允中」。

〔三〕席益曰　「曰」原作「日」，據兩朝聖政卷一四、繫年要録卷六七改。

四年（甲寅，一一三四）

二月二十一日，詔遇開講筵，令殿前司依舊制差過茶殿侍一十人，過茶祇應。」

2. 十月七日，詔：「講讀官進講義，從官進故事權罷，候過防秋日，依舊供進。其講筵所應掌書籍，令祇應御書使臣等，先次管押於穩便州縣安頓，其請給、船夫等，令所在應副，仍仰常切差人防護，無令散失。」時淮海有警，將有事于親征，從臣僚請也。

五年（乙卯，一一三五）

1. 閏二月二十二日，臣僚言：「仰惟陛下復開經筵，宜依倣仁宗時，於經筵中讀三朝寶訓，仍令侍讀之官如李淑所請，先取論政體聽斷，更益以謹灾祥、省費用數卷進讀，則內脩之道盡矣；次取議武備、制軍旅、論邊防、撫夷狄數卷進讀，則外攘之策舉矣。事要理切，既有以開廣聖志，興利除弊，庶足以拯濟阽危。帝王之學，莫大於此。」從之。已而，御前降三朝寶訓一部付講筵所，令録訖，却行進納，仍就所録正本進讀，更不立義。

六年（丙辰，一一三六）

1. 八月二十二日，詔：「依建炎四年指揮，權罷講，候過防秋，依舊開講，仍進故事。」先是，左司諫陳公輔言：「扈駕從官員數不多，又當道路之間，講讀故事皆所未暇。」故有是詔。

七年（丁巳，一一三七）

1. 七月三日，講筵所言：「本所今來已到行在，所有今年秋講一節，準令合至八月上旬擇日取旨外，其供進故事，欲乞令講筵所，依開講日分，除休假旦望，隔日依舊輪官供進。」從之。

2. 八月九日，詔：「仲秋開講，用八月二十三日。」時禮部侍郎陳公輔言：「竊觀陛下自聞道君太上皇帝、寧德皇后凶訃，哀毀過制，雖從群臣所請，以日易月，而退朝宮中，實行三年之喪，恐間日下臨講筵，有防退朝居喪之制。乞自後講日，止令講讀官供進口義，更不親臨。」繼而，吏部尚書孫近、刑部尚書胡交脩、翰林學士朱震奏：「近聞陳公輔言乞罷開講筵，臣等論之，本朝真宗以至道三年三月即位，改咸平則在諒闇之中也。是年正月，訪明達經義者，參知政事李至以崔頤正爲對，翌日，召頤正〔一〕講尚書於廣福殿〔二〕，又於苑中説尚書大禹謨。自是日令〔三〕赴御書院〔四〕侍對，説尚書至十卷。二年，置翰林侍講學士，命邢昺〔五〕講左氏春秋，亦在三年之制。」又給事中胡世將亦言：「神宗皇帝治平初，同知諫院〔六〕傅卞請開經筵，詔候祔廟畢取旨。按祖宗舊制，即無供進口義典故，乞更令

侍從討論故事以聞。」而公輔又上章辯論，必欲遂其説。於是右正言李誼奏：「竊考之詩，成王訪洛之初，群臣進戒之始，其言曰：『日就月，將學有緝熙于光明。』真宗皇帝即位之初，亦嘗命臣下講書于内殿，及英宗皇帝初師大寶，司馬光首以開講筵爲言者三。夫立紀綱，設制度，在人主莫如周之成王，本朝之章聖；識道理，嚴禮法，人臣莫如司馬光。而三年之喪，皆欲不廢夫學，以是天子之孝，在於安國家、定社稷，其於先王之道，不可一日而忘也。臣質之禮典，論之人情，以謂三年之制，聽倫樂、悦倫色、享倫味則有所不可，至於聞先王之正道，監祖宗之成訓，亦何不可之有？乞斷自聖志，依舊間日御邇英講至道，庶幾聰明不蔽，以闡大猷。」至是，公輔之請〔七〕寢焉。

〔一〕頤正　原作「頤下」，據宋史卷四三一崔頤正傳、玉海卷二六及上文改。
〔二〕廣福殿　玉海卷二六作「景福殿」。
〔三〕自是日　原作「自是月」，據宋史卷四三一、玉海卷二六改。
〔四〕御書院　「書」原作「藥」，據同上書改。
〔五〕邢昺　「邢」原誤作「刑」，據宋史卷四三一邢昺傳、玉海卷二六改。
〔六〕同知諫院傅卞　「諫」原作「陳」，據鄖溪集卷三兵部員外郎天章閣侍講知諫院傅卞可寶文閣待制制改。
〔七〕公輔之請　「公」字原闕，據上文補。

3. 九月一日，内出無逸篇四軸付講筵所，遇講日安掛。

4. 十月，詔仍開講筵。

九年（己未，一一三九）

1.七月二十八日，講筵所言：「昨進講論語終篇，據忠翊郎、講筵祗應御書兼脩纂邇英殿記注袁汝楫乞依經筵舊制，講讀經書，每遇終篇，例蒙推恩，其官吏等各轉兩官資，白身人補大將，及於皇城司賜御筵，祗應御書使臣等赴座。緣推恩舊例，昨因渡江而失不存。欲望特賜睿旨，比舊例降等推恩施行。」詔講筵所官吏各轉一官，内白身補進義副尉，裝界作賜錢三十貫。

2.九月二十八日，詔：「每遇講筵，宣賜講官等喫食，内有食素員數，將已定葷料令御厨變造宣賜。」

十一年（辛酉，一一四一）

1.三月二十一日，主管講筵所言：「三月〔一〕二十五日開講筵，是日係轉員諸班直等賜宣後殿，視事畢，御射殿再引，與開講日相妨。」詔：「引轉員畢，再座御經筵。」

〔一〕三月 「月」原誤作「日」。

2.四月五日〔一〕，賜侍讀吴表臣、蘇符新茶。

〔一〕四月五日　玉海卷二十七、影印本職官六之六〇皆作「四月九日」

十四年（甲子，一一四四）

1.二月五日，講筵所言：「車駕幸太學，御敦化堂聽講，至日，進講經書，乞依舊制，其正經只用印本籤貼，起立進讀畢，以次奉設繕寫講義進講，於卷首略題篇目，更不書正文。令供檢文字以下入殿聽旨宣取」。從之。

十五年（乙丑，一一四五）

1.十一月十三日，詔：「賜講讀、説書、脩注官寒食、端午、冬至節料，觀文殿大學士以上錢一百五十貫〔二〕，酒十瓶。資政殿大學士、學士以上錢一百貫，酒八瓶。待制以上錢五十貫〔三〕，酒六瓶。未繫兩制錢三十貫，酒四瓶。著爲令。」

〔二〕一百五十貫　「百」字原作「伯」，據影印本職官六之六〇改。下文「百貫」同此。
〔三〕錢五十貫　原脱「錢」字，據影印本職官六之六〇補。

十六年（丙寅，一一四六）

1. 三月十九日，詔：「進講孟子終篇，依論語〔一〕例推恩。」先是，紹興初開講，至是進講終篇。翌日，上特遣中使賜講官段拂鞍馬、牙芴、金硯、水瓶、筆、墨等。越三日，賜講讀官御筵于皇城司，遣中使宣勸，第賜香茶。侍讀秦熺〔二〕等翌日上表稱謝。

〔一〕論語　原誤作「語論」。

〔二〕秦熺　「熺」原作「僖」，據宋史卷四七三秦檜傳及本門二十三年、二十五年條改。

十七年（丁卯，一一四七）

1. 三月二十六日，詔：「講筵所可依在京日於資善堂内置局，候春講畢，令臨安府相度更脩。」

二十三年（癸酉，一一五三）

1. 十一月七日，詔：「進講尚書終篇，講讀官以下，可依孟子終篇例推恩，内人吏無資可轉人，候有官日收使，願换支賜者，聽。」先是，紹興八年三月開講，至是進講終篇。

2. 是日，特詔宰執聽講，進讀畢，太師秦檜以下稱賀。上悦甚，以玉帶、笏簡、金鞍勒、親御調習名馬，遣中使就檜第賜之，仍第賜侍讀秦熺、簽書樞密院事史才、侍講魏師遜、説書鄭仲熊、脩注官楊迥金帶、牙簡、鞍馬。檜等皆上表以謝。越二日，賜宰執洎講讀、脩注官御筵于秘書省，用教坊樂，遣中使第賜香茶。主管講筵所講筵閣官吏免御筵，賜食有差。既而，講讀官以下作詩以進。

二十五年（乙亥，一一五五）

1. 四月二十三日，詔：「進講周易終篇，講讀官以下，並轉官推恩有差。」

2. 是日，進講終篇，特召宰執聽講，畢，太師秦檜以下稱賀，上甚悦，以犀帶、牙簡、金鞍勒、良馬、銀、絹，命内侍就檜第賜之。仍第賜侍讀秦熺，簽書樞密院事鄭仲熊，侍講董德元、王珉，修注官林一飛金帶、牙簡、鞍馬、銀、絹有差。内王珉加賜金魚及硯匣。越二日，賜御筵于秘書省，遣中使第賜香茶。秦檜等各上表稱謝。

二十六年（丙子，一一五六）

1. 七月二十四日，左太中大夫、守御史中丞湯鵬舉言：「方今於祁寒隆暑，暫罷講筵，許近臣進故事，是欲令禁從少竭愚忠、裨補國論，當進入以備乙夜之觀。近來講筵所胥吏，輒違舊制，取索副本，稱講筵要用，自紹興十三年爲始，臣竊疑之。是必懷姦之人自爲朋黨，惟恐臣下獻忠，違背其意，故令胥吏取索。今後臣下奏陳故事，不許講筵所取索副本，只就令通進司進入，庶幾臣下得以輸忠。」從之。

二十七年（丁丑，一一五七）

1. 十月十六日〔一〕，詔：「經筵進讀三朝寶訓終篇，可依周易終篇例推恩。」先是，紹興五年閏二月講讀，至是終篇。是日，侍讀王師心頓首稱賀，上賜師心牙簡、金鞍勒、良馬、象管、端硯、檀香匣、復古殿墨、象牙粘版、壓紙、金硯、水瓶。越二日，賜講讀并脩注官以下御筵于皇城司，用化成殿樂，仍遣中使第賜香茶，師心等上表稱謝。

〔一〕十月十六日　玉海卷二六、二七同此。影印本職官六之六一繫此條於「十月十一日」。

二十八年（戊寅，一一五八）

1. 五月十八日，起居舍人洪遵言：「恭惟陛下延見儒臣，紬繹經史，惟以講學爲務，但左、右二史，襲沿近例，旋進旋退，於嘉言善行缺然〔一〕無所紀述，不足以稱聖天子隆儒傚古之意。望載筆之臣，應經筵中侍臣陞紬、封章進對、燕會賜與、講讀問答，斷自今年八月秋講爲始，悉行編録，以邇英記注爲名。仍敕講讀官，已後奏對之間，面得天語，即時以實具執，無得隱漏，庶幾一代盛典大書特書，與時政記〔二〕、日曆、起居注相爲表裏，有以考信。」從之。

〔一〕缺然 「然」字原脱，據歷代名臣奏議卷二七七洪遵乞經筵編聖語劄子補。

〔二〕時政記 原誤作「日政記」，據同上書改。

2. 九月二十六日，左朝散郎、守起居郎兼權中書舍人洪遵言：「竊見春秋二講，每於雙日，先期書曆，經筵官講讀畢，許留身奏事，修注官雖與僉書，未嘗有奏事者，不應別爲二體。」詔：「自今後，許依講讀官奏事。」

二十九年（己卯，一一五九）

1. 三月四日，講筵所言：「罷講日，令合進故事官寫副本同進卷實封赴本所，排日編之記注。近以臣寮言，不許本所排日本，只令通進司投進，遂使邇英記注有闕編録，乞降旨依舊。」從之。

孝宗紹興三十二年（壬午，一一六二）

1. 七月二十九日，孝宗已即位，未改元。講筵所言，見今排辦今年秋講，檢準令，皇帝初御經筵，合具奏請點定講讀經史。有旨，講尚書、周禮，讀三朝寶訓。

2. 九月四日，詔：「朕仰稽祖宗故事，開講其日，可召輔臣觀講。」七月，上初御講筵，翰林學士承旨洪遵進讀三朝寶訓，給事中金安節、禮部侍郎黄中講周禮，權工部侍郎張闡講尚書。先是，講筵所被官用二月十五日開講，上以謂日分稍遠，時用是日，至十一月二十七日罷講。故例，開講賜宰執御厨食各二十味，執政各十五味，經筵官各十味，講讀、説書、修注官每遇講筵日，賜食一合，法酒各二升。及遇寒食、端午、冬至節，觀文殿大學士、學士以上賜錢一百五十貫，酒十瓶，資政殿大學士、學士以上一百貫，酒八瓶，待制以上五十貫，酒六瓶，未係兩制三十貫，酒四瓶。年例，春季取賜茶、墨。自隆興元年，止賜茶不賜墨。

3. 十月二十六日，詔："講筵見講周禮、尚書，令分篇進講。"以兵部侍郎兼侍講周葵言："臣伏見講筵，見講周禮，係禮部侍郎黄中、給事中金安節同講，尚書係權工部侍郎張闡與臣同講。故事，每兩員同講一經，人各一授，上下相接，不分卷秩、篇章。竊緣孟軻以後，聖道不傳，經義淵深，後學未易窺測，雖有見行傳注，所説不同，講筵群臣未免各隨所見，臨時去取，有一篇之文，經意未終，兩人同講，互相牴牾，他日修成邇英殿記注，同爲一篇，而先後是非如此，委未允當。臣初侍講筵，即曾面奏上項事理，許臣等各講一經，至今未蒙處分。欲望特降指揮，各講是何經文，萬一必欲先了此二經，亦願敕講筵臣寮見講周禮者，一員起自天官，一員起自夏官，講尚書者，一員起自堯舜，一員起自洪範，庶幾篇目相遠，抵牾不多。"故有是命。

隆興元年（癸未，一一六三）

1. 十一月七日，詔學士院官、經筵官，自今月七日，每日通輪二員宿直於學士院。

2. 八日，中書門下省言，已降指揮，學士院官、經筵官，自今月七日，每日通輪二員宿直於學士院，所有輪當宿直官，如每月二日合赴德壽宫起居等，緣和寧門阻隔，難以趍赴，并遇其餘假日，合取旨施行。有旨，每月二日合赴德壽宫起居，聖節開啓滿散，國忌行香前一日及旬假、節假並與免宿。

乾道元年（乙酉，一一六五）

1. 四月四日，詔講筵所，將來大金報問使人到闕，權住講筵，候朝辭畢依舊。

二年（丙戌，一一六六）

1. 十月五日，上御講筵，先遣中使諭講讀官，賜茶罷可同班奏事。是日，權禮部尚書周執羔侍讀，給事中王曮、中書舍人梁克家、權兵部侍郎陳巖肖侍講，起居郎陳良祐侍立。講罷，賜茶。上命講讀官稍前。上曰：「朕雖無大過，豈無小失，卿等不聞有所規諫。恐思慮有所未至，賴卿等補益。」執羔等奏：「陛下聖明，事無過舉。」上曰：「卿等若只備位，非所望於卿等。」克家奏：「容臣等退思，苟有

闕失，敢不盡言。」

三年（丁亥，一一六七）

1. 九月二十四日，詔進講禮記官，擇諸篇至要切者進講。以中書舍人梁克家言：「臣聞六經皆聖人闡道以詔後世，而易爲之原，書、詩次之，春秋、周禮又次之，禮記則出漢儒雜記，雖其間所載道德性命、禮樂刑政制度，文爲委曲纖悉，雖然畢備，然皆諸儒纂輯成書，非全經也。臣昨者蒙恩待罪經筵，是時講官頗多，以最後至，因講禮記，首尾兩年，遇有缺員，不敢改他經。而臣今所講曲禮，類多閨門鄉黨掃洒應對、飲食衣履之末，誠不足以開廣聰明，裨助治道，臣實懼焉。欲乞今後令經筵官隨其員數多寡分經進講，以易、詩、書、春秋、周禮、禮記爲序，謂如講官三員，即講易、書、詩，四員，即講易、書、詩、春秋是也。遇有六員，合講禮記，即乞除喪禮十三篇不講外，餘篇中有不須講者亦節講，如元祐中范祖禹申請故事。或許擇諸篇最要切者，如王制、學記、中庸、大學之類，先次進講，庶幾有補聖德萬分之一。」詔從之。

八年（壬辰，一一七二）

1. 十月二十六日，詔：「先降指揮，經筵官日輪二員學士院宿直，自今可止輪一員。以後遵依，永爲定制。」詳見翰林學士門。

淳熙元年（甲午，一一七四）

1．十二月一日，詔：「經筵舊例，三經進呈邇英記注，例蒙推恩。有官資人各轉一員〔一〕，内無資可轉人，並應不願轉官資人，並依紹興二十四年已進記注推恩例，比換支賜。」從侍讀趙雄請也。

〔一〕轉一員　「員」疑是「官」或「資」字。

三年（丙申，一一七六）

1．九月二十二日，講筵所言，今來秋講，準令大禮習儀前五日權住。今太常寺十月六日閱樂，合於二十七日權住。詔展至十一月五日住講。

七年（庚子，一一八〇）

1．四月十一日，詔：「寶訓進讀歲久，尚有十二册。今每讀必多，至重午前可以徹章。俟徹章日，令丞相趙雄等皆赴經筵。」

2．二十六日，詔：「將來進讀三朝寶訓終篇日，賜宰執、侍讀、説書、修注官、御内主管講筵所官以下，依紹興二十三年例免賜。令主管賜御筵，諸司依等第列賜。」

3.五月四日，詔侍讀史浩、周必大，候講讀畢同班留身奏事。上曰：「進讀三朝寶訓幾時終篇。祖宗謨訓，日盡一卷，亦未爲多。雖雙日及休假〔一〕，亦當特坐〔二〕。」浩曰：「臣等敢不奉詔〔三〕。」自是每講讀，率漏下十刻。

〔一〕雖雙日及休假　「及」原誤作「亦」，據兩朝聖政卷五八改。

〔二〕特坐　「特」原誤作「時」，據兩朝聖政卷五八、事類備要・後集卷二三經筵門、玉海卷二六寶元讀三朝寶訓條改。

〔三〕奉詔　原作「奏詔」。

4.同日，詔：「經筵進讀三朝寶訓徹章，真宗皇帝正説藏在秘閣，宜以進讀。」

5.十一日〔一〕，進讀三朝寶訓終篇，賜宰執、經筵修注官御筵于秘書省道山堂，及牙簡、金帶、硯匣、塗金鞍馬、香茶。侍讀、侍講、説書並特與轉一官，修注官各特與減三年磨勘，本所官吏依紹興二十七年例推恩。翌日，赴坐官有詩來上，詔宣付史館。

〔一〕十一日　「日」下原有「詔」字。按影印本禮六二之八〇及玉海卷二七繫此詔於「六日」。又據玉海卷二六載賜予在「十一日」，是詔在「六日」，賜在「十一日」也。故玉海於「十一日」下無「詔」字，今從玉海。

八年（辛丑，一一八一）

1. 四月二十九日〔一〕，詔丞相趙雄等赴經筵，聽讀正説終篇。少傅、保寧軍節度使兼侍讀史浩，吏部尚書兼侍讀王希吕，户部侍郎兼侍講蓋經，侍御史兼侍讀黄洽，國子司業兼崇政殿説書崔敦詩，起居郎兼權中書舍人木待問，起居舍人宇文价言：「淳熙七年夏五月乙卯，經筵三朝寶訓徹章，臣等上奏，請繼讀何書。翌日有旨，真宗皇帝正説藏在秘閣，宜以進讀。經史及祖宗謨訓已屢終篇，緝熙光明，愈久不倦。惟易一經，實爲六藝之原，致治之成法也。乃辛丑歲九月甲申得旨，令侍講、説書專講是經。每遇進講，玉音發揚，隨義折衷。聖言宏奥，固已載之記注，以詔萬世。臣等竊謂易之爲書，廣大悉備，然其大旨不過推原陰陽消長之理，以明治亂興衰，以辨君子小人而已。伏覩陛下嘗因講泰卦之九二，玉音有曰：『君子以其類進而爲善，小人以其類進而爲惡，未有無助者也。』講萃之上六，玉音有曰：『盛極則衰，亂極生治。』三復聖言皆以深得大易之旨。若此之類，不一而足，是以見之事業，措之天下，皆易之用也。近者又蒙宣諭，日講兩卦〔二〕。今遇徹章，臣等慶幸之餘，不勝拳拳歸美之意，乞宣付史館。」從之。

〔一〕四月二十九日　此條原繫於淳熙八年，首句與玉海卷二六合。此下史浩等奏章多言此後事。如「辛丑歲九月」乃在四月以後，「詔日講兩卦」，玉海卷二六在淳熙「十一年九月九日」，「徹章」在「十月十日」。兩朝聖政卷六一亦載「詔日講兩卦」在淳熙十一年九月戊申。故此奏章當在淳熙十一年十月十日或稍後。原係一條，不便拆散，姑仍其舊。

〔二〕日講兩卦　「日」原誤作「曰」，據玉海卷二六紹興淳熙講易條、兩朝聖政卷六一改。

2. 十一月一日〔一〕，詔經筵進講周易終篇，侍讀、侍講、修注官并特與轉一官。是日，侍讀張大經，侍講宇文价、蕭燧、王藺、葛邲，起居郎陳居仁，舍人李巘上表，以進講周易終篇，賜御筵及簡、帶、鞍馬、香茶，各撰成謝恩詩上進。詔宣付史館。於是九月秋講，臣浩嘗讀正心篇，論黄帝無爲而天下治。上曰：「所謂無爲者，豈燕安無所事事〔二〕之謂乎。」臣浩又讀剛斷篇，論漢武帝知郭解能使將軍爲言，其家不貧。上曰：「武帝於此，可謂洞照事情。」臣浩又讀大中篇，論爲政之道本乎大中。上曰：「勿渾渾而濁，勿察察而明，即此理也。」臣等側聞至言，咸極欽歎。竊以久而必怠者，中主之常情，新而不已者，上聖之盛德。自昔人主臨御日久，非内惑聲色則外事畋遊，其蔽則至於溺浮圖，求神仙。今陛下天縱聰明，日躋睿智。爰自即位，今二十年，方且孳孳典訓，愈久愈厲，歲時甫浹篇帙再周，誠經席之所未見。求之往聖，則帝王之汲汲，孔子之皇皇，不是過也。乞付史館，從之。

〔一〕十一月一日　此條原繫於淳熙八年，按玉海卷二六紹興淳熙講易條，終篇賜張大經等在淳熙十一年十一月一日。讀正説·正心篇及剛斷篇、大中篇與聖言付史館事，玉海同卷景祐邇英讀正説條在淳熙七年九月。原作一條，不便拆散，姑仍其舊。

〔二〕無所事事　「事」下原脱一「事」字，據兩朝聖政卷五九、玉海卷二六景祐邇英讀正説條、事類備要·後集卷二三之五經筵門·論黄帝無爲條補。

3. 五月四日，詔進讀真宗皇帝正説終篇，賜宰執、經筵、修注官御筵于秘書省道山堂及牙簡、金帶、硯匣、涂金鞍馬、香茶，侍讀、侍講、説書、修注官並特與轉一官，本所官吏依淳熙七年例推恩。翌日，赴坐官有詩來上。詔宣付史館。

4.七月四日，詔經筵進讀陸贄奏議。

5.九月十日，詔侍講〔一〕、說書通共進講周易一經。

〔一〕侍講　「講」原誤作「讀」，據原書崇儒七之一三、玉海卷二六紹興淳熙講易條改。

十一年（甲辰，一一八四）

1.九月九日，詔侍讀、侍講，見今進講周易將欲終篇，可自開講日，每日〔一〕講兩卦。

〔一〕每日　「每」下原脫「日」字，據玉海卷二六紹興淳熙講易條、兩朝聖政卷六一補。

2.十月十日，禮部尚書兼侍讀張大經等奏：「恭惟陛下稽古典學，萬機之暇，親御經筵。講〔一〕

〔一〕「講」下疑有脫文。

3.十月十三日〔一〕，宰執進呈，講筵所周易終篇，官吏推恩。上曰：「轉官依淳熙八年例。」王淮等奏：「吏部人白身者多，以前三名。」上曰：「如何得多，可從下減却，只是優與犒設。」又曰：「陸贄奏議又將終篇。」淮等奏：「陛下聖學高明，而講筵如此留意，可以爲後世法。」

〔一〕十月十三日　此條原繫於淳熙八年，據玉海卷二六紹興淳熙講易條，「推恩」在淳熙十一年「十月十三日」。據此調整。

十三年（丙午，一一八六）

1. 三月二十七日，詔見進讀陸贄奏議，可自後講，每講進讀半帙〔一〕，作六講終篇。

〔一〕半帙　「帙」原誤作「册」，據影印本崇儒七之一五、玉海卷六一唐陸贄奏議條改。

2. 五月一日，侍讀蕭燧，侍講宇文价、葛邲、蔣繼周、洪邁，起居郎李巘，舍人吴燠言：「恭覩淳熙八年四月甲戌，經筵讀真宗皇帝正説終篇，六月壬申有旨宣諭，陸贄奏議可與不可進讀。王希吕等言：『贄論諫數十百篇，皆本仁義。元祐中，蘇軾等乞繕寫進呈，置之座右，將來開講如令進讀，實有補於治道』。七月丙子，制曰可，且令日讀五版。九年四月辛亥，詔講讀官同班奏事。上曰：『朕每見陸贄論德宗事，未嘗不寒心，正恐未免有德宗之失，卿等可各條具闕失來上。』侍讀芮輝奏：『陛下推誠待下，可謂曲盡其至。』侍講黄洽言：『德宗猜忌刻薄，唐書一贊盡之矣。』上曰：『德宗彊明，不肯推誠待下。雖更奉天離亂，終不悔悟。當彼艱難之時，所宜與贄朝夕論議猶恐不濟，而每事但遣左右宣旨，罕嘗面論，豈能深究利害，此所以知德宗之不振也。』侍講崔敦詩言：『德宗於軍旅間亦多是中人傳旨，實情安

得上達。』上曰：『德宗欲以此濟其猜忌刻薄。』輝又奏：『聖言及此，社稷之福。』於是合辭奏言：『臣等敢不仰遵聖訓。願竭愚忠。』十三年三月癸卯開講時，奏議猶有三帙，凡三萬五千餘字。有旨諭講讀官，令自後每讀以半帙爲率。四月庚戌，臣燧讀贄論度支令折税市草事狀。臣燧言：『自古聚斂之臣，務爲欺誕以衒能，未有不先紛更制度者。』上曰：『天下本無事，庸人擾之耳。』庚申，臣燧讀贄所論裴延齡書。上曰：『贄論延齡姦惡反覆曲折如此，延齡可謂至小人。』臣燧言：『延齡之姦最甚，世所罕有。』又有旨特以十八日、二十二日御講筵〔一〕。臣燧又讀贄所論裴延齡書。讀畢，臣燧言：『君子未嘗不欲去小人，然常爲小人所勝。如蕭望之爲恭、顯所勝，張九齡爲李林甫所勝，裴度爲皇甫鎛所勝。』上曰：『皇甫鎛亦延齡之徒也。』惟臣等以庸瑣之材，幸得備員華光，日侍左右。仰惟陛下以天縱典學，緝熙光明，一話一言皆足以貽諸萬世。堯舜之聖不過如是，豈唐德宗所當同日而語。然宸心惕惕，每慮或蹈其失，以爲寒心。夫德宗親聞贄言而棄之如土梗，陛下進誦贄語而寶之如元龜，至以退朝之後傾聽數千言而不爲倦厭，又特於雙日躬御邇英，蓋故事所未有。聖愚相去何止高天之與下地也。臣等不勝大願，乞宣付史館，以彰著陛下不矜不伐執古御今之意。』從之。

〔一〕講筵　「筵」字原作「延」。

3.是日，宰執進呈。上曰：「昨與添入數語。」王淮等奏：「此真可爲萬世法程。」上曰：「德宗不明，不能壓服臣下，故當時藩鎮敢爾妄作。」

4.五月六日，詔：「經筵進讀陸贄奏議終篇，侍讀、侍講、修注官並特與轉一官。本所官裝界作依淳熙八年例推恩，其人吏依例不得過一十六人。内白身人與補進武副尉，仍不得過二名。餘不該推恩五人，各支犒設錢五十貫。」

5. 十三日，侍讀蕭燧，侍講宇文价、洪邁、葛邲、蔣繼周，起居郎李巘，舍人吴燠上表，以進讀陸贄奏議終篇，賜御筵及硯、金匣、筆格、鞍馬、香茶、筆墨，各撰成謝恩詩上進。詔宣付史館。

6. 六月十三日，新知建寧府程大昌朝辭奏：「竊見講殿進讀陸贄奏議，兩日而徹一卷。異代諫語，亦蒙采録，古無前比。然臣願有獻唐人以諫名世者，贄外更有魏徵〔一〕，率皆主本仁義，而能發達事情。贄之所事者德宗，故其仁義爲空言；徵之所事者太宗，故其仁義爲實效。贄語如醫家之脉書，閣於不試，則無效可考；徵書如良醫，診療皆效，則其方藥悉可循用也。乞宣取魏徵諫録接續覽觀，則失德宗之所從失，與夫太宗之所從得，皆昭昭如白黑矣。」詔繕寫進入。

〔一〕魏徵　「徵」字原本避仁宗諱改作「證」。據舊唐書卷七一、新唐書卷九七本傳及玉海卷六一唐魏徵諫事條回改。

淳熙十六年（己酉，一一八九）光宗已即位，未改元〔一〕。

1. 二月十三日，詔講筵所依令用此月中旬擇日開講。

〔一〕按是年二月二日宋光宗即位，注文「光宗已即位，未改元」，係校者所加。

2.十四日，詔：「朕仰稽祖宗故事，開講日可詔輔臣觀講。」

3.十八日，講筵所言：「皇帝初御經筵，合具奏請，點定講讀經史。」詔講尚書，續講三朝寶訓，接續東宮所講尚書。

4.五月十四日，講筵所言：「見進讀三朝寶訓，今準指揮，合進讀資治通鑑，即未審與三朝寶訓相兼或相間進讀。」詔寶訓與通鑑間日進讀。

光宗紹熙元年（庚戌，一一九〇）

1.十月十二日，講筵所言：「經筵見今進講尚書將欲終篇。」詔再講春秋。

2.二十五日，權吏部尚書兼實録院修撰、兼侍讀鄭僑等言：「臣等仰惟皇帝陛下以天縱上聖之資，承壽皇親傳之統，道同舜禹，稽古爲先。乃淳熙十六年二月二日登大寶位，甫浹日，命諏辰開經筵，續東宮所講尚書。是月二十三日，御邇英初講，用祖宗故事，召輔臣與觀。自是隻日率以爲常，間遇休假亦特命講。始自無逸，顧問咨訪，玉音折衷，動與理會。講立政，上曰：『立政一篇，大抵以用人爲本。』胡晋臣言：『信任則不以小人參之。』上曰：『任則勿疑。』講君陳『斯謀斯猷，惟我后之德』，上曰：『此乃萬世人臣之龜鑑。後之人臣多是沽名。』講君牙『丕顯哉文王謨，丕承哉武王烈』，上曰：『文王功業甚大，武王又能承之，可謂授受一道。』講冏命『侍御僕從，罔匪正人』，上曰：『文武之聖猶先辨邪正，則邪正誠不可以不辨〔一〕。』余端禮言：『古者，人主左右，必擇賢士大夫，不專用近習。』上曰：『左右近習能移人之性。』又曰：『士大夫進見有時。若左右近習，則朝夕親近，所以能移人之性。』又曰：『邪正混淆，尤當深察。』講『呂刑一書非有意於用刑，蓋欲使人知畏而不敢犯。』紹熙元年十月二十五日終篇，臣等竊惟尚書一經，帝王軌範。陛下養德儲闈，進讀是書已至於再。臨御未幾，亟詔侍臣續業金華，遂究五十八篇之旨。臣嘗於經筵奏事，蒙宣諭曰：『夫人幼而學之，壯而行之。朕在東宮時，每與諸儒講論經理，至今頗得學力，乃知此事不可一日廢。』臣等聞之，贊美一詞，竊謂經曰『學于古訓乃有獲』，又曰『念終始典于學』。陛下於此可謂尊其所聞，行其所知矣。臣等不勝慶幸，乞宣付史館。」從之。

〔一〕不可以不辨　「可」下原衍一「可」字。

5.十一月七日，詔：「進講尚書終篇，宰執、侍讀、侍講、修注官並特與轉一官。本所官吏裝界作依淳熙八年例推恩，其人吏依例不得過一十六人。内白身人與補進武副尉，仍不得過一名。餘不該推恩五人，各支犒設錢五十貫文。諸色祗應人一十七人，支犒設一次。」

三年（壬子，一一九二）

1. 九月十六日，講筵所言：「今來秋講，據太史局申，宜用九月二十五日。」從之。先是，吏部尚書兼侍讀鄭僑言：「二月開講，止于重午，八月復開，止于冬至，著爲定令。自時厥後，定令雖存，間以事妨，亦有春講用三月，秋講用九月，則漸失祖宗之旨。竊謂將來秋講自會慶、重明節北使到闕前後日分，皆有相妨，加以今歲初郊，習儀前五日例是輟講。若自八月開經筵，日數已是希少，設用九月則愈少矣。乞詔有司擇日於八月上旬，則御邇英，庶幾日分稍寬，可以仰副陛下從容訪道，終始典學之意。」

寧宗慶元元年（乙卯，一一九五）

1. 正月二十一日，臣寮奏：「恭聞高宗皇帝諭宰臣趙鼎曰：『朕居宮禁中，自有日課。早閱章疏，午後讀春秋、史記，夜讀尚書，率以三鼓罷。』孝宗皇帝諭講官周操曰：『朕在宮中並無他用心，只是看經史耳。』大哉皇祖之訓學，有緝熙於光明，所謂貽孫謀而燕翼子者，蓋必由於學也。仰惟陛下踐祚之初，未遑他務，首開經幄，添置講員，增益諸經，早晚兩講。不以崇高富貴爲樂，而以盛德日新爲念。臣去歲八月二日面奏講學劄子，陛下慨然垂聽，出示講官。越三日宣召微臣，玉音諭以悉行所奏。中外交賀，咸仰陛下念學之篤，根於至誠，蓋二帝三王之用心，上繼高宗、孝宗聖學之盛也。仰惟陛下，日御經筵，固有定式。惟是暇日與退朝之際，皆是清閒之燕，宮中庶務必不上關聖懷。當此暇隙之時，稍思日課之學，如高宗、孝宗之訓，定課式於禁中，庶幾既有外朝講讀之勤，又有內廷課學之益。恭覩高宗皇帝聖政、孝宗皇帝聖政二書，皆是兩朝七十年間大政事，藏諸金匱，不惟盛德大業，醲化懿綱，一一所訓式，而紀載明白，事理較然，觀閱之間易於著心而入耳，固不待講理而後明也。欲望陛下以高宗、孝宗宫中讀書定課爲法，而復以聖政之書，專爲宫中課程之學。下秘書省繕寫兩朝聖政二書，留寘日所御殿，日閲數條，以爲定式。詳其施置之美意，法其政事之脩明。熟味細觀，再三紬繹，積日累月，不踰定課。則兩朝聖政之書盡畢觀覽，良法美意皆在陛下胷中。出而見諸政治者，將自脗合而無間矣。此其事不勞，其道易行，而其效必至者也。臣拳拳愛君，願俾聖學。惟陛下財幸。」詔從之。

2. 四月二十五日，權工部侍郎兼知臨安府錢象祖言：「仰惟國家聖聖相承，莫不鋭情經術，博攷古今，參稽治要。逮高宗皇帝，當艱難再造之日，亦不忘貽訓，常詔侍從官，遇住講日，輪進故事，俾從臣時得以前代及本朝之事有關治體者，述録以聞。雖漢世祖之投戈講藝、息馬論道不是過也。恭惟陛下以天縱之資，留意聖學，粤自龍飛九五而來，益加聖心，崇尚儒臣，訪求治道，日御經筵，靡間寒暑。雖於舊制罷講之時，猶日講不輟，緝熙光明之盛，度越前古。惟是侍臣所進故事，以紹興之制係於住講日，依講筵日分，以次輪進。今講筵既無住講日分，有司遂未舉行。竊謂所進故事，皆摘取切近時務，足以觀省者，以爲規益。或以古語而明令，或以往事而申鑑，非徒爲多聞也，詎可廢而不舉哉。欲望聖慈，特降睿旨，自今雖非住講日分，亦令侍從官從舊制輪進，庶幾古先之成績、列聖之良規，時得以徹聞聰聽。不惟有以副陛下博詢廣問孜孜不倦之意，而且俾侍從之臣，咸得輸忠效美，以罄愛君憂國萬一之誠。實非虚文，不爲小補。」詔從之。

3.十月十七日，太中大夫、試吏部尚書、兼實録院修撰、兼侍讀葉翥，中奉大夫、權兵部尚書、兼侍讀張叔椿，通奉大夫、御史中丞、兼侍讀何澹，太中大夫、守尚書户部侍郎、兼修玉牒官、兼侍講袁説友，朝議大夫、新除刑部侍郎、兼侍講黄艾，朝奉大夫、試右諫議大夫、兼侍講李沐，朝請郎、試國子祭酒、兼權兵部侍郎、兼侍講楊大灋，朝散大夫、行殿中侍御史、兼侍講黄黼，朝奉大夫、行右正言、兼侍講劉德秀言：「内侍王德謙〔一〕白劄子，得旨宣諭侍讀、侍講等，自今後晚講，各要講解義理，引古證今，庶不爲文具。若只讀過，恐無益于事。請具知委回奏。翥等除已遵依聖旨外，當於十一日早講畢，同班面奏訖，乞宣付史館。」詔從之。

〔一〕王德謙　「謙」原誤作「兼」，據宋史卷四六九王德謙傳改。

4.十二月七日，詔：「自今已後，如遇開講，隻日早一講，晚兩講一讀，雙日止晚講，兩讀兩講。如將來遇垂拱殿坐，雙隻日並晚講，免早講。不係開講之時，除假故外，並特晚講，依舊兩讀兩講。」

五年（己未，一一九九）

1.四月二十七日，通議大夫、權禮部尚書、兼實録院同修撰、兼侍讀黄由劄子奏：「臣恭惟陛下天資濬明，聖意冲澹。肅御經殿，朝夕講説。雖祁寒盛暑，亹亹忘倦。此堯之日行其道，湯之日新厥德，成王之日就於學也。比者講官進講之次，嘗頌仁祖聖語，以刺詩亂世之事爲監戒〔一〕。講讀敷演，未嘗諱避。陛下恪遵成憲，即賜允俞。至今臣子得以肆言無忌，而陛下每每傾聽不厭。臣以譾薄備數，進讀資治通鑑，自接續漢宣帝之後，至世祖建武之十二年，每同讀官得以管見，援引敷奏，不敢緘默。然臣竊觀通鑑正本計二百九十四卷，所記興君誼辟與中才庸主之事，槩有可法，亦有可戒。今進讀節本，類多芟摭，爲進士科舉計，其間急政要務，關於君子小人進退用捨之際，天下國家安危理亂之機者，或闕不載，甚非所以廣聰明而示龜鑑也。宣帝五鳳三年，張敞請明飭郡國，挾詐僞。元帝竟寧元年，侯應奏罷邊備，設置戍卒。成帝河平二年，胡三老等訟王尊之冤，以指鑱賊之罪。哀帝建平二年，楊雄等論鼓妖之異，以明聽失之象。凡此等事，或切於吏治，或熟於邊防，或繫於國是，或兆於天變。攷之節本，一切遺軼，甚至當時閹寺小人恃權挾術以誤人家國者，迺復畧焉。宣帝本漢英主，弘恭、石顯信任非才，自是基禍於後。至元帝時大爲欺罔，有如宮門不可夜開，自有著令，顯恐左右間己，取一信以爲驗，輙先自白請使詔吏開門，故投夜還，稱詔開門入。後雖有上書告顯，而顯命矯詔之奏，遂不得行，是託信以濟其詐也。而元帝不之悟，由是姦謀陰計，詭秘百端。小夫憸人，黨友交結。於時民間有『牢邪石邪，五鹿客邪〔二〕』之歌。此在通鑑中最爲要切，可以爲後世戒者，而節本不載。臣自去冬進讀，殆及半歲，其泛然無益，不足勤乙覽者，既不敢有所刪削，至關繫治體可以爲規警者，復不敢有所增益。以陛下講學日勤，順考古道，而臣悠悠歲月，塞責目前。讀得不讀失，讀存不讀亡，或盡如本朝趙抃之論，豈不負陛下細旃之意哉。陛下始初踐祚，深以宗社大計爲重。如王德謙之積姦稔惡，怙勢邀寵，殆與弘恭、石顯無異。陛下奮發英斷，竄投遠方，天下竦然，咸服陛下之剛明，而臣遭遇最蚤。竊窺陛下識度昭晰，其於小人情狀，灼見有素，固不待罪釁滿盈而後知也。蓋臣甲寅之夏，執經潛邸，同列或在告或丐外，獨臣朝夕得侍陛下左右。時孝宗聖躬違豫，太上亦以疾不得以時問安。宰輔寡謀，倉皇無策。臣嘗罄竭愚慮，謂孝宗詒謀燕翼，垂諸子孫，休戚一體，太上以疾未出，陛下即孝宗之長孫，盍謂於太上躬往省侍。於是具劄聞奏，得前旨，詔陛下即日過宮。奏下〔三〕之時，臣猶在講席未退。陛下欣喜踊躍，更衣趣駕。而王德謙時爲都監，輒爲間言，妄立異説，執留省劄久之，謂當審奏，抑陛下不得前。臣正色力争，德謙堅持不可，臣又得省劄，乃太上親旨。子拜父命，亟當欽承，德謙何至敢邇稽違。陛下天日熙燭，怒其言爲非，而以臣言爲是，斷自聖意，隨即登車，仍令臣留邸以竢問安之回。德謙迫不獲已，勉强從往，而憤怒偃蹇，形於色辭。盖其無君無親之心，大姦大惡之態，固已發露於此矣。陛下祗見孝宗，賜坐移時，告語慰藉，不一而足。自是日往省問，率以爲常。向使陛下明斷不果，德謙之言或入，則孝宗愛孫之懷，太上命子之意，與陛下事兩宮之孝，誠詎能彰著於天下後世哉。是事始末，惟陛下實能眕記，而廷臣所未知，國史所未載。臣隱而不言則有罪，故臣因論進讀資治通鑑輒併及之。臣竊謂德謙之姦欺，甚於弘恭、石顯，而陛下之明斷，非元帝所能及。繼今進讀，止用節本，而漢、唐間所以貽禍於此曹者，不獲徹聞，則是姦邪之謀，不惟可以取信於當時，而亦可以肆欺於後世，臣實懼焉。臣聞神宗製通鑑序文，有曰：『荒墜顛危可見前車之失，亂賊姦宄厥有履霜之漸。』欲乞詔許讀官徑將通鑑正本，擇其要切反覆進讀。凡自昔君子小人進退用舍之際，天下國家安危理亂之機，該載日月，具以時聞。間有泛然無益於治體者，則削去之。仍乞下臣劄子，宣付史館，登記潛邸省侍孝宗始末，使千萬世知陛下之孝德不可及，小人之姦謀不可欺，實宗廟生靈之福也。」詔從之。

〔一〕監戒　「監」疑爲「鑑」字。
〔二〕五鹿客邪　「邪」原誤作「夜」，據漢書卷九三佞幸傳、資治通鑑卷二九漢紀二一元帝建昭二年記事改。
〔三〕奏下　「奏」疑是「詔」之誤。

嘉泰元年（辛酉，一二〇一）

1. 十一月三日，朝請大夫、試尚書禮部侍郎、兼權禮部尚書、兼給事中、兼實録院同修撰、兼侍讀費士寅，中奉大夫、試尚書禮部侍郎、兼直學士院〔一〕、兼實録院同修撰、兼侍讀陳宗召，新授中大夫、試尚書兵部侍郎、兼侍講趙介，太中大夫、中書舍人、兼侍講萬鍾，朝請大夫、行殿中侍御史、兼侍講林采，朝散大夫、行右正言、兼侍講施康年劄子奏：「臣等恭惟皇朝家法，以親近儒臣、講論經義、商較古今爲求治之本。列聖相承，所守一道，典學之勤，蓋漢唐賢君所莫能及。然考之故實，皆二日一開經筵，好學率用雙日，一讀一講，惟仁宗皇帝自乾興後隻日亦或講説，而亦未以爲常也。皇帝陛下至誠天縱，好學不倦，自登寶位，雙日、隻日咸御經筵，兩讀兩講，寶訓、通鑑、詩、書、禮記、春秋、語、孟分日更進，率以爲常。每當講讀，凝神審聽。諸儒之説，間有理到詞達，足以發明微旨、默契聖心者，必首肯意受，喜見天顔。或誦説之多，至漏移十數刻亦未嘗有倦色。蓋自昔帝王好學之誠篤不厭，未有如今日之盛者也。孟子一書，自紹熙五年八月十七日詔續潛邸所講之章，至今年十一月三日講徹。臣等竊惟孟子之道，大抵先義後利，教民孝悌力田，使之不飢不寒，爲王道之本，此二帝三王所以君天下者。而當時之君，乃以其説爲迂闊，又以距楊墨，放淫辭，使邪説者不得作，以著孔子之道爲己任，此禹、周公、孔子三聖人所以善天下者，而當時之人乃以其説爲好辨，則其不遇亦已甚矣。今陛下於千載之後，乃好其道，講明其書，舉其言而措之天下。崇儉約，省徭役，捐帑廩以厚民力，闢邪説，距詖行，放淫辭以正人心。一政一事無非取諸其書。然則孟子之言雖不用於戰國之君，而見用於陛下，孟子之道雖不行於當時，而實行於今日也。臣等陋學謏聞，充員講讀，式際休嘉，不勝慶幸。欲望聖慈宣付史館。」詔從之。

〔一〕直學士院　原作「直學院」。

開禧元年（乙丑，一二〇五）

1.正月二十三日，朝請郎、試兵部尚書、兼侍讀張澤，中大夫、權禮部尚書、兼同修國史、兼實録院同修撰、兼侍讀蕭逵，太中大夫、守吏部侍郎、兼同修國史、兼實録院同修撰、兼直學士院、兼侍讀顔棫，朝請大夫、試中書舍人、兼侍講陸峻，朝散大夫、權尚書刑部侍郎、兼侍講、兼中書舍人楊炳，朝奉大夫、侍御史、兼侍講林行可劄子奏：「臣等近於十二月十三日恭侍經幄，因奏陳民間望雪甚久。陛下精禱通天，加之前日頒詔改元，推行寬大之澤，百姓鼓舞，和氣感召，瑞雪應期，速若桴鼓。更願陛下益加兢業，畏天愛民，茂宗社無窮之福。臣等又奏，陛下當隆冬雪寒之時，不輟講誦，仰見聖學無倦，盛德日新。臣等一介寒儒，獲際休明，實千載難逢之會，皆蒙陛下嘉納。臣等拳拳愚衷，欲望聖慈特降睿旨，下臣等所奏宣付史館，昭示將來。臣等不勝幸甚。」詔從之。

嘉定元年（戊辰，一二〇八）

1.三月十一日，資政殿大學士、中大夫、提舉萬壽觀、兼侍讀趙彦逾，通奉大夫、守吏部尚書、兼翰林學士、兼修國史、兼實録院修撰、兼侍讀樓鑰，寶謨閣學士、太中大夫、充湖北京西宣撫使、兼侍讀宇文紹節，中大夫、權兵部尚書、兼修國史、兼實録院修撰、兼侍讀倪思，朝奉大夫、試尚書禮部侍郎、兼直學士院、兼修玉牒官、兼侍講章良能，朝散大夫、試中書舍人、兼侍講蔡幼學，朝奉大夫、試右諫議大夫、兼侍講葉時，朝奉郎、殿中侍御史、兼侍講黄疇若，宣教郎、試起居郎、充奉使通謝使許奕，朝議大夫、起居舍人、兼太子侍講陳希點劄子奏：「臣等仰惟皇帝陛下鋭情經術，退朝暇豫再御邇英，隆冬祁寒曾弗少怠，多聞建事之效，固已度越前王矣。迨兹更化，又令權寢他經，專一以詩進説，尤見聖心急於究聞三百五篇大義，温顔訪逮，命之坐講。章句雖多，垂聽不倦，遂卒金華之業。宣召宰輔，同豫榮觀，甚休甚盛。臣等猥以末學，獲備講讀之職，無所發明，積懷愧懼。竊惟三代而下，人主號爲尊尚儒術，莫如漢之武帝，唐之太宗。武帝表章六經，然好大喜功，失於多欲；太宗嚴訪儒生，然内多慙德，人得以議。誠未有如陛下始終惟一，篤學而力行者也。夫詩之美刺，關繫治忽。文武王業之所由興，幽厲主業之所由替，與夫持盈撥亂，治内治外之規模，不可爲後世法。陛下深明六藝，夫豈效經生學士區區於多識鳥獸草木之名。盖欲本之修身，刑之齊家，極於美教化，移風俗。是以施爲注措，莫不有得於詩。敬畏天戒，則不識不知順帝之則也。遵守成憲，則不愆不忘率由舊章也。下武繼文，于以盡其孝。行葦忠厚，于以廣其仁。夙夜敬止，于以致其勤。奉養有節，于以示其儉。不諫亦入，則從善爲甚速。見睍曰消，則去邪爲甚易。戒政多如雨，則威福自已。懲巧言如流，則聽斷惟精。險詖私謁不行於宫庭，關雎之美著焉。振振信厚皆顯於公族，麟趾之化行焉。誅鉏元凶，所以懲尹氏之專於秉國。登進耆舊，所以藉老成之重於典刑。棫樸能官，而髦士休宜。菁莪樂育，而英才並出。至若有常立武，而得衛中國之道。不隕厥問，而得御夷狄之術。勞來還定，而鰥寡不失其所。叙情閔勞，而將士咸樂爲用。凡此大政數十，雖陛下天資高明，動與理合，然實稽古典學之力也。盖詩進講，始于陛下登極之初，紹熙〔一〕五年甲寅八月，終于嘉定改元戊辰三月。日就月將，緝熙光明。陛下既得之矣，維天之命，於穆不已，文王之德之純純亦不已。抑臣等願陛下加之意焉。臣等遭逢明時，親覩盛美，若不能備述始末，登載簡策，傳示萬世，則爲有罪。謹具劄子奏聞，伏望聖慈宣付史館。」詔從之。

〔一〕紹熙　「熙」原誤作「興」，據玉海卷二六慶曆邇英閣講詩條改。

二年（己巳，一二〇九）

1.十一月十六日，朝議大夫、權禮部尚書、兼侍讀章穎，朝散郎、試尚書吏部侍郎、兼侍讀許奕，朝議大夫、試尚書吏部侍郎、兼直學士院、兼侍讀蔡幼學，朝奉大夫、侍御史、兼侍講陳晦，朝請大夫、行左司諫、兼侍講劉榘，承議郎、右正言、兼侍講黄中，朝奉大夫、起居郎、兼國史院編修官、兼實録院檢討官、兼太子右諭德曾從龍，承議郎、起居舍人、兼權直學士院留元剛劄子奏：「臣等仰惟陛下天縱之聖，冠於百王，日新之德，光於四表。自履大位，雖萬幾之繁，日親聽斷。然猶遜志於學，祁寒盛暑，不廢講讀。固嘗下明詔，增講員，訓辭丁寧，務求多聞之益。前乎此未有晚講，自陛下始行之；前乎此未有坐講，自陛下始行之。書之國史，爲法來世。每御殿，惟諏諸經以究治忽之原，訪諸史以鑿得失之跡。因古驗今，形於天語，辭簡理到，臣下嘆服。至於法先王，由舊則，業業乎累聖之重規。嚮者進讀三朝寶訓既終，繼以兩朝寶訓。其後終篇，有司以他書爲請，詔讀高宗皇帝聖政。至於嘉泰三年之四月，凡六年，而後六十卷之書畢陳於冕旒之前。仰惟高宗皇帝，聖學高明，神武震耀，中天立極，再造王室，樞機闔闢之運，與天地同其功，殆非常情之所能窺測。三十六年之治，利澤施四方，仁風翔海表，天下固已頌而歌舞之。而明明之廟謨，赳赳之雄斷，料敵制勝之方，保大定功之略，大綱小紀，詳法略則，規天條地之績，聲金振玉之妙，略見於此書。陛下臨政願治，動循丕矩，對揚休烈，觀省不忘。其與商宗〔一〕之鑒成憲，成王〔二〕之酌祖道，蓋異世而同符。臣等欲望聖慈宣付史館。」詔從之。

〔一〕商宗　「商」原誤作「商」，據影印本崇儒七之三八、玉海卷二六嘉定讀高宗寶訓條改。

〔二〕成王　原作「周王」，據影印本崇儒七之三八、玉海卷二六嘉定讀高宗寶訓條改。

五年（壬申，一二一二）

1. 九月十四日，中大夫、新除吏部侍郎、兼中書舍人、兼同修國史、兼實録院同修撰、兼侍讀俞烈，朝請郎、試中書舍人、兼修玉牒官、兼侍讀范之柔，承議郎、殿中侍御史、兼侍講徐宏，朝奉郎、左司諫、兼侍講鄭昭先，朝奉郎、右正言、兼侍講董居誼，朝請大夫、試國子祭酒、兼國史院編修官、實録院檢討官、兼侍立修注官劉爚，朝散大夫、守太常少卿、兼國史院編修官、兼實録院檢討官、兼侍立修注官劉彌正劄子奏：「臣等仰惟陛下紹隆聖祚，祗遹先猷，稽古用賢，謹守一道，不邇聲色，不事觀游，而政機餘暇，日延儒臣講論經理，進讀史事，凝神静聽，間形商榷，敷暢經旨，曾無倦容。此雖舜之好問，禹之拜言，湯之又日新，成王之光明緝熙，不是過也。惟昔三聖成易一經，羲畫文重，具三才變通之體；周情孔思，扶百世綱常之宗，豈淺知之可窺，俟上聖之復起。惟我皇家，列聖相承，右文尊經，以爲家法。考之故實，皆二日一開經筵，率用雙日，一讀一講。獨仁宗皇帝於慶曆二年進講周易，而自乾興以後隻日〔一〕亦或講説，未以爲常也。陛下睿謀天縱，聖德日新，猷訓是承，專法仁祖。取易一書，晝誦夜思。復延經生，誦説紬繹。蓋昉於嘉泰改元之冬，迄今十有二載，宸衷惕厲，鋭情經術，日講一卦，虚心正

守，端拱以聽，晝漏下或十餘刻，不懈益壯。講官敷繹有契，聖心間形褒拂，以示激厲。臣等至愚，仰窺聖運，垂衣拱手，間發英斷，則乾之時行也。聖化聿新，崇俊去邪，則豐之日中也。清心寡欲，行不踰矩，則大壯之非禮勿履。發政施仁，與民休息，則無妄之對時育物。不絶鄰好，益嚴邊備，則得師之中吉。垂意臬事，不憚詳覆，則得賁之無敢折獄。天造神斷，雷厲風飛，無非大易之妙用。而猶日開經闈，欣聞講繹，有若饑渴。昔孔子讀易，韋編三絶。聖人窮而在下，以明道傳後爲己責，遂窮日力，不憚講席。今陛下貴爲天子，日親萬幾，而聽斷之隙，有似於孔聖之窮經析義。聖王相去千有餘歲，而尊經樂道若合符節。臣等末學諛聞，充員講讀，獲際休嘉，臣等不勝大願。欲望聖慈宣付史館。」詔從之。

〔一〕隻日 原作「雙日」，據影印本崇儒七之二六、長編紀事本末卷二一真宗皇帝·聖學條改。

七年(甲戌，一二一四)

1. 十月十三日，朝議大夫、權刑部尚書、兼修玉牒官、兼侍讀范之柔，朝奉郎、試中書舍人、兼國史院編修官、兼實録院檢討官、兼侍讀石宗萬，朝奉大夫、殿中侍御史、兼侍講應武，朝請郎、右正言、兼侍講黄序，朝議大夫、試國子祭酒、兼國史院編修官、兼實録院檢討官、兼崇政殿説書、兼權工部侍郎徐應龍，朝議大夫、起居郎、兼國史院編修官、兼實録院檢討官、兼侍讀、兼權禮部侍郎李𡌴，朝散郎、守起居舍人、兼玉牒所檢討官、兼權直學士院、兼太常少卿真德秀劄子奏：「臣等伏讀兩朝寶訓，仁宗皇帝命丁度等講春秋終篇，聖語有曰：『春秋所述皆前世治亂，敢不鑒戒。』仰見祖宗學于古訓，施于政理，於春秋一經尤所加意。恭惟陛下以天縱之資，茂日新之德，恪遵家法，勤御經帷，比年以來，荐徹篇帙。今麟史告備，載

舉盛儀。竊惟周轍既東，疆國分列，治世之經莫舉，尊王之旨不明。此書一立，懲勸善惡，扶植名分，豈惟二百四十二年之行事，其所以建民極而正人心者，雖數千百年猶賴之。是宜淵衷洞究，玉音渙發，深有取於明君臣之義，猗歟盛哉。前聖述作之心，異世同符，先朝憲章之美，重規疊矩。竊嘗敬考，歲月接續，龍潛研精之素，起於紹熙五年之仲秋。從容燕閒，務學之勤，迄於嘉定七年之良月。紬繹之久，則所得益閎；體察之深，則所施不紊。運量酬酢，左右逢原。君道之所以昭明，治功之所以超越者，不在茲乎。臣等猥以非才，備員講讀，獲際休嘉，不勝慶幸。欲望聖慈宣付史館。」詔從之。

九年（丙子，一二一六）

1. 三月二十五日，朝散郎、試兵部侍郎、兼中書舍人、兼同修國史、兼實録院同修撰、兼侍讀石宗萬，朝請大夫、試右諫議大夫、兼侍讀應武，中大夫、權吏部侍郎、兼同修國史、兼實録院同修撰、兼侍讀徐應龍，朝奉大夫、行殿中侍御史、兼侍講黃序，朝散郎、試祕書監、兼國子祭酒、兼國史院編修官、兼實録院檢討官、兼崇政殿説書袁燮，朝議大夫、起居郎、兼國史院編修官、兼實録院檢討官、兼樞密副都承旨趙汝述，朝議大夫、軍器監、兼玉牒所檢討官、兼權檢正、兼侍立修注官聶子述言：「仰惟陛下宸衷淵靖，趨嚮純一，留神典學，延納儒紳。自登寶位，行歷二紀，就將緝熙，久而彌篤。粤從雙日、隻日咸御經筵，晚講、坐講創爲定制。至於凝慮審聽，喜見天顔，商榷大義，玉音渙發，前後見於史臣之登載者，固不止於屢書特書而已也。遠而帝王之經藉，近而祖宗之家法，以次講讀，兼舉無遺。自三朝寶訓〔一〕終篇，而輙書繼之；自二朝寶訓終篇，而魯語繼之。嘉定以來，詩首告備，而高宗聖政隨竟寶

帙。易既卒業，而孝宗聖政載畢瑶篇。若春秋説事，則又近在甲戌之良月也。越丙子季春，書復以徹章告。夫尊經盛典也，而史不絶書。徹章曠儀也，而靡歲不舉。凡斯文之所以起興，群目之所以動盪，聲詩之所以歸美，耀簡册而傳方來者，實漢、唐以來之所未有也。以至燕衎之私，屢見於石渠之廬。匪頒之式，疊至於邇臣之室，尤爲熙朝之盛事，猗歟休哉。臣等竊惟尚書一經，實爲人主軌範，堯、舜、禹、湯、文、武之行事，如指諸掌，陛下研精覃思有年，於兹固已舉坦明之制，合前後之揆矣。邇者講官得旨，灼遴敷奏，黼扆之前，聖語有云：『典、謨、訓、告之書，朕留意已久。』堯言宣布一詞稱贊。』竊謂陛下游神藝圃，潛心聖域，誠非分章摘句，泥紙上之言，事口耳之末也。蓋嘗蠡測管窺，仰觀聖運，如精一之旨，傳之堯、舜，儉勤之德，無間大禹。不邇聲色，不殖貨利，則與湯之檢身者無二道。謹庶獄而無游畋，建皇極而無偏黨，則與文、武之憂勤者無兩心。豈非平時留意之久，其效遂至是乎。臣等聞伊尹之告太甲曰：『終始惟一，時乃日新。』傳説之告高宗曰：『念終始典于學，厥德修罔覺。』惟陛下謹終始，如自强不息，則高明光大，悠久無疆，將與天地同其德矣。臣等不勝大願，欲望聖慈宣付史館。」詔從之。

〔一〕三朝寶訓　「三朝」原作「二朝」，按本門嘉定二年十一月十六日條奏文有「嚮者進讀三朝寶訓既終繼以兩朝寶訓」之文，據改。

十一年（戊寅，一二一八）

1. 三月二十六日，太中大夫、守尚書吏部侍郎、兼修玉牒官、兼侍讀徐應龍，朝奉大夫、新除尚書禮部侍郎、兼同修國史、實録院同修撰、兼侍讀袁燮，朝請大夫、試右諫議大夫、兼侍讀黄序，朝奉郎、殿中侍御史、兼侍講李楠，朝奉郎、右正言、兼侍講劉棠，中奉大夫、行起居郎、兼中書門下省檢正諸房公事、兼玉牒所檢討官、兼權工部侍郎聶子述，朝散郎、行起居舍人、兼國史院編修官、兼實録院檢討官、兼太子侍讀宣繒言：「仰惟皇帝陛下天資冲澹，惟性高明，日御講筵，就學不倦。經籍奥義，以次咨訪，罔有逸遺。自慶元戊午至嘉定丙子，凡十徹章，雖商高宗〔一〕典于終始，周成王學有緝熙，殆不是過。猗歟懿哉，甚盛德也。厥今通鑑進讀復告訖篇，非汲汲皇皇，疇克臻此。緬惟是書之作，昉我英宗命司馬光論次於中祕，起周威烈，下竟五代，研精極慮，窮竭日力，久迺克就。卷帙盺分，綱目井列。不但稡擷故實而已，蓋將便清燕之觀，示元龜之鑒也。裕陵欽承先志，寵以序文，謂天人相與之際，休咎庶證之原，威福盛美之本，規摹利害之效，良將之方略，循吏之教條，於是悉備。顯謨大訓，炳若日星。詔燕後人，永永無斁。陛下篤意此書，肆命勸誦，其聞善可爲法，惡可爲戒者。或闢宸聽有悟，聖心涣法，玉音動與理會。前後侍臣之言，欽聆敬歎，不一而足。維慶元乙卯二月實始啟帙，除東西魏、陳、隋及五季瀆亂之事，有旨不讀，自餘紀載弗怠幡閲。逮嘉定戊寅季春，遂底終篇。陛下稽古之懋，典學之勤，可謂同符祖宗，有光帝王矣。昔唐開元中，日選耆儒侍讀，以質史籍疑義。然而鋭始怠終，徒文亡實，秉史筆者，猶且特書以爲美談。矧陛下歷覽前代興亡理亂之故，尊所聞，行所知，首末惟一，顧可不登之汗簡，以詔萬世。欲望睿慈宣付史館。」詔從之。

〔一〕商高宗　「商」原誤作「商」，據影印本崇儒七之三七、玉海卷二六嘉定讀高宗實訓條改。

十二年(己卯,一二一九)

1. 五月十三日,通議大夫、權刑部尚書、兼修玉牒官、兼侍讀徐應龍,朝散大夫、試尚書禮部侍郎、兼同修國史、兼實録院同修撰、兼侍讀袁燮,朝請郎、新除右諫議大夫、兼侍講李楠,朝奉郎、新除殿中侍御史、兼侍講盛章,朝請郎、新除右正言、兼侍講胡衛,朝散郎、試祕書監、兼國史院編修官、兼實録院檢討官、兼崇政殿説書柴中行,朝奉郎、新除起居郎、兼國史院編修官、兼實録院檢討官楊汝明,朝奉郎、新除起居舍人、兼國史院編修官、兼實録院檢討官李安行言:「仰惟陛下天縱之聖,謙挹弗居,日就之功,緝熙不已。粤自臨御以來,鋭情經術,垂意史傳。凡三五帝王學聚問辨之方,暨歷代興亡理亂之蹟,亦既洞究其顛末,而深造其淵微矣。比歲記注之臣,欲以上裨聰明,復取先朝講官范祖禹所進帝學一編,續以五宗之懿,釐爲十卷,仰塵乙覽。頃因資治通鑑徹章,有旨以是進讀。聖心亹亹,咨閲靡殆。迺嘉定乙卯仲夏實竟其帙,自非陛下典學之誠有加無已,疇克臻此。欽惟元祐更化作新之治,符靖始初,清明之政,無非皇皇汲汲之所繇致。高宗孝宗若稽於古,高明光大之效,尤極其盛。今觀三聖學問之精微,諸儒講説之本末,是書所載,炳如日星。臣等進讀之次,陛下穆垂天聽,莫不心領意會,抑亦尊所聞而行所知矣,豈但虚文而已哉。昔傅説之告商高宗曰:『王人求多聞,時惟建事,學于古訓,乃有獲。』又繼之曰:『監于先王成憲,其永無愆。』陛下學于古訓矣,而復以五宗之家學爲法,是則監于成憲之謂也。視商之賢王,真可齊休匹美。逮兹徹卷,固宜紀諸汗簡,以侈萬世之傳。臣等勸誦罔功,疊睹盛事,不勝慶幸。欲望睿慈宣付史館。」詔從之。

十四年（辛巳，一二二一）

1. 十一月十八日，太中大夫、試工部尚書、兼修玉牒官、兼侍讀葉時，朝請郎、試尚書吏部侍郎、兼侍讀盛章，朝奉大夫、試尚書禮部侍郎、兼同修國史、兼實録院同修撰、兼侍講楊汝明，朝請大夫、行殿中侍御史、兼侍講張攀，朝請郎、左司諫、兼侍講張次賢，朝請郎、右正言、兼侍講襲蓋卿，朝請郎、守起居郎、兼國史院編修官、兼實録院檢討官杜孝嚴，朝奉大夫、起居舍人、兼國史院編修官、兼實録院檢討官、兼權直舍人院程珌言：「竊謂聖學無倦，固治道之所當先。皇祖有訓，尤聖學之不可後。商宗〔一〕學于甘盤，其永無愆，必監先王成憲；成王學有緝熙，其養天下，必酌先祖之道。蓋近承家法，皆易知而易行，視泛稽于古昔又不侔也。仰惟皇帝陛下冠德百王，紹休列聖。聰明本於天縱，兢業著於日行。垂精藝文，篤意學問，萬幾之暇，惟求多聞，一日之間，至勤再講。諏經讀史，尊道崇儒。博考前代或得或失之原，以爲今日可戒可法之鑑。自履大寶，逮今二十八年，日月就將，一誠不斁。至於仰繩祖武，率由舊章。凡鉅典之昭垂，益加意於省覽。初讀五朝寶訓，繼以高宗皇帝聖政，又繼以孝宗皇帝聖政，皆已終篇。惓惓聖心，復欲參稽高宗皇帝之寶訓，乃詔攸司，自嘉定六年十一月〔二〕三日進讀，閲八年而七十卷之書篇帙畢陳，亦已盡經睿覽。建炎〔三〕紹興之聖治，條貫統紀，皆備見其始終，尊聞行知，實爲大訓，信無負高宗皇帝貽謀燕翼，啓佑後王之意矣。臣等竊觀高宗皇帝，以神武之資，履艱厄之運，身濟大業，光啓中興。仁足以兼覆夷夏，明足以洞燭忠邪，勇足以成戡定之功，剛則以大自彊之德。宵衣旰食三十六年，立政用人之要，料敵制勝之謀，裕民足國之方，御外理内之策，大綱小紀，詳法畧則，炳如日星，皆聚於寶訓一書。陛下以聖繼聖，駿惠先猷，不但觀省之克勤，每思尊奉而唯謹。

重熙累洽，根本于兹。商宗監成憲而永無愆，成王酌祖道以養天下，詎容專美于古先。臣等猥以踈庸，充員講讀，復有際遇，何補聖明。惟知歸美報上，出於誠實，不容自默，用敢奏聞。欲望聖慈宣付史館。」詔從之。

〔一〕商宗　「商」原誤作「啇」，據影印本崇儒七之三八、玉海卷二六嘉定讀高宗寶訓條改。
〔二〕十一月　原誤作「十二月」，據玉海卷二六嘉定讀高宗寶訓條、卷四九嘉定高宗寶訓條改。
〔三〕建炎　「建」原誤作「逮」。

本門點校者　孔　學　周寶榮
審訂者　王雲海

觀賞

影印本崇儒七之三九至四六

大典卷一一八五七

太宗至道三年真宗已即位未改元〔一〕**（丁酉，九九七）**

1. 九月四日，御滋福殿，召輔臣觀西鄙地圖，歷指山川堡壁，曰：「朕已令屯兵於内地州郡，而簡其閑冗，冀以省費而息關輔之民也。」先是，命左藏庫使楊允恭、崇儀副使竇神寶、閤門祇候李允則乘傳傳視〔二〕山川郡縣形勝，以圖上焉。

〔一〕太宗至道三年　按至道三年三月太宗病故，真宗已即位。此處「真宗已即位未改元」爲校者所加。

〔二〕乘傳傳視　疑衍一「傳」字。

真宗咸平四年（辛丑，一〇〇一）

1. 十一月二十日，御龍圖閣，召輔臣觀太宗皇帝草、行、飛白、篆籀、八分書及閲古今畫〔一〕。移御崇和殿，閲張去華所著元元論及國田圖。帝曰：「經國之道，必以養民務穡爲先，朕常冀邊鄙稍寧，兵革粗息，則可以力行其事，富庶吾民矣。」

〔一〕古今畫　玉海卷二七作「古今名畫」。

六年（癸卯，一〇〇三）

1. 十月三日，對輔臣于龍圖閣，觀种放山居圖。放別業在終南山，聚徒講學，性嗜酒，常種秫自釀，林泉之景，頗爲幽勝。時帝遣使攜畫工圖之而觀焉。

景德元年（甲辰，一〇〇四）

1. 十二月五日，召輔臣於龍圖閣觀契丹禮物：國母所致御衣綴珠銀貂鼠裘，細錦、刻絲、透背、合線、御綾、羅綺、紗縠、御樣，皆百匹，金銀飾箱緘之。果實、雜粆、臘肉，凡百品，貯于楝欓器。水精鞍勒、新羅酒、青白鹽。國主所致戎器賓鐵刀，鷙禽曰海東青。又太祖、太宗朝契丹所上衣物，盡在禁中，至是亦發笥宣示。自是，遣使契丹所持禮物皆召輔臣臨觀，著爲例。

四年（丁未，一〇〇七）

1. 二月十四日，車馬駕駐西京，召宗室、輔臣游内苑，御西北小亭，觀寒林石，登東樓望老君祠。

2．二十日，幸內園，登砌臺，召親王、輔臣，吏部尚書張齊賢、刑部尚書温仲舒、寇準等，賜座。因閱臺西婆羅石，觀東亭御製御書朝拜諸陵因幸西京記。

3．二十三日，召輔臣於內東門，觀太祖彈丸壁。初，開寶九年，太祖幸西都，因行郊禮，常戲彈於門之北壁，其迹三在焉。帝覩之興感，命有司設龕護覆之。至是，啟而觀焉。

大中祥符二年（己酉，一〇〇九）

1．十月二十二日，對輔臣于崇政殿之西廡。內出太宗聖製歌詩、御書故事，皆有以鑒戒者，示王旦等。曰：「此先帝朱才人所藏，近者上進，自言至道初，許度爲道士，以永熙晏駕而止。昨祥符初，再有陳請，已爲修觀處之。」又出安王元傑歌詩、真草行書。帝曰：「安王好學，有天然性格，生平著述尤多。王薨，皆已亡逸，朕惜其樂善勤古而世不及知，購求所得，悉以編次，因紀序紀之，仍付史館。」

三年〔一〕**（庚戌，一〇一〇）**

1．五月二十八日，召輔臣於崇政殿北廊，觀中使任文慶〔二〕於茅山郭真人池中所獲龍，體長二寸許，鱗極細，腹如玳瑁，置手中，仰覆無懼。帝作觀龍歌。復送至茅山池中。又出楚王筆劄、聖製記及賜山人秦辯、道人劉元詩，因看金液訣歌示之。

〔一〕三年　原誤作「二年」，據玉海卷三〇、通考卷三一三物異一九改。又按長編卷七四，此下「九月十一日」條内容亦繫於三年九月丙戌(十一日)。

〔二〕任文慶　「文」原誤作「支」，據玉海卷三〇、通考卷三一三物異一九及宋史卷六三改。

2. 九月十一日，對輔臣於龍圖閣，觀宮中迎奉天書圖二。一繪天書出宮，一繪入宮。又繪帝行大禮畢入宮之儀。

五年（壬子，一〇一二）

1. 十二月二十四日，編聯祥瑞所上祀汾陰后土壇、朝覲壇〔一〕、親奠西嶽廟三圖及祥瑞圖百四十八，置龍圖閣下，召宗室、輔臣、兩制、尚書丞郎、兩省給諫、三司副使、刺史已上觀之。

〔一〕朝覲壇　原闕，據長編卷七九大中祥符五年十二月丁亥條補。

九年（丙辰，一〇一六）

1. 三月四日，召宗室觀書於玉宸殿。

2. 十月十四日，召輔臣至龍圖閣，觀聖祖天尊大帝宸篇聖翰、蘂金蘂銀〔二〕、功德什器、錢寶、花珠等物〔二〕及降臨内記、真紀。

〔一〕藥金藥銀　長編卷八八大中祥符九年十月乙酉條作「金銀像」。

〔二〕花珠等物　「珠」，長編卷八八作「樹」。

3. 十一月二十三日，召近臣觀書於龍圖閣，秘書監楊億、知雜御史呂夷簡預焉。帝作七言詩五首，分賜輔臣、宗室、兩制、諸帥、待制等，命儒臣即席皆賦。

4. 十二月十一日，召輔臣至崇德殿，觀新製真聖寶册、衮服、仙衣等。又至崇政殿，觀玉皇法從道具物。

5. 二十五日，權三司使馬元方等詣崇政殿，上新作天書金輅。帝服鞾袍，命輔臣臨觀焉。

天禧二年（戊午，一〇一八）

1. 四月四日，召近臣及館閣、三司、京府、諫官、御史詣宜聖殿，朝拜太宗聖容。又至龍圖閣觀書及聖製贊頌石本。時昇王未出閤，始預座，令從臣賦龍圖閣觀書、宜聖殿賞花詩各一首。是日，先賜食于殿門。

2. 十一月十三日，召近臣觀書于太清樓。

三年(己未,一〇一九)

1. 六月二十三日,召宗室、近臣、館閣、三司、諫官、御史官、法官、兩制官詣真遊殿觀豫設,賜御製聖祖降臨記,人一匣。

2. 九月二十三日,召近臣觀書崇政殿。

3. 十月十八日,召輔臣於後苑觀滑州所獻鹿、河陰縣所獻龍卵〔一〕。

〔一〕龍卵　原作「龍卯」,據長編卷九四天禧三年十月庚子條改。

四年(庚申,一〇二〇)

1. 十一月十日,召輔臣、兩制、丞郎、給諫、三司副使、御史知雜、直龍圖閣,赴龍圖閣觀書,賜食承明殿門。

2. 十二月二十三日,對輔臣洎王欽若於承明殿,示以御製文章數軸及粉牋銷金紙,賜中宮詩什手書等。

仁宗天聖七年(己巳,一〇二九)

1. 十月十二日,皇帝聽徹尚書,召輔臣、侍讀、侍講、翰林學士、三司使副、知制誥、待制、宗室諸司使副已上、駙馬都尉、管軍臣僚上太清樓觀書,宴于樓下。

八年(庚午,一〇三〇)

1. 六月六日,召近臣元真殿燒香,水心殿賜茶,赴天章閣觀書、看瑞粟,退赴御製御書殿看御書,分賜宰臣已下。

九年(辛未,一〇三一)

1. 閏十月二十四日,召近臣太清樓觀書,特召太子少保致仕晁迥預。

景祐二年(乙亥,一〇三五)

1. 十月八日,召近臣後苑親稼殿賞稻,賜酒三行,遂宴射太清樓。

四年（丁丑，一〇三七）

1. 五月二十五日，御化成殿，以芝草生於殿楹，召輔臣、兩制、學士、待制、宗室刺史以上觀。帝作芝草五言詩賜王隨以下，隨等拜謝，召座賜茶。翌日，各爲詩賦以獻。

五年〔一〕（戊寅，一〇三八）

1. 八月十五日，召輔臣、兩制、學士、待制、觀察使以下〔二〕，觀新製南郊儀仗法物於宣德門内。

〔一〕五年　按景祐五年十一月改元曰「寶元」，故該年又作寶元元年。
〔二〕以下　疑爲「以上」之誤。

寶元二年（己卯，一〇三九）

1. 九月二十八日，召輔臣後苑翠芳亭觀稻，賞棖實，命座賜茶。康定二年九月二十六日，慶曆三年九月二十六日、六年九月十八日、八年八月七日，皇祐元年九月九日、二年十月十六日、五年九月十八日，嘉祐三年十一月六日又觀。〔一〕

〔一〕「康定二年」以下，原作正文，今據原書慣例，改作小字注文。

慶曆三年（癸未，一〇四三）

1. 九月三日，召輔臣天章閣朝拜太祖、太宗御容及觀瑞物。既而，面問禦邊策，移刻罷。

四年（甲申，一〇四四）

1. 九月二十八日，召宗室及侍讀、侍講觀棖實，遂宴後苑。

五年（乙酉，一〇四五）

1. 九月九日，召輔臣、兩制、修起居注、宗室刺史以上後苑觀稻賞棖，宴太清樓，命賦詩。

七年（丁亥，一〇四七）

1. 八月二十四日，召輔臣崇政殿觀祭器，是日傳詔，須觀已再座延和殿始起居。

八年（戊子，一〇四八）

1. 九月四日，御崇政殿〔一〕召輔臣觀御書。

〔一〕崇政殿　按長編卷一六五慶曆八年九月己亥條、玉海卷二七慶曆崇政延和殿觀御書及卷三四同條皆作延和殿。

2. 十一月四日，召輔臣、兩制崇政殿觀祭器。

皇祐元年（己丑，一〇四九）

1. 二月十七日，召輔臣、兩制、學士、待制、館閣官、宗室刺史已上，崇政殿朝拜三聖御容。既退，命賜茶酒。

2. 五月十五日，召近臣後苑寶歧殿〔一〕觀刈麥，帝曰：「朕新剏此殿，不欲植花卉爲游玩之所，民以粒食爲先，而歲種麥於此，庶知〔二〕穡事之不易也。」至和元年〔三〕五月二日、嘉祐四年五月一日又觀。

〔一〕寶歧殿　「歧」，長編卷一六六皇祐元年五月丙午條作「岐」，兩字互用。玉海卷七七皇祐寶歧殿觀麥作「歧」，九朝編年備要卷九作「政」。待考。

〔二〕庶知　「知」原誤作「和」，據同上書改。

〔三〕「至和元年」以下，原作大字正文，今據原書慣例，改作小字注文。

3. 七月二十五日，召輔臣、兩制、學士、待制、臺諫官、宗室赴沈德妃位，朝拜三聖御容。

4. 八月三日，召輔臣後苑觀粟。至和元年[一]七月二十七日、三年八月二日，嘉祐三年八月二十四日又觀。

[一]「至和元年」以下，原作正文，今據原書慣例，改爲小字注文。

5. 六日，御崇政殿，召輔臣觀渾儀圖。

6. 十一月一日，召輔臣、兩制、學士、待制、臺諫官、修起居注、宗室大將軍已上，駙馬都尉、管軍臣僚迎陽門觀三朝寶字并三朝訓鑒圖。延和殿命座賜茶。

二年（庚寅，一〇五〇）

1. 九月三日，召輔臣、兩制、學士、待制、宗室、臺諫官、三司、開封府推官、管軍臣僚崇政殿觀大樂。

2. 九日，召輔臣、兩制、學士、待制、臺諫、館閣、宗室觀察使以上、管軍臣僚、三司、開封府推判官迎陽門觀三聖御書并唐明皇山水圖。

三年（辛卯，一〇五一）

1.三月二十二日，召輔臣、兩制、學士、待制、臺諫、三司、開封府推判官後苑觀雙竹〔一〕。

〔一〕觀雙竹　長編卷一七〇作『觀瑞竹』。

2.五月十八日，召輔臣、兩制、學士、待制崇政殿〔二〕觀御書。

〔二〕崇政殿　長編卷一七〇皇祐三年五月丁卯條、玉海卷二七天聖御書院觀太宗真宗御書均作「御書院」。

五年（癸巳，一〇五三）

1.六月七日，召輔臣紫宸殿觀大樂。

2.七月二十二日，召輔臣、兩制、學士、待制、臺諫、館閣、三司、開封府、群牧判官後苑觀瑞蓮。

3.九月十九日，召輔臣、兩制、學士、待制、臺諫、館閣、三司、開封府推判官、詳定官、宗室正任刺史已上、管軍臣僚崇政殿觀大樂。

4. 十月二十九日，召輔臣、兩制、學士、待制崇政殿觀寳册。

至和二年（甲午，一〇五五）

1. 二月十三日，召輔臣、兩制、學士、待制、宗室觀察使已上、駙馬都尉、管軍臣僚迎陽門觀御飛白書上清太平宫牌。

三年〔一〕（丙申，一〇五六）

1. 二月二十三日，召輔臣、兩制、學士、待制、臺諫、館閣、三司、開封府推判官、管軍臣僚後苑觀瑞蓮。

〔一〕三年　按至和三年九月改元「嘉祐」，故至和三年即嘉祐元年。

嘉祐三年（戊戌，一〇五八）

1. 八月二十五日，御崇政殿，召輔臣、兩制、學士、待制、臺諫、館閣、三司、開封府推判官觀交州進異獸，賜食于殿門。

七年（壬寅，一〇六二）

1. 十二月二十二日，召輔臣、兩制、學士、待制、臺諫官觀天章閣御書。

英宗治平元年（甲辰，一〇六四）

1. 十二月九日，召輔臣、兩制、學士、待制、臺諫官、修起居注、三司副使、宗室大將軍已上、管軍臣僚，赴迎陽門觀御書景靈宫孝嚴殿牌。

神宗熙寧元年〔一〕（戊申，一〇六八）

1. 十月二十三日，召輔臣、從官迎陽門觀御書景靈宫英德殿牌，如治平元年例。

〔一〕熙寧元年　「元」原誤爲「九」。

二年（己酉，一〇六九）

1. 八月二十八日，御親稼殿，召輔臣觀粟，命座賜茶。三年〔二〕八月十三日，五年閏七月二十一日，六年八月十四日，八年八月十二日、九月十六日，十年八月十二日又觀。

〔一〕「三年」以下，原作大字正文，今據原書慣例，改爲小字注文。

三年（庚戌，一〇七〇）

1. 四月十九日，御集英殿，召輔臣觀岐國長公主房臥，命座賜茶。

2. 五月六日，御親稼殿，召輔臣觀麥，命座賜茶。五年〔一〕五月二十三日、七年五月十三日、八年閏四月二十一日、九年五月十五日又觀。

〔一〕「五年」以下，原作大字正文，今據原書慣例，改爲小字注文。

四年（辛亥，一〇七一）

1. 五月二十四日，召輔臣、兩制、學士、待制、臺諫官、修起居注、三司副使、宗室刺史已上、管軍臣僚化成殿觀芝草，賜食崇政殿門外。

2. 十月十九日，召輔臣後苑觀稻，命座賜茶。六年〔一〕九月二十九日、七年九月五日、八年八月十一日、九年九月二十一日又觀。

〔一〕「六年」以下，原作大字正文，今據原書慣例，改爲小字注文。

七年（甲寅，一〇七四）

1. 六月二十一日，御崇政殿，召輔臣觀渾儀，命座賜茶。

九年（丙辰，一〇七六）

1. 三月十三日，御崇政殿，召輔臣觀韓國大長公主房卧。

2. 十一月二十七日，御景福殿，召輔臣觀魯國大長公主房卧。

元豐元年（戊午，一〇七八）

1. 五月七日，召輔臣後苑觀麥。二年〔一〕五月三日、五年五月十三日、六年五月十六日、七年五月一日又觀。

〔一〕「二年」以下，原作大字正文，今據原書慣例，改爲小字注文。

二年（己未，一〇七九）

1. 八月六日，召輔臣後苑觀穀。六年〔一〕七月二十一日、七年七月二十三日又觀。

〔一〕「六年」以下，原作大字正文，今據原書慣例，改爲小字注文。

2. 十月二日，召輔臣後苑觀稻。六年〔一〕十月二日又觀。

〔一〕「六年」以下，原作大字正文，今據原書慣例，改爲小字注文。

七年（甲子，一〇八四）

1. 四月二十一日，朝獻景靈宫，至天元殿觀芝草。

哲宗元祐二年（丁卯，一〇八七）

1. 十月一日，觀稻于後苑。

三年（戊辰，一〇八八）

1. 八月十四日，召輔臣觀穀于後苑。五年〔一〕八月八日、六年八月十六日、七年八月四日又觀。

〔一〕「五年」以下，原作大字正文，今據原書慣例，改爲小字注文。

四年（己巳，一〇八九）

1. 正月十三日，詔講筵官許依秘書省職事官例，觀新樂，從崇政殿説書〔一〕顏復請也。

〔一〕崇政殿説書　原闕「政」字，據長編卷四二二元祐四年正月甲申條補。

七年（壬申，一〇九二）

1. 八月八日，召輔臣觀稻于後苑。紹聖〔一〕元年八月十七日又觀。

〔一〕「紹聖」以下，原作大字正文，今據原書慣例，改作小字注文。

紹聖元年（甲戌，一〇九四）

1. 閏四月二十七日，召輔臣觀麥于後苑。紹聖三年〔一〕五月四日、三年五月九日又觀。

〔一〕紹聖三年　「三年」，玉海卷七七紹聖思文殿作「二年」，疑是。又，「紹聖」以下，原作大字正文，今據原書慣例，改爲小字注文。

紹聖四年〔一〕（丁丑，一〇九七）

1. 四月二十五日，權禮部侍郎范鏜等言：「刈麥、觀稼係同一時，今車駕觀麥，乞候禮畢，移幸稻池綵殿，以觀稼。」詔可。

〔一〕紹聖四年　原誤作「紹興四年」，據長編卷四八六紹聖四年四月己酉條、玉海卷七七紹聖思文殿改。又，該條原置於紹興十六年後，今移此。

高宗紹興十四年（甲子，一一四四）

1. 七月二十七日，幸秘書省，召群臣觀累朝御書、御製、晋唐書畫、三代古器。

十六年（丙寅，一一四六）

1. 十月二日，御射殿，召輔臣觀新製郊廟禮器。待從、正任刺史以上與管軍待從、臺諫、南班宗室、卿監、兩省官、禮官、館閣皆立班，命作朝會樂，次作宮架樂，合赴座官宣坐賜茶。

本門點校者　苗書梅
審訂者　王雲海

附録

宋朝總類國朝會要考

王雲海

總類國朝會要，是宋朝所修的十多種本朝會要中惟一有刻本的一種。但原書早已散佚，今所見者，是徐松從永樂大典中輯出之稿本，其中有許多問題，如此書流傳不廣的原因、著録混亂的狀況、確切的書名、兩種總類會要的作者及其構成、永樂大典所收宋會要之底本、輯稿所反映的原書狀況，以及學術界的有關意見等，均需要考辨。

一

宋朝編修本朝會要，具有雙重用意，其一，提供處理政務之參考。熙寧年間，王珪上書稱：國朝會要，朝廷檢尋故事，未嘗不用此書。（華陽集卷八乞續修國朝會要劄子）宋代臣僚的奏章中，往往引國朝會要的記載作爲闡述政見的依據。如宋會要輯稿（以下簡稱輯稿）禮六之二二、二四，禮七之二，禮一八之三八，禮四九之二四（兩處），儀制一三之一三等所節録臣僚奏章文字中，皆有「檢照國朝會要」，或作「檢會國朝會要」、「檢準國朝會要」之文，爲數甚多。在宋人別集、筆記中，亦屢見不鮮。其二，流傳後世，作則垂憲。嘉泰孝宗會要序云：

孝宗憲章前烈，乂我受民，驟帝馳王，跨越周漢。品式備具，規摹宏遠，詒謀垂範，將億萬年。天叙有典，以正罔缺，熙朝簡册，煒煒相望。繼今立政立事，其一以孝宗爲準。（玉海卷五一）

輯稿·崇儒四之二五，載紹興九年（一一三九）八月二十三日，起居舍人王鉌上言稱：

竊見國朝會要，備載祖宗以來良法美意，凡故事之損益，職官之因革，與夫禮樂之文，賞罰之章，憲物容典，纖細畢具，粲然一王之法，永貽萬世之傳。今朝廷討論故事，未嘗不遵用此書。

王應麟評論說：

自昔帝王之興，必有一代之制，著在方册，作則垂憲。若夫國有大典、朝有大疑，於是稽以爲決，操以爲驗，使損益廢置之序，離合因革之原，不待廣詢博考，一開卷而盡見，此會要之書所以不可廢也。會要之書，典故盡在，所以彌縫律令之闕，相爲表里。（玉海卷五一）

因爲會要具有上述雙重價值，在當時屬於政書，因此與實録、國史有所區别。諸家書目，或者録於類書類，如郡齋讀書志·附志；或者録於典故類，如直齋書録解題、玉海；或著録於故書類，如文獻通考；或著録於類事類，如宋史·藝文志。宋修本朝會要，將大量檔案節文，分類編輯，爲處理政務提供依據，因而宋政府比較重視。除了與實録、國史院等史局一樣設會要所專司其事外，在提供檔案資料方面，則優於史局。程俱評論徽宗朝罷編修政和會要一事説：

朝廷每有討論，不下國史院而常下會要所者，蓋以事各類從，每一事則自建隆元年以來至當時，因革利害，源流皆在，不如國史之散漫簡約難見首尾也。故論者惜其罷之無漸而處之無術也。（麟臺故事卷二職掌）

正是由於實際需要，宋政府才比較重視編修本朝會要的工作，持續修纂，共成書十一種，總計三千餘卷〔二〕。另有理宗會要，僅見修書及進書之記載，〔三〕未見傳世文字，故不計算在内。

〔二〕宋修十一種本朝會要，據玉海、直齋書録解題、郡齋讀書志·附志、南宋館閣録、南宋館閣續録、文獻通考、宋史、宋會要輯稿，綜合整理如下：

一、慶曆國朝會要（一作三朝國朝會要）一五〇卷，起建隆元年（九六〇）至慶曆三年（一〇四三），章得象監總。

二、元豐增修五朝會要（一作六朝國朝會要、國朝會要）三〇〇卷，起建隆元年（九六〇）至熙寧十年（一〇七七），王珪奏上。

三、政和重修國朝會要（一作政和會要）一一〇卷，（只上帝系、后妃、吉禮三類）起建隆元年（九六〇）至政和末年，蔡攸等修。

四、乾道續四朝會要（一作續會要）三〇〇卷，起治平四年（一〇六四）神宗即位，至靖康末（一一二七），汪大猷等修，虞允文上。

五、乾道中興會要二〇〇卷，起建炎元年（一一二七）至紹興三十二年（一一六二）六月十一日高宗禪位，梁克家等奏上。

六、淳熙會要（一作至尊壽皇聖帝會要，第一次進本稱乾道會要）三六八卷，起紹興三十二年（一一六二）孝宗即位，至淳熙十六年（一一八九）正月，趙雄、王淮、光宗分别三次奏進。

七、嘉泰孝宗會要二〇〇卷，孝宗一朝，删潤淳熙會要三書而成，邵文炳請修，楊濟、鍾必萬總修。

八、慶元光宗會要（一作聖安壽仁太上皇帝會要）一〇〇卷，起淳熙十六年（一一八九）二月二日光宗即位，至紹熙五年（一一九四）七月禪位，京鏜奏進。

九、寧宗會要一五〇卷，起紹熙五年（一一九四）寧宗即位，至嘉定十七年（一二二四）閏八月崩。史嵩之奏進。

十、嘉定國朝會要（一作總類國朝會要、國朝會要、經進總類會要）五八八卷，起建隆元年（九六〇）至乾道九年（一一七三），張從祖纂輯。

十一、國朝會要總類（一作十三朝會要、經進總類國朝會要、經進續總類會要）五八八卷，起建隆元年（九六〇），至嘉定十七年（一二二四），李心傳續修。

〔三〕宋史·理宗紀於淳祐十一年（一二五一）二月乙未、寶祐二年（一二五四）八月癸巳和五年（一二五七）閏四月己丑、景定二年（一二六一）三月戊寅和四年（一二六三）六月庚午，分别有五次進理宗會要的記載。度宗紀：咸淳四年（一二六八）八月壬寅，奉安理宗會要。

宋修本朝會要，除參考日曆、實録、國史外，主要是調集政府檔案，以備採擇。乾道九年（一一七三）三月二十六日，秘書少監陳騤等上言：

奉旨續修太上皇帝會要，取索内外官司自建炎元年以後應申請畫降被受改更聖旨指揮，參照本末，編類成書，其諸處視爲閑慢，或作緣故不行供報，伏望嚴限依應回報。如違，依見行條法施行。詔依，仍限五日回報。（輯稿·職官一八之三五）

因修書調集的檔案，涉及衆多的國家機密。兩宋外患不絶，嚴防泄密，故修書之所，門禁甚嚴。南宋館閣録卷六門禁：

日曆所、會要所、國史院，準敕：「輒入流三千里。凡所見聞，因而漏泄，並當軍令。凡投下文字及納貼子、整會事節人，並於所門外計會把門人轉入；係整會文字，如呼叫，聽入」。國史院申明：「輒入本院及漏泄，雖有斷罪，未有告賞之法」。有旨立賞錢三百貫。

所修本朝會要，編入大量檔案節文，爲了保密，宋政府限制傳抄和刻印本朝會要，並制定有關法條。輯稿·刑法二之三八載元祐五年（一〇九〇）七月二十五日禮部上言稱：

凡議時政得失、邊事軍機文字，不得寫録傳布。本朝會要、實録，不得雕印。違者，徒二年，告者賞緡錢十萬。

慶元條法事類卷一七給納印記·雕印文書雜敕：

諸雕印御書、本朝會要及言時政邊機文書者，杖捌拾，並許人告，即傳寫國史、實録者，罪亦如之。（同書同卷私有禁書雜敕亦載此條）

慶元條法事類卷一七給納印記·雕印文書賞格：

諸色人告獲私雕印時政邊機文書，〔賞〕錢伍拾貫。御書、本朝會要、國史、實録者，〔賞〕錢壹佰貫。

宋朝雖禁止傳寫、刻印本朝會要，但因爲臣僚需要參考論事，實際上少數官員家中也偶有藏本，所以北宋亡時，圖籍不存，南渡後，不論國史、實録、會要，仍可從私家藏書中尋到。輯稿·崇儒四之二一載紹興元年（一一三一）右金吾衛上將軍張楙妻王氏，「以亡夫家藏六朝實録、會要、國史志等書計二百二十二册來上」，「處州縉雲縣若澳巡檢唐開，上王珪重修國朝會要三百卷。」陳振孫直齋書録解題卷五政和重修國朝會要條下解題云：

紹興間，少蓬程俱申請就知桂州許中家借抄之。許中嘗與崇寧修書，故存此本，得以備中禁之採録。

禁止刻印本朝會要之法令雖嚴，有時亦有變通。直齋書録解題卷五國朝會要總類條下解題中提到此書「刻於蜀中，其板今在國子監」。盡管如此，宋代的本朝會要，是不可能廣泛流傳的。兼以累次進書，卷帙浩繁，得書及收藏皆非易事，所以宋朝諸家書目著録既不完備，亦欠準確，即如包括宋太祖至寧宗十三朝，並有刻本的總類國朝會要，也多有歧異，不作進一步研究是難以確切了解的。

二

陳振孫直齋書録解題卷五典故類，著録「國朝會要總類五百八十八卷」，解題云：

李心傳所編，合三書爲一。刻於蜀中，其板今在國子監。

馬端臨文獻通考卷二百一，僅録陳氏所記，不及其他。

郡齋讀書志趙希弁附志卷上類書類著録「總類國朝會要五百八十八卷」，解題云：

右總類國朝會要，由建隆而至乾道也。始，仁宗命章得象編，起建隆，止慶曆，爲一百五十卷。神宗又命王珪續編慶曆四年以後至熙寧末，凡三十四年，通前爲三百卷。徽宗詔王覿、曾肇續編元豐至元符。尋，又詔，起治平四年，止崇寧五年，凡四十二年。然二書皆弗克成。政和末，有司獨上吉禮三類，總一百五十卷，蓋通章得象、王珪所編者，益以熙寧後事也。紹興九年，詔館職續編，至三十一年，又降趣旨。孝宗命宰相提舉，閱再歲乃成。自神宗之初，至於靖康之末，凡六十年，總三百卷。厥後中興、乾道踵而成之。此集則合十一朝爲一書也。然中多節略而始末不全者。

王應麟玉海卷五一典故·會要著録「嘉定國朝會要」稱：

淳熙七年十月九日，秘書少監〔趙〕汝愚言：國朝會要、續會要、中興會要、今上會要分爲四書，去取不同，詳略各異，請合而爲一，俾辭簡事備，勢順文貫。從之。將作少監張從祖，類輯會要，自國初至孝廟爲一書，凡二百二十三册，五百八十八卷。嘉定元年四月十六日，詔秘省寫進，三年六月十六日上之。

宋史卷二〇七藝文六類事類，著録「國朝會要五百八十八卷」稱：「張從祖纂輯」。

今將上述五種書目之異同表列如下：

書目名稱	會要名稱	卷數	作者	起迄時間
直齋書録解題	國朝會要總類	五八八	李心傳	缺
文獻通考	國朝會要總類	五八八	李心傳	缺
郡齋讀書志·附志	總類國朝會要	五八八	缺	建隆至乾道
宋史·藝文六	國朝會要	五八八	張從祖	缺
玉海	嘉定國朝會要	五八八	張從祖	國初至孝廟

以上五種書目，其中文獻通考全文轉録直齋書録解題，實際爲四種書目，所載會要名稱各不相同，卷數皆是五八八卷，而作者則分別是李心傳或張從祖。至於起迄時間，書張從祖修者，玉海指明「國初至孝廟」，與郡齋讀書志·附志「建隆至乾道」的記載是一致的；宋志雖缺載，既爲張從祖所修，其起迄時間亦應屬於這一範圍。直齋書録解題謂李心傳修，據宋史卷四三八本傳：

遷著作佐郎，兼四川制置司參議官。詔無入議幕，許辟官置局，踵修十三朝會要，端平三年成書。

既是十三朝，則應是太祖至寧宗。但宋志書「張從祖纂輯」，傳謂「李心傳踵修」。志、傳又有不同。

關於張從祖所修總類國朝會要，玉海卷五一作嘉定國朝會要。此書在淳熙七年（一一八〇）十月，由趙汝愚請準，合四書爲一。按趙汝愚在淳熙七年（一一八〇）九月除秘書少監，同年十月即請準合修太祖至孝宗朝會要，八年（一一八一）三月權吏部尚書〔二〕。在他任秘書少監的半年中，修書工作應當已有起步，但因史乏明文，難以確知。此後，張從祖於嘉泰四年（一二〇四）到開禧三年（一二〇七），先後爲秘書省正字、校書郎、秘書郎、著作郎、將作少監兼國史院編修官、實録院檢討官〔三〕。開禧三年（一二〇七）十月，任將作少監，嘉定元年（一二〇八），張從祖即已去世，所修國朝會要，由他的兒子張幼公奏請上進。南宋館閣續録卷四「嘉定三年六月十六日，秘書省謄寫張從祖纂輯國朝會要五百八十八卷，目録二卷投進」條下注云：

先是嘉定元年三月，尚書省劄子備張幼公劄子：「切念先父將作少監從祖，嘗摭國朝會要，纂輯成書，上自國初至於孝廟，凡五百八十八卷，望朝廷特賜敷奏，付秘書省繕寫上進。」奉聖旨令秘書省取索謄寫進呈，至是書寫裝褫畢備，得旨就令會要所承受官傳進，其副本藏於史庫。

由上可知，張從祖類輯國朝會要，應是嘉泰、開禧中，在秘書省任職期間完成的，所修止於孝宗，實際上執行了趙汝愚請準的計畫，將國朝會要、續會要、中興會要、今上會要四書「合而爲一」。趙汝愚請準修書的時間，在淳熙七年（一一八〇），淳熙會要的第一次進本是淳熙六年（一一七九年），因此所云「今上會要」即是指此第一次進本。南宋館閣續録卷四「嘉泰元年七月十一日，奉安總修孝宗皇帝會要二百卷於秘閣」條下注云：

先是慶元六年閏三月，秘書丞邵文炳等言，本省昨來進呈壽皇聖帝會要，先於淳熙六年七月

〔二〕南宋館閣續録卷七、玉海卷五一。

〔三〕南宋館閣續録卷八、卷九。

進一百五十八卷，起自嗣位，至乾道九年。淳熙十三年十一月進一百三十卷，起自淳熙元年，至十年。紹熙三年十二月進八十卷，起自淳熙十一年至十六年，三書計三百六十八卷。事雖備載而首尾未曾貫穿，至遇檢尋典故，前後紛錯，殊失會要之義。乞差省官一二員，專一兼總，統爲一書，内有可並可删者，從長修潤，庶使一朝大典得以成書，仍乞以孝宗皇帝會要爲名。詔從之。

淳熙會要三書，因爲存在缺陷，故有進一步統加删潤之必要。其第一次進書，在淳熙六年（一一七九），所修至乾道九年（一一七三），淳熙七年，趙汝愚開始合四書爲一時，尚無第二次進本，所以下限只能修到乾道九年。張從祖所修國朝會要即止於乾道九年，符合準旨初修之下限。如果張從祖於嘉泰四年（一二〇四）初入秘書省時即開始修纂，則此時不僅淳熙會要三書早已完成，連孝宗會要也業已於嘉泰元年（一二〇一）奏上〔二〕，則所修理應包括孝宗一朝，而不應止於乾道九年。因此，可以設想，張氏所修是在趙汝愚等初修的基礎上進行的。玉海將趙汝愚請修之文與張從祖類輯會要連書，很難説兩事没有關係。但是張氏之書，是本人去世後由其子申請奏進，書稿似在家中，蔡崇榜博士宋代修史制度研究以爲：「張從祖纂輯會要，實屬私修，否則書成之後，不可能藏於私家」。此説雖不無道理，却難言周密。

直齋書録解題稱國朝會要總類爲李心傳編。宋史·李心傳傳云「踵修十三朝會要」，應是繼前續修，但所繼爲何書？止於何時？是否尚存於今世等問題，皆需作進一步考查。

宋代歷次所修本朝會要，皆已散佚，現在只有徐松輯自永樂大典之殘本，見於輯稿及一九八八年

〔二〕玉海卷五一淳熙會要、嘉泰孝宗會要條。

補印的宋會要輯稿補編（以下簡稱補編），大體上可以反映出一些總類國朝會要的狀況。

後人稱宋朝修本朝會要爲宋會要，永樂大典所採亦用紅字標明宋會要。明正統六年（一四四一）楊士奇所編文淵閣書目，著録「宋會要一部，二百三册，缺。」是明中期文淵閣尚藏有一部殘書，永樂年間修永樂大典時採入，清嘉慶十四年（一八〇九），徐松在全唐文館乘機抄出，使宋會要輯本得以幸存。徐輯原稿先後編爲輯稿和補編影印出版。在徐輯原稿比較完整的篇幅中，可以了解到宋會要底本的一些狀況。

第一，存有宋會要原本的書名。永樂大典編者雖將底本書名改作宋會要，但由於出自衆手，體例不一，亦有依原書名抄入者，今將這一部分簡況排列如下：

帝系五之一至三七宗室雜録門，一頁首行書名爲經進總類會要，記事起元豐元年（一〇七八）至紹興元年（一一三一），篇尾注「以上中興會要」。

帝系六之一至三三宗室雜録門一頁首行書名爲經進總類會要，記事起紹興二年（一一三二）至三十二年（一一六二）。

帝系七之一至一二宗室雜録門一頁首行書名爲經進總類會要，記事起隆興元年（一一六三）至乾道九年（一一七三）。

帝系七之一六至一七宗室襲封，記事起慶元元年（一一九五）至嘉定十二年（一二一九）。

帝系七之七至一九宗室换授，記事起紹熙五年（一一九四）至嘉定十六年（一二二三）。

帝系七之一九宗室補官，記嘉定十四年（一二二一）事。

帝系七之一九至二一宗室請給，記事起紹熙五年（一一九四）至嘉定十六年（一二二三）。

帝系七之二一宗室恩賜，記嘉定十四年（一二二一）事。

帝系七之二一至二二宗室恤孤，記事起開禧元年（一二〇五）至嘉定十六年（一二二三）。

帝系七之二三至二七宗室訓名，記事起嘉定八年（一二一五）至十六年（一二二三）。

此門將有關宗室諸事分類列於一門中，其篇首一六頁首行書名爲經進續總類會要。

食貨一八之八至三一商税門篇首書名爲經進續總類會要，記事起淳熙元年（一一七四）至嘉定十七年（一二二四）。史文淳熙十五年（一一八八）條下注「以上孝宗會要」，紹熙條下注「以上光宗會要」，嘉定十七年條下注「以上寧宗會要」。

食貨六二之四七至五二義倉門，其四七頁二〇行注文「以上乾道會要」下，大字所題書名爲經進總類國朝會要，記事起紹熙元年（一一九〇）至嘉定十四年（一二二一）。史文於紹熙條下注「以上光宗會要」，嘉定條下注「以上寧宗會要」。

前文已經論及張從祖所修會要，起建隆至乾道九年（一一七三），編入了淳熙會要的第一次進本，這一部分在輯稿及補編中，稱爲乾道會要，各門多於乾道末年記事下注「以上乾道會要」。如輯稿・崇儒四之三〇，職官四三之一一八，選舉八之一五，食貨二八之三九，補編一九頁上、六七頁上、七四頁上、八〇頁下等，爲數衆多，足以説明張從祖採用淳熙會要第一次進本稱爲乾道會要。上列帝系五之一、六之一、七之一宗室雜録門各段篇首所標書名，皆是經進總類會要，記事止於乾道九年（一一七三）以前，屬張從祖所修範圍。帝系七之一六，有關宗室諸項一門篇首，及食貨一八之八，商税門篇首書名，皆作經進續總類會要，記事起淳熙元年（一一七四）至嘉定間，屬李心傳續修範圍。由此可知，李氏續修部分的名稱爲經進續總類會要。此外，食貨六二之四七義倉門，篇首所標書名是經進總類國朝會要，所記爲紹熙迄嘉定間史事，屬李心傳續修範圍，但不加「續」字，這一現象與陳氏書目著録國朝會要總類不加「續」字是相同的，因此可以判斷，合十三朝爲一書後的總書名仍是經進總類國朝會要。另外，此處書名接於「以上乾道會要」注文之下連書，則説明續修文字即置於前書同門之後，並未單獨成書，永樂大典即按底本原書名採入。正因爲續修是分門增入，總書名仍舊，故諸家書目所據爲續前之本，即稱張從祖纂輯，所據爲續後之本，則謂李心傳修。又徐輯稿本中之書名，有作經進總類會要者，有作經進總類國朝會要者，當是永樂大典編者或省略「國朝」二字，或照録全書名，宋志著録則只作國朝會要。再則如無「國朝」二字，就不能表明是宋代本朝之會要。對後世來講，改爲宋會要就更加簡明了。準確的著録應是經進總類國朝會要五百八十八卷，張從祖編，李心傳續。

第二，徐輯宋會要原稿中注明宋修本朝會要的狀況。各門篇首一般有宋會要或某種會要名稱，史文中於所據某種會要末條下，注明「以上××會要」，從中可以看到所有十一種會要。

在慶曆三年（一〇四三）以前，注「以上國朝會要」者，如帝系一之一至二，共三處，注於大中祥符條下，禮九之三八，注於太平興國條下，補編二一頁上，注於慶曆三年（一〇四三）條下等，均爲慶曆國朝會要。

慶曆四年（一〇四四）至熙寧十年（一〇七七）諸條下，注明「以上國朝會要」者，如崇儒四之九，嘉祐七年（一〇六二）條下；禮三七之三三，治平元年（一〇六四）條下；儀制一三之九，嘉祐四年（一〇五九）條下；兵二一之三，熙寧八年（一〇七五）條下；補編三三九頁下，治平二年（一〇六五）條下，六〇四頁下，嘉祐五年（一〇六〇）條下等，皆有此注，即是採自元豐增修五朝會要。

禮一一之四，崇寧元年（一一〇二）條有引自政和會要之文。

凡在治平四年(一〇六七)神宗即位後,至靖康二年(一一二七)四月以前,注「以上續國朝會要」或「以上續會要」者,如帝系一之一至二,共四處,崇儒五之二九及補編二二頁上、七八頁上等處,分别在大觀、熙寧、元祐、崇寧、靖康條下等皆有此注;禮六二之四二、四七,崇儒二之一等篇首題續宋會要,皆採自乾道續四朝會要。

凡高宗朝記事,篇首題中興會要,如禮二〇之四六,崇儒五之三〇,食貨五二之四一等;注文稱「以上中興會要」,如職官四三之一〇九、六〇之七,補編七三頁下、二六七頁下等,皆採自乾道中興會要。

淳熙會要僅見於食貨一一之三〇,淳熙十六年(一一八九)條下,應屬李心傳續修保留之原注。大量史文在乾道末年條下注「以上乾道會要」,如選舉八之一五,補編八〇〇頁下、七三七頁上等皆是,所指爲淳熙會要之第一次進本。

孝宗會要在徐輯原稿中只於淳熙元年(一一七四)至十六年(一一八九)正月諸條下被採用。如瑞異二之二六,崇儒四之三二,食貨二八之二九,補編四七頁上等,分别於淳熙十五年、十六年條下注「以上孝宗會要」。

自淳熙十六年(一一八九)二月光宗即位,至紹熙五年(一一九四)七月退位,在徐輯原稿中,屬於這一時期記事之末條,凡注出處者,皆作「以上光宗會要」,如帝系七之一五,崇儒五之四三,食貨三二之三九,補編四六頁下等皆有此注。

自紹熙五年(一一九四)七月寧宗即位,至嘉定十七年(一二二四)閏八月去世,在徐輯原稿中,凡屬這一時期的記事末條下,注「以上寧宗會要」者,如帝系八之四五,職官四七之五八,食貨一八之三一，補編四七頁上等，皆採自嘉泰寧宗會要。

至於經進總類國朝會要、經進續總類國朝會要，已見上文。宋修十一種本朝會要，雖皆見於徐輯原稿，却不是永樂大典所收宋會要的底本爲十一種。因爲這些書名除合修後的總名外，皆爲合修時的原注。以張從祖總類國朝會要爲例，該書是將元豐增修五朝會要、續會要、中興會要及淳熙會要的第一次進本乾道會要四書合並編成，每門於所採會要之末條下注「以上××會要」。由於各種會要所設之門並非全同，所以在注明出處的同時，遇此有彼缺的情況，則加注説明。如輯稿·選舉一一之四三，一二之三七，職官四之四四等處注云：「以上續國朝會要，國朝、中興、乾道會要無此門」；選舉二六之七等處注：「以上乾道會要、國朝會要、續國朝會要、中興會要無此門」；選舉一八之二五，補編三四八頁下等處注「以上乾道會要，前三書無此門」；選舉一八之二等處注「以上國朝會要，後三書無此門」，如此之類，爲數頗多。這些注文説明其所合編之書爲國朝會要、續國朝會要、中興會要、乾道會要共四種，也就是玉海卷五一所載趙汝愚上書中所要合編的四種會要。這些注文只能是張從祖合編的原注。也説明李心傳續修時未作改動。

至於慶曆三年（一〇四三）以前的記事下所注「以上國朝會要」，則應是元豐增修五朝會要之原注。政和會要既非張氏所據之書，故只能在引用時見到。淳熙會要非李心傳所據之書，應屬孝宗會要之原注，在續總類會要中保留下來。據徐輯原稿中顯示李心傳所據之書是孝宗會要、光宗會要和寧宗會要三種，所採孝宗會要只取淳熙元年（一一七四）以下部分，其續修部分置於張氏所修同門之後，另標續總類國朝會要，全書仍用原名，卷數亦仍其舊。所謂十三朝會要，孝宗乾道以前十朝半屬張從祖所編，淳熙以後兩朝半是李心傳所續。

總類國朝會要包括太祖至寧宗十三朝，於端平三年（一二三六）成書，此時寧宗會要尚未全部奏進，因而成爲一個需要討論的問題。

三

關於寧宗會要進書的情況，玉海卷五一嘉泰寧宗會要條稱：

嘉泰三年八月二十一日，進今上（原注：寧宗）會要一百十五卷。嘉定六年閏九月二十七日，進一百卷。七年五月十六日，詔二年一具草繳進，十四年五月壬辰（原注：九日）。進改正會要一百十五卷及續修一百一十卷。淳祐二年上寧宗會要。

宋史卷四二理宗二、卷四一四史嵩之傳，皆有淳祐二年（一二四二）正月進寧宗會要的記載。南宋館閣續録卷四，於前三次進書條下，皆注有起迄時間：第一次進本「起自紹熙五年七月登極，至嘉泰元年十二月」〔二〕。第二次進本「自嘉泰二年正月纂修，至嘉定四年十二月終」〔三〕。第三次進本，「將重修甲寅（紹熙五年）以後七年會要、日曆，並嘉定五年至十二年已修未進會要之稿，各成一書，繕寫進

〔二〕南宋館閣續録卷四，嘉泰三年「八月二十一日，秘書省上皇帝會要一百一十五卷」條下注文。

〔三〕南宋館閣續録卷四，嘉定六年閏九月二十七日，「秘書省上寧宗皇帝會要一百卷」條下注文引陳武上言。

呈」〔二〕。這三次進本止於嘉定十二年（一二一九），尚有嘉定十三年（一二二〇）至十七年（一二二四）閏八月寧宗去世，共四年九個月未修。這一部分第四次進書在淳祐二年〔三〕（一二四二）正月甲申，不詳卷數。寧宗會要全部上進，已晚於李心傳端平三年（一二三六）修成十三朝會要五年時間。故李氏在成都修書時，所據寧宗會要自當包括已修未進之稿。

吴泳在端平元年（一二三四）入秋以後，寫給李心傳的信中提到：

朝廷見行下館中，令盡以寧宗會要三百沓發付，以待鴻筆纂修次第，悉如大著之請也。〔三〕

由此可知，李心傳在成都「踵修十三朝會要」之初，曾向朝廷申請寧宗會要，朝廷從所請，隨即命秘書省發往成都，所以在寧宗會要全部奏進之前即可使用。

李心傳於紹定四年（一二三一）正月，以將作監丞兼國史院編修官、實録院檢討官，專修中興四朝帝紀。六年（一二三三）二月，所修四朝帝紀，甫成其三，因言者罷，添差通判成都府〔四〕。端平元年（一二三四）正月，除著作佐郎，十一月「詔李心傳修國朝會要」〔五〕，宋史本傳云：「許辟官置局，踵修

〔一〕南宋館閣續録卷四，嘉定十四年五月九日，「秘書省上寧宗皇帝會要一百一十卷，並上改正寧宗皇帝紹熙甲寅登極以後七年會要一百一十五卷」條下注，引張攀上言。

〔二〕據玉海卷五一，宋史卷四二理宗二。

〔三〕吴泳鶴林集卷三一答李微之書。

〔四〕南宋館閣續録卷九、宋史卷四三八李心傳傳。

〔五〕宋季三朝政要卷一。

十三朝會要，端平三年成書。」所辟修書官，有高斯得、牟子才。宋史卷四〇九高斯得傳稱：

> 高斯得，字不妄，利州路提點刑獄知沔州稼之子也。……李心傳以著作佐郎領史事，即成都修國朝會要，辟爲檢閲文字。端平二年九月，稼死事於沔，時大元兵屯沔，斯得日夜西向號泣。會其僮至自沔，知稼戰没處，與斯得潛行至其地，遂得稼遺體，奉以歸，見者感泣。服除而哀傷不已，無意仕進。

宋史卷四一一牟子才傳云：

> 嘉定十六年舉進士，對策詆丞相史彌遠，調嘉定府洪雅縣尉，監成都府榷茶司費引所……改辟總領四川財賦所幹辦公事。詔李心傳即成都修四朝會要，辟兼檢閲文字。

李心傳續修總類國朝會要，從端平元年（一二三四）十二月受命，至端平三年（一二三六）成書，只有兩年多的時間。所辟官員中，高斯得在端平二年（一二三五）九月，其父死於戰事後，尋尸、守喪、哀傷不已；牟子才本是兼任，皆難以全力修書。書局又遠在成都，所需依據之書也要向朝廷申奏，特别是端平二年（一二三五）以後，蒙古軍攻入四川，並於三年（一二三六）十月，一度陷成都。在這樣的條件下，用不足三年時間，修成包括孝宗後半期及光宗、寧宗兩朝，共五八八卷的續總類會要，按照宋代修本朝會要的常規，是難以辦到的。此次命李心傳修會要的詔書已散佚，從轉述文字中仍可反映詔書對修會要的部分要求。如宋史本傳云：「踵修十三朝會要」，即續修補足十三朝之意。宋代「從來修書，必有程限」[二]，李氏承詔修書，亦不當例外，只有如此才會迫使李心傳在簡陋條件下匆匆完成續

〔二〕南宋館閣續録卷一。恥堂存稿卷二引李燾奏章。

修工作。

四

總類國朝會要被採入永樂大典，由徐松的輯本得以傳世。輯稿雖經初步整理，然存在不少問題。首先是殘缺。輯稿中有很多殘文斷簡和不完整的篇幅。有的史文中斷，注云「原本缺」。有些注明「詳見××門」，書中並無所示之門。拙撰宋會要輯稿研究第五章，有專題論述〔二〕。

其次，有大量重出篇幅。永樂大典是按韻字次第分編的類書，字下設事目，即「用韻以統字，用字以繫事」〔三〕。事目下博採群書有關文字，分別冠以書名，所採宋會要多者整門，少者數句，原書體例已被打亂，同一内容往往收入不同事目中，造成重復。徐輯原稿已經被嘉業堂抽出復文達一千七百餘頁，後來影印稱爲補編，但在輯稿中仍存在大量復文，甚至一門三見，並有羼入的廣雅書局清稿。詳見本書附録拙撰宋會要輯稿重出篇幅成因考。

第三，附入了南宋晚期乃至元朝、明初的書籍。永樂大典所採宋會要雖是照録原文，有時也附入他書作注，或爲他書作注。因而輯稿中存在大量附入的非宋會要文字。本書附録拙撰永樂大典本宋會要增入書籍考對此有專門論述。

〔二〕宋會要輯稿研究，河南師大學報增刊，一九八四年出版。

〔三〕明成祖永樂大典序。

因此，輯稿除殘缺不全外，還存在重新編排、校訂訛誤和清理他書文字等問題。輯稿影印已五十多年，爲宋史研究提供了大量史料，但對本書的研究尚不够深入，即如永樂大典所收宋會要之底本，還存在不同意見。

第一種意見，將輯稿中所見宋修本朝會要名稱，皆視爲永樂大典所收宋會要之底本〔一〕。

第二種意見，認爲永樂大典所收宋會要是十三朝會要，即張從祖修、李心傳續總類國朝會要〔二〕。

第三種意見，認爲「兩種説法都有道理，也都有不能講通的地方，這個問題還有待研究」〔三〕。

王德毅教授在兩宋十三朝會要纂修考〔四〕中，就宋修十一種會要作了系統研究，並將郡齋讀書志·附志著録的總類國朝會要和直齋書録解題著録的國朝會要總類聯繫起來，但却提出了如下問題：

直齋書録解題卷五説：「李心傳所編，合三書爲一，刻於蜀中，其版今在國子監。」……所謂合三書爲一，未知指哪三書，張從祖是合四書爲一的，僅至孝宗，尚有光宗、寧宗兩朝會要。如將

〔一〕湯中宋會要研究，上海商務印書館一九三二年出版。齊成宋會要輯稿略説，見圖書季刊三卷一、二期，一九三六年。

〔三〕王雲海宋會要兩議，河南師大學報一九八二年第四期；宋會要輯稿研究河南師大學報增刊，一九八四年出版。日本學者山内正傳册府元龜與宋會要，載史學研究一〇三，一九六八。青山定雄宋會要研究備要序，東洋文庫一九七〇；宋會要輯稿·食貨索引·人名·書名篇序，東洋文庫一九八二。伊原弘宋會要研究的現狀和展望，東方學第七十二輯，一九八六。

〔三〕陳智超宋會要輯稿的前世現世和來世，歷史研究一九八四年第四期。

〔四〕王德毅兩宋十三朝會要纂修考，宋史研究集第十一輯。臺灣中華叢書編審委員會一九七九年印行。

這兩朝史事按門類歸入張氏之書中，而不必再厘正卷第，亦極易爲，而且方便，正符合所謂合三書爲一之説。然心傳是南宋繼李燾而起的史學大家，當不至如此因陋就簡。那麼這一問題，就頗費考了。

「宋會要是宋代史料的淵藪，其價值同於實録」〔二〕，研究和整理此書，對宋史學界，是責無旁貸的。本文提出一些粗淺意見，是希望引起宋史學界注意，以便共同努力，將這部重要史籍作進一步研究，並加以整理，共同爲推動學術發展作出貢獻。

輯稿中還存在一些理宗寶慶以後的記事。日本已故學者青山定雄，在宋會要輯稿·食貨索引·人名·書名篇序言中，已經提到並列出六處。本人在編制宋會要輯稿篇目索引時，曾注意到這一問題，共發現二十處，其中一部分已查明分别出自宋史、玉海、明初方志及元朝記事，皆屬修永樂大典時所闌入，此事本書附録中有專文論述。

〔二〕王德毅兩宋十三朝會要纂修考，宋史研究集第十一輯，臺灣中華叢書編審委員會一九七九年印行。

永樂大典本宋會要增入書籍考

王雲海

一

宋會要是後人對宋代官修本朝諸會要的簡稱，原書佚於明朝中期，所幸明初修永樂大典時，按韻分散收入。清嘉慶十四年(一八〇九)，徐松在全唐文館任職，利用該館書吏，自永樂大典中抄出。此後又做了一些排整校訂工作，但終因篇幅大、問題多，又限於人力未能完成。光緒十三年(一八八七)，兩廣總督張之洞，在廣州創置廣雅書局，得徐輯宋會要稿本，聘繆荃孫、屠寄進行整理。光緒十五年(一八八九)，張之洞改調兩湖，書局幕客星散，整理工作中斷，共整理謄寫出清稿一〇一〇册，這就是「廣雅稿本」。民國四年(一九一五)，吳興劉承幹的嘉業堂購得稿本，聘劉富曾等人整理完畢，其所録清稿，稱「嘉業堂清本」。民國二十年(一九三一)，前國立北平圖書館編纂葉渭清將徐輯原稿與清本進行比勘研究，發現清本中的不少問題，得出「寧取原稿而舍清本」〔二〕的結論。民國二十五年(一九三六)，將被嘉業堂剪裁後的徐輯原稿影印發行。此後，中華書局及臺灣世界書局、新文豐出版

〔二〕影印宋會要輯稿緣起

公司，皆是用這一底本重新影印而成。這就是目前流傳的宋會要輯稿。

永樂大典是一部按韻編纂的類書，自成一個體系，其所採書籍，雖然也有全書收録在一處的現象，但宋會要在永樂大典中却是分散的，多者整門，少者數句，而且在編入的宋會要中，也增加和删去了一些文字。本文對其中增入的部分加以考察，説明永樂大典收録宋會要的部分狀況，也希望爲校勘此書，提供一個方面的依據。

影印本徐抄宋會要輯稿，除禮類附入了九門廣雅清稿外，其餘皆是徐松所輯原稿，以影印殘本永樂大典相比勘，知徐輯原稿是按大典原文逐字抄録，雖不免有一些抄誤之處，却没有任意增補竄改的現象。故對徐輯原稿的研究，是能够反映該書在永樂大典中之狀況的，同時也將使我們進一步了解永樂大典是在怎樣的情況下保存了原書。雖然由於没有宋會要原本可校，在了解的程度上不能不受很大限制，但對於有些問題，比如説是不是增入或删去了一些文字，增入部分的大致情況等，也還能得到一個大概的了解。

宋會要輯稿所注徵引的書名，據初步統計，約百數十種，這只是一個大體的數字，由於所載書名甚不嚴格，統計難免誤漏，所以尚難肯定一個確切的數字。兹將原輯稿所注書名，按初見順序排列如後，並附以作者和時代，其中見於文淵閣書目者，則另加標識。

宋會要輯稿徵引書目以初見書名排序，凡見於文淵閣書目者，加「△」符號。

△宋會要（或作宋朝會要）

續國朝會要（或作續會要、續宋朝會要、續宋會要、宋續會要、四朝會要）按其中一部分係汪大猷等所修乾道續四朝會要，一部分爲宋代後修本朝諸會要的泛稱。

國朝會要按一部分指章得象等所修慶曆國朝會要，一部分指元豐增修五朝會要，或宋代本朝會要的泛稱。

△十朝綱要　宋　李𡌴撰

張唐英寇準傳　按宋史本傳，張唐英著有宋名臣傳，藝文志亦著録。

中興會要　宋　陳騤等修

乾道會要（或作淳熙會要）按宋會要輯稿所注乾道會要皆指淳熙會要乾道九年以前部分。　宋　趙雄等奏進

△九朝長編紀事本末（或作九朝紀事本末、長編紀事）　宋　楊仲良撰。

經進總類會要　宋　張從祖修

光宗會要　宋　京鏜等修

△經進續總類會要　宋　李心傳等修

△張方平樂全集　宋　張方平撰

△歐陽修文集　宋　歐陽修撰

△王安石文集　宋　王安石撰

寧宗會要　宋　陳自强等修

宋續通鑑長編（或作續資治通鑑長編、通鑑長編、長編、宋長編、通鑑續編）　宋　李燾撰

△王應麟玉海（或作玉海）　宋　王應麟撰

△樂府雜録　唐　段安節撰
景祐廣樂記　宋　馮元等撰
景祐樂髓新經　宋　吕夷簡等修
△隋志引文見隋書律曆志　唐　長孫無忌等修
△馬端臨文獻通考（或作馬端臨通考、通考、文獻通考、馬端臨曰）　元　馬端臨撰
△中興禮書（或作禮書）　宋　淳熙嘉泰間官修
△章如愚考藁〔索〕（或作張〔章〕如愚群書考索、山堂考索）　宋　章如愚撰
△建炎以來朝野雜記（或作朝野襍記）　宋　李心傳撰
△文昌雜録　宋　龐元英撰
△事類合壁〔璧〕　宋　謝維新撰
政和會要　宋　王覿等修
△揮麈録　宋　王明清撰
△宋卓異記　宋　樂史撰
△雲麓漫抄　宋　趙彦衛撰
政和五禮新儀　宋　鄭居中等修
△通典　唐　杜佑撰
△宋史　元　脱脱等修
△廟學典禮　元　闕名

△老學庵筆記　宋　陸游撰

羊士諤集　唐　羊士諤撰

△臨安志　宋　胡太初修，趙與沐、鍾明之纂

△宋朝事實　宋　李攸撰

塵史　宋　王得臣撰

宋史備要　作者待考

△萍州可談　宋　朱彧撰

△存心録　明　吴沈等撰

開寶通禮　宋　劉温叟撰

乾道逐次禮例　作者待考

△紹興府前志　宋　佚名

△江少虞類苑（或作宋類苑、宋江少虞類苑）　宋　江少虞撰

△麟臺故事　宋　程俱撰

△宇文紹奕燕〔語〕考異　宋　宇文紹奕撰

△范蜀公東齋遺事（或作東齋記事）　宋　范鎮撰

△聞見録（或作邵氏聞見録、邵伯温聞見録）　宋　邵伯温撰

四朝志記元豐二年事，疑即李燾、洪邁等所修四朝國史之禮志

△珍度〔席〕放談　宋　高晦叟撰

△東京夢華録　宋　孟元老撰

△葛立方歸愚集　宋　葛立方撰

△香山先生喻良能集　宋　喻良能撰

章誼集　宋　章誼撰

公是先生集　宋　劉敞撰

△楊萬里誠齋集　宋　楊萬里撰

△盤洲文集　宋　洪适撰

△孫應時燭湖集　宋　孫應時撰

唐鑑　宋　張九成等撰

△邵氏後録　宋　邵博撰

△蔡絛國史後補　宋　蔡絛撰

蔡絛五行篇　宋　蔡絛撰

國史李淑傳按淑爲若谷子，真宗朝進士，天聖中與修三朝國史，此傳疑出自吴充等所修兩朝國史。

春明退朝録　宋　宋敏求撰

文心雕龍記仁宗朝事，待考

△金玉新書　宋　闕名

△邕州志見文淵閣書目卷一九，輿地紀勝存一條，印本永樂大典存兩條。作者及成書時間待考。

△編年備要(或作宋編年備要)　宋　陳均撰

孝宗會要　宋　邵文炳等修

清夜録　宋　俞文豹撰宋志、直齋書録解題著録爲沈括撰。

會元曆序　宋　李瓛撰

△通略（或作熊克九朝通略）　宋　熊克撰

宋史長編記神宗、徽宗朝事。待考

實録記徽宗朝事　宋　李燾等修

△宋大事記講義（或作宋朝大事記講義）　宋　吕中撰

△紀纂淵海　宋　潘自牧修

△大詔令引文不見宋大詔令集，待考

△容齋洪氏隨筆（或作洪邁容齋隨筆、洪氏容齋三筆）　宋　洪邁撰

崇文總目　宋　王堯臣等撰

△朱子語續録　宋　李性傳編

△宋鑒　元　闕名

△孝宗中興聖政　宋　官修

聖政記高宗紹興三十二年事　宋　官修

△宣城志　宋　趙希遠　李兼纂

△維陽〔揚〕志（或作維揚志）　宋　寶祐元年以後修

△仁皇訓典　宋　范祖禹等修

△莊季裕雞肋編　宋　莊綽撰
神宗正史　宋　吕大防等修
兩朝國史　宋　宋敏求、蘇頌、王珪等修
哲宗職官志（或作哲宗正史）　宋　王孝迪等修
△職官分紀　宋　孫逢吉撰
掖垣叢志　宋　宋庠撰
正陵遺事　唐　裴庭裕撰
△事略（或作東都事略）　宋　王稱撰
△九國志　宋　路振撰
△事文類聚　前、後、續、别四集，宋祝穆撰。新集、外集，元富大用撰。遺集，元祝淵撰。
△朝野類要　宋　趙昇撰
△儒學警悟　宋　俞長孫、俞經輯
△鶴林吴泳　按宋吴泳有鶴林集，惟所引文不見輯本，待考。
△錦繡萬花谷　不著撰人名氏，天一閣目題宋蕭贊元撰
△大一統志　元　札剌馬丁、虞應龍等修
△言行録　宋　朱熹撰
△益公集　宋　周必大撰
△名臣言行録引文見别集　宋　李幼武撰

△沈括筆談　宋　沈括撰
△歸田録　宋　歐陽修撰
△石林燕語（或作「石林葉氏曰」、「石林葉氏」）　宋　葉夢得撰
△却掃篇　宋　徐度撰
燕翼貽謀録　宋　王栐撰
△事實按宋李攸撰宋朝事實，但引文不見輯本，待考。
清德志舊志待考。
△書林事類　宋　闕名
△楊内翰談苑　宋　楊億撰
悦生隨抄　宋　賈似道撰
涑水記聞　宋　司馬光撰
△百川學海（或作北〔百〕川學海）　宋　左圭輯
△三槐王氏雜録引文見聞見近録　宋　王鞏撰
△温公詩話　宋　司馬光撰
△舊聞證誤（或作舊證）　宋　李心傳撰
△洛陽志疑是宋敏求所纂河南志
△漁隱叢話　宋　胡仔撰
△司馬温公傳家續集　宋　司馬光撰

葉夢得避暑録話　宋　葉夢得撰

墨莊漫録　宋　張邦基撰

△魏泰東軒筆録　宋　魏泰撰

范景仁乞致仕録　宋　范鎮撰

△自警編　宋　趙善璙撰

△類説　宋　曾慥撰

△張文潛明道雜志　宋　張耒撰

△濟美集　待考

△經鉏堂雜志　宋　倪思撰

△曲洧舊聞　宋　朱弁撰

△吴氏能改齋漫録　宋　吴曾撰

△韶州府曲江志　元　失名

△葉適論宏詞引文見水心别集卷一三　宋　葉適撰

△四朝聞見録　宋　葉紹翁撰

△吕原明雜記　宋　吕希哲撰

△四時纂要　唐　韓鄂撰

△齊民要術　後魏　賈思勰撰

△通鑑　宋　司馬光撰

△周禮
△史記　漢　司馬遷撰
△嘉定鎮江志　宋　史彌堅修　盧獻纂
三朝國史　宋　王旦、吕夷簡等修
四朝國史　宋　陳康伯、李燾、洪邁等修
番陽志　宋　史定之撰
宋畢衍備對（或作中書備對）　宋　畢仲衍修
九域圖志　宋　薛季宣纂
△九域志　宋　王存纂
△三山志　宋　梁克家纂
△建安志　宋　張叔椿修　林光纂
△建安續志　宋　劉牧纂
△撫州志　宋　家坤翁修　周彦約纂
日録記熙寧變法事　宋　王安石撰
△咸淳毗陵志　宋　史能之修
舊紀記神宗朝事，疑即元祐中吕大防、范祖禹等所修神宗正史之本紀。
新紀記神宗朝事，疑即紹興中陳康伯等所修神宗正史之本紀。
實録記淳化事，疑即錢若水等所修太宗實録

△稽古録　宋　司馬光撰

實録記神宗朝事，疑是趙鼎范冲所修神宗實録

△嶺外代答　宋　周去非撰

△南軒語録　宋　張栻撰

△中興小曆　宋　熊克撰

△蘇黄門龍川略志　宋　蘇轍撰

△景定建康志　宋　馬光祖修　周應合纂

金坡遺事　宋　錢惟演撰

續東陽志　元　瞻思纂

永州府志　明　虞自明修　胡璉纂

△宋北盟録　待考

△洪皓松漠記聞　宋　洪皓撰

扶南傳　待考

竺法維佛國記　待考

釋法盛歷國傳　待考

晋宋浮圖經　待考

△南蠻序略文淵閣書目、明書經籍志著録，作者及時代待考。

△契丹國志　宋　葉隆禮撰

二

宋代所修本朝會要，共成書十一種：

慶曆國朝會要（一作三朝國朝會要）；

元豐增修五朝會要（一作六朝國朝會要）；

政和重修會要；

乾道續四朝會要（一作續會要）；

乾道中興會要；

淳熙會要；

嘉泰孝宗會要；

慶元光宗會要；

嘉泰寧宗會要；

嘉定國朝會要（一作總類國朝會要）；

十三朝會要（或作總類國朝會要、續總類國朝會要）。

此外理宗朝會要，據宋史、宋史全文、續資治通鑑諸書記載，曾進書五次，但其起迄時間及卷數均不詳，永樂大典亦未曾採入；又范師道所修會要詳節，亦僅是慶曆國朝會要之節本，故未計算在內。

上述十一種宋會要，內容雖往往交錯，總的時間則包括太祖到寧宗十三朝二百六十五年；其中李心傳繼張從祖之後續修的十三朝會要，則通前此所修諸會要爲一書，並曾經「刻版蜀中」〔一〕。

宋會要輯稿各門所注宋會要名稱，與上述十一種會要是相合的。從起迄時間看，在比較完整的各門中，一般是起於太祖朝，終於寧宗朝； 雖然也有少數幾處出現了理宗、度宗、甚至帝昺祥興年間的文字，但其中有的注明採自宋史，有的暫時還未能查到出處，但卻是極個別的，而且在輯稿已經增入不少宋代以後著作的情況下，也没有理由認爲永樂大典收入了上述十一種以外的宋修本朝會要。

從宋會要輯稿著録的各種宋會要名稱及有關注文中反映的情況來看，永樂大典所收宋會要的底本，是李心傳繼張從祖之後續修的十三朝會要〔二〕。十三朝會要進書，在理宗端平三年（一二三六），但宋會要輯稿中，卻載有引自南宋晚期、元朝乃至明初的書籍，應是後人增入的文字。今以端平三年爲斷限，來考察宋會要輯稿徵引的書籍，凡是成書或流傳時間晚於端平三年者，自當屬於增入的部分。這樣的考察，雖然只能搞清增入書籍中的一部分，但對於永樂大典輯本宋會要的了解，卻不是没有助益的。

朝野類要　宋趙昇撰，前有「端平丙申」自序。故四庫全書總目提要云：「是書作於理宗端平三年。」〔三〕即十三朝會要進書的同一年。

〔一〕陳振孫直齋書録解題卷五。

〔二〕詳見拙撰宋會要兩議，載河南師大學報一九八二年第四期。宋會要輯稿研究第二章三，湯氏所考十種宋會要的商榷。

〔三〕四庫全書總目卷一一八子部雜家類二。

編年備要　宋陳均撰。四庫全書總目・史部・編年類著録作宋九朝編年備要，提要稱：「端平初，有言是書於朝者，敕下福州宣取。」此書前有紹定二年（一二二九）真德秀序。按李心傳於紹定六年（一二三三）二月被劾，添差通判成都府。端平元年（一二三四）除著作佐郎，兼四川制置司參議官。「詔無入議幕，許辟官置局，踵修十三朝會要。端平三年成書。」〔一〕即使端平初已將書稿宣取至朝廷，李心傳似亦難在成都採用。

金玉新書　四庫全書總目・史部・政書類存目二，著録該書稱：「蓋元時坊本也。」日本學者仁井田陞、今堀誠二則否定金玉新書成於元代説，認爲初編本成於乾道八年（一一七二）以後，淳祐二年（一二四二）以前，以乾道、淳熙、慶元各新書爲素材，將其中敕令照原文分類編纂而成。其後，又將淳祐新書增補刊行〔二〕。據此，則該書初編本成書時間的下限，亦在十三朝會要進書之後，其增補刊行則更在以後了。

朱子語續録　宋李性傳編。清同治十一年（一八七二年）應元書院刊本朱子語類所附饒州刊朱子語續録後序款識稱「嘉熙戊戌月正元日，後學三嶼李性傳書。」是該書成於理宗嘉熙二年（一二三八）。

事文類聚　本書分前、後、續、別、新、外、遺七集，「前、後、續、別四集，皆宋祝穆撰；新集、外集，

〔一〕宋史卷四三八李心傳傳。

〔二〕金玉新書及び淳祐新書考　仁井田陞、今堀誠二，載東洋學報二九卷一期。

元富大用撰；遺集，元祝淵撰。」〔二〕穆書見郡齋讀書志・趙希弁附志，知南宋已單獨流傳，「其合爲一編，則不知始自何人，疑即建陽書賈所爲也」〔三〕。前集篇首，有祝穆淳祐丙午自序，知穆書成於理宗淳祐六年（一二四六），宋會要輯稿徵引該書的文字，有的則見於元富大用的新集，如職官一七之三七頁末兩行，見事文類聚・新集卷十八。因知採入時間必在合編之後。

維揚志　見文淵閣書目卷十九，原書散佚。據嘉靖惟陽志・凡例，該書是繼宋朝紹熙廣陵志、嘉泰廣陵續志及寶祐惟陽志續修的。中華影印本永樂大典引維陽志二十四條。其平糴倉條有寶祐元年（一二五三）記事。張國淦中國古方志考據以判定爲寶祐元年以後所修。

鶴林吴泳　按吴泳，字叔永，號鶴林，潼川人。嘉定二年（一二〇九）進士，累官起居舍人，兼權吏部侍郎，兼直學士院，終寶章閣學士，知泉州，著有鶴林集，事迹具宋史本傳。鶴林集原書散佚，永樂大典輯本篇首提要云：「放佚之餘，篇帙尚夥」，知非全書。其成書時間未詳，輯本卷二十二奏寬民五事狀有「準淳祐十二年空白劄子」句，則成書當在淳祐十二年（一二五二）之後。惟引文不見輯本，無從查對。

九朝長編紀事本末　宋楊仲良撰。文淵閣書目卷五著録。阮元四庫未收書目提要稱：「仲良之名不見於書中，卷端有寶祐丁巳盧陵歐陽守道序，亦不言著書人姓名，而陳均九朝編年引用書目中有之，云長編紀事本末楊公仲良，故知此事出仲良手。然其書不見於宋史・藝文志，而趙希弁、陳振

〔二〕四庫全書總目卷一三五子部類書類一。
〔三〕四庫全書總目卷一三五子部類書類一。

孫、馬端臨諸家，亦皆不著録。……據守道序，此書寶祐元年刻於盧陵郡齋，貢士徐琥重爲校刻，則寶祐五年也。」即使按寶祐元年（一二五三）刻成，其書之流傳已在十三朝會要進書之後十七年了。

事類合璧　見文淵閣書目卷十一。倪氏宋志補、焦氏經籍志俱載之。四庫全書總目據宋坊本，鄭堂讀書記據明刊本，皆作古今合璧事類備要。該書爲宋人謝維新所撰，「前有寶祐丁巳自序，蓋應坊人劉德亨之託而作；並書名亦德亨所定」〔一〕。四庫全書總目提要據謝維新自序云：「是書成於寶祐丁巳」，即理宗寶祐五年（一二五七）。

臨汀志　宋胡太初修，趙與沐纂。胡太初字怡齋，寶祐六年（一二五八）知汀州〔二〕，與州學數授趙與沐等修成於開慶元年（一二五九）中秋〔三〕。宋會要輯稿所採臨汀志，見禮二〇之一三四頁正文，不過篇首所標書名爲臨汀志而非宋會要，似當屬於誤録的範圍。

悦生隨抄　宋賈似道撰，宋史·藝文志、宋史·藝文志補及現存宋代官私書目皆不著録，原書不見傳本，明陶宗儀説郛存其節本。宋會要輯稿·職官·致仕門注明採自該書正文二處，僅一處見説郛，知所據非節本。賈似道，自號半閑老人，其自序云：「余老來觀書，輒多遺忘，暇日隨所披閲，約

〔一〕周中孚鄭堂讀書記卷六一

〔二〕永樂大典卷七八九五，十九庚，汀州府題詠胡太初序臨汀志云：「寶祐戊午夏五月，太初以澄江守蒙恩易兹郡。」

〔三〕同前書，趙與沐跋云：「開慶改元中秋吉日，學生修職郎，汀州州學教授趙與沐敬跋。」

而筆之，寖盈編帙，因釐爲百卷，題曰悦生隨抄。」〔二〕按宋史卷四七四賈似道傳稱「（淳祐）十年，以端明殿學士移鎮兩淮，年始三十餘」。當淳祐十年（一二五〇）才三十多歲，當然不應稱老，則該書成於此後約二十年，是可以推知的。

名臣言行録　宋會要輯稿·職官四一之一〇〇頁注文，所引名臣言行録，出宋名臣言行録·别集，四朝名臣言行録卷七。按宋名臣言行録前集、後集，爲朱熹所撰；續集、别集、外集，則是李幼武所補編。李書續集卷首，有其外祖浚儀趙崇硂所撰景定辛酉序。景定辛酉，即理宗景定二年（一二六一），故四庫全書總目提要據以判定爲「理宗時作」。

撫州志　宋會要輯稿·食貨三二之三二至三三頁，録撫州志引宋會要文字四段。按宋撫州臨川郡，有淳熙、嘉定、景定臨川志，皆無傳本，從諸家書目著録情況來看，惟家坤翁所修景定臨川志流傳較廣，倪燦宋史藝文志補、文淵閣書目、南廱志·經籍考、千頃堂書目皆載之，前此二志則不見著録，輿地紀勝二十一偶有引述。弘治撫州府志舊序家坤翁序稱：「臨汝望於江介，羣公先正萃焉，文獻可謂足矣，郡乘顧無成書，先後草創，乃不足證，來者慊焉。」據此可知，在家坤翁之前，雖曾「先後草創」，但却没有「成書」。他在序中又説：「坤翁以景定壬戌，被命來守，歲餘少事，屬同志收攬載籍，考訂者舊，退而相與裁之，合爲三十五卷，書成，條目粗備，然遺忘尚多，春容將有待也。會予節趨閩，以其書託諸推掾周君彦約，覆正闕誤，且哀金俾鋟諸梓。明年周君來諗曰，鋟梓就矣，宜叙其首。」按景定壬戌，即理宗景定三年（一二六二），家坤翁被命知撫州，其序作於此後二年，則成書時間當是景定五年

〔二〕陶宗儀説郛卷十二

（一二六四）了。

景定建康志　宋馬光祖修，周應合纂。嘉慶六年仿景定刊本所載馬光祖進建康志表、序及周應合修志本末，均在景定二年（一二六一）。張國淦中國古方志考認爲：「是志三十九武衛志，引咸淳三年，四十田賦志，引咸淳四年，是此書志進於景定二年，陸續增訂至咸淳四年。」

咸淳毗陵志　宋史能之纂。史能之字子善，四明人，進士，淳祐元年（一二四一）爲武進尉，咸淳二年（一二六六）知常州府。據其所撰咸淳毗陵志序，知成書在度宗咸淳四年（一二六八）。

百川學海　宋左圭輯，自序落款稱：「昔昭陽作噩歲，柔兆執徐月，古鄮山人左圭禹錫叙。」據此，則成書在度宗咸淳九年（一二七三）三月。

玉海　宋王應麟撰。應麟字伯厚，一字厚齋，號深寧，祖籍開封祥符，乾道間，定居鄞縣，嘉定十六年（一二二三）生，元成宗元貞二年（一二九六）卒。淳祐元年（一二四一）舉進士，寶祐四年（一二五六）舉博學宏詞科。歷任衢州西安縣主簿、秘書郎，度宗朝累遷至禮部尚書兼給事中。宋亡，隱居講學著述而終於家，是一位有操守的文人〔一〕。宋史本傳云：「初應麟登第言曰，今之事舉子業者，沽名譽，得則一切委棄，制度典故漫不加省，非國家所望於通儒。於是閉門發憤，誓以博學宏辭科自見，假館閣書讀之。寶祐四年中是科。」應麟卒後四十四年，即元順帝至元六年（一三四〇），其孫厚孫題識云：「玉海者，公習博學宏辭科編類之書也。」「公甚愛玩，且謂未既稿，難以示學者，故藏於

〔一〕參據清錢大昕深寧先生年譜、清張大昌王深寧先生年譜、清陳僅王深寧先生年譜，並見四明叢書四明文獻集。

家。」〔二〕玉海卷首有元至元四年（一三三八）胡助序，稱該書是「故宋禮部尚書，厚齋先生王公，專精力積卅年而後成者也」。周中孚鄭堂讀書記卷六十一著録該書說：「觀其詞學指南所云編題之法，知此書即其業辭科時所創始，後逐漸增益成編。」足見他在舉宏辭科以後，還在逐漸增益，以期完善，故生前未曾刊印。四庫全書總目之提要云：「案明貝瓊清江集有所作應麟孫王厚〔孫〕墓誌，稱應麟著玉海未脱稿而失，後復得之，中多闕誤，厚〔孫〕考究編次，請於閫帥鋟梓，並他書十二種以傳。據此則諸書付梓，實始於元代。」〔三〕又玉海卷首載至元三年（一三三七）指揮，引浙東道經歷司都事牟承事文：「竊見慶元路鄉先生厚齋王公諱應麟，以進士、詞科仕宋，至翰林學士，禮部尚書。公篤學强記，博極群書，立言持行，爲當時儒者之冠。平生著作幾三十種，皆有功於後學，俱未刊行……自公歿之後，其家族黨分爭，書遂遺闕。縉紳韋布，遞相鈔録，雖多寡不同，俱非全書。當職游宦四明，詢訪文獻故家，得公之孫厚孫，延致家塾，俾教二子，因獲盡取公之著述，悉心討論，訪求遺逸，玉海遂見全帙，考訂詮次，粲然大備。」由上可知，玉海抄本的流傳，在元成宗元貞二年（一二九六）之後，至於刊印，據該書卷首至元六年（一三四〇年）四月李桓序，則已在元末了。

大一統志　元札馬剌丁、虞應龍等纂，原書散佚，僅存殘本。據許有壬圭塘小稿卷五大一統志序，世祖至元二十三年（一二八六）命秘書監官纂修，「二十八年辛卯，書成，凡七百五十五卷，名大一統志，藏之秘府。〔虞〕應龍謂比前代地理書，似爲詳備，然得失是非，安敢自斷，尚欲網羅遺佚，證其異

〔二〕轉引自王德毅教授王應麟玉海之研究，見中國歷史學會史學集刊第二十四期。
〔三〕四庫全書總目卷一三五，子部，類書類一。又見玉海卷首。

同焉。至正六年，歲又丙戌，十二月二十一日，中書右丞相伯勒齊爾布哈率省臣奏，是書國用尤切，恐久湮失，請刻印以永於世，制可」。張國淦中國古方志考據秘書監志判定：「至元二十八年雖已曾進呈初修本，而應龍實仍在監纂修，未嘗輟事。許有壬序稱應龍謂「尚欲網羅遺佚，證其異同」，即是仍行續修之意。自三十一年以後，監志於元貞二年、大德元年、大德二年、大德三年、大德五年均有編修大一統志之記載，足知此志自進呈初修本後，始終並未停工，直至大德七年五月而全書始正式告成也。」是該書最後完成，在元成宗大德七年（一三〇三）。許有壬序則是在元順帝至正七年（一三四七）刻印時所撰。

廟學典禮　四庫全書總目・史部・政書二著録此書，提要稱：「不著撰人名氏，諸家書目皆不著録。核其所載，始於元太宗丁酉，而終於成宗大德間，蓋元人所録也。」由此可知，成書時間，當在元成宗大德（一二九七——一三〇七）之後。

文獻通考　元馬端臨撰。端臨字貴與，號竹洲，樂平人。其父廷鸞曾爲宋度宗朝右丞相，入元不仕。端臨爲其仲子，以蔭補承事郎，咸淳九年（一二七三）中漕試第一。元初家居侍親，及父卒，起爲慈湖、柯山書院山長。晚年因進通考任台州府學教授，三月引年退，終於家中。據樂平縣志中李謹思文獻通考序，該書成於大德十一年（一三〇七）。文獻通考卷首自序之後，附有至治二年（一三二二）抄白及延祐六年（一三一九）王壽衍進文獻通考表。抄白云：「速爲差委有俸人員，禮請馬端臨親賫所著文獻通考的本文籍，赴路謄寫校勘，刊印施行。」由上可知，本書初印時間，當在至治二年（一三二二）之後。

宋鑑　見文淵閣書目卷五。杜信孚同書异名通檢謂「又名宋史全文」。四庫全書總目・史部・

編年類著録，作宋史全文，其提要稱：「不著撰人名氏，原本題曰續通鑑長編，而以李燾進長編表冠之於前，是直以爲燾之長編矣。案燾成書在孝宗時，所録止及北宋。此本實載南宋一代之事，其非出燾手明甚。檢勘此書，每卷標題皆有宋史全文四字，而永樂大典宋字韻内亦多載宋史全文，與長編截然二書。又此本目録前有坊間原題，稱本堂得宋鑑善本，乃名公所編，前宋已盛行，再付諸梓云云。蓋本元人所編，而坊賈假託燾名，詭稱前宋盛行耳。惟永樂大典所收之書，皆載入文淵閣書目，乃宋鑑多至六部，獨不見宋史全文之名，或亦楊士奇等編輯時，因標題而致誤歟。」關於成書時間，前人各家意見也是一致的。四庫提要引此書別本之末所附商邱宋犖跋語云：「此三十六卷，是元人所刊，卷首割去著書人姓名，卷末割去大元字。」四庫提要補正引張氏藏書志云：「書肆題語，謂前宋已盛行者，似不足信。」楊紹和楹書隅録卷二録此書稱：「是書乃宋之遺民逸老入元後所作，因末卷多涉元事，或亦不無避忌，遂並詭稱前宋盛行耳。」盡管成書的確切時間不能肯定，但「前宋已盛行」是假的，爲入元以後成書，則是前人共同的看法。

宋史　元脱脱等修。按宋史自元世祖時，就開始「以宋人國史爲稿本」〔二〕進行編修，「延祐、天曆，又屢詔修之」〔三〕。終因宋、遼、金三史「義例未定」〔三〕，直到元順帝至正五年（一三四五）才最後修

〔一〕四庫全書總目卷四六史部·正史類二。
〔二〕趙翼 廿二史札記卷二三宋遼金三史。
〔三〕趙翼 廿二史札記卷二三宋遼金三史。

成〔二〕，翌歲下杭州雕版。

存心録　明史卷九七藝文二著録「存心録十八卷，吴沉等編集。」文淵閣書目卷一，天字號第一廚，載存心録一部十册，兩部八册，皆注「闕」字。清乾隆年間，尚有傳本。四庫全書總目卷八三史部·政書類存目一，著録該書稱：「不著撰人名氏，皆記明初壇廟祭祀之制，而附以灾祥物異。其前有序，稱臣等承命作此録，以堅誠敬之心，是奉敕所撰，而其文多殘損不完。考明史·藝文志有吴沈等編集存心録十八卷……吴沈者，蘭溪人，元國子監博士師道子，洪武時官東閣大學士。嘗著辨言孔子封王之非禮。後嘉靖中，更定祀典，實祖其説，則其人嫻於説禮可知。而此書内所載禮節，皆洪武三年以前之事，則藝文志所謂存心録者，即此書也。惟此本止十卷，與十八卷之數不合。檢核書首，有私印一，其文曰尚寶少卿袁氏忠徹印，蓋猶明初舊本，尚無脱佚。又黄佐南廱志載嘉靖間存心録版，存者五十八面，而闕者三面，所列亦止十卷，與此本同，是史志誤衍一八字也。」續文獻通考卷一六八經籍二八，亦有類似記載。該書既是洪武年間的著作，文淵閣有存書，被採入永樂大典是很自然的。同時該書内容爲「壇廟祭祀之制」，也與宋會要輯稿所引（見禮二八之三七頁）有關郊祀文字相合。但提要又稱「皆記明初壇廟祭祀之制」，「書内所載禮節，皆洪武三年以前之事」，而宋會要輯稿所引則是紹興元年文字，這就需要搞清楚，該書是否也包括明初以前的典禮問題。關於這一點，明實録卷三一有如下記載：洪武元年三月己亥，「命禮官及諸儒臣編存心録，上以祭祀爲國家大事，念慮之間，儆戒或怠，則無以交神明。乃命禮官及諸儒臣編集郊社、宗廟、山川等儀，及歷代帝王祭祀感應祥異，可爲鑒戒

〔二〕進宋史表。

者，爲書以進」。同上書卷六七，「洪武四年秋七月辛亥朔，存心録成，上覽之，謂諸儒臣曰：朕觀歷代賢君事神之道，罔不祗肅，故百靈效祉，休徵類應。及乎衰世之君，罔知攸敬，違天慢神，非惟感召灾譴，而國之禍亂，亦由是而致。朕爲此懼，每臨祭，必戒必敬，惟恐未至，故命卿等編此書，欲示鑒戒。夫水可以鑒形，古可以鑒今，是編所以彰善惡，豈惟行之於今，將俾子孫永爲法守」。由此可知，存心録的內容，包括明以前歷代有關事迹。同時從中華書局影印本永樂大典所存片斷的存心録文字中來看，除記載明初祭祀典禮外，有不少前代祭祀感應的事例。如卷二二三四五、二九四八、三〇〇一、一〇三一一等，都是記載前代事。因而，雖然没有原書查對，但認作宋會要輯稿所引就是洪武四年（一三七一）吴沈等編集的存心録，還是有根據的。

永州府志　宋會要輯稿·方域九之二一至二三頁，永州府城一篇，正文全録自洪武十六年（一三八三）虞自明修、胡璉纂的永州府志。僅以注文附入宋會要宣和元年（一一一九年）董正封有關修城的奏章節文九行，篇首却題宋會要。顯然是永樂大典編者在採入永州府志時，因附入了宋會要文字，遂以宋會要作爲採入書名。

續東陽志　繼洪遵紹興間纂東陽志十卷〔一〕後，有宋朱子槐纂咸淳東陽志、宋錢奎纂東陽私志、元趙紹纂東陽圖志，只有元色目人瞻思所纂稱續東陽志。康熙金華府志載瞻思舊序云：「余始至於婺，即訪其圖志，云失之已久，惟出郡人趙紹所編，簡册實繁，而未爲成書。繼而洪志已令復刊矣，然自紹興之末，迄歸附後事，悉所不及，其間人物之盛，可録矣，而吕成公、宗忠簡之傳未立，易代制度之變

〔一〕陳振孫直齋書録解題卷八著録東陽志十卷稱：「樞密鄱陽洪遵景嚴撰。紹興二十四年爲通判時所作。」

當紀矣，而本朝因革之宜未書，紀録不備，爲郡之典，良有闕焉，斯責固守土者之所任，若夫臨治者，亦豈不預哉。余思及此，爲之惕然，乃夙夜孜孜，求所以塞之者。……頃因案部，索諸屬邑，有得輒録，竊暇隙以時述之，逮兹成編，規模無異洪氏之舊，而事物不載而已登，釐爲六卷，題曰續東陽志，見修述也，復命刻梓於學宮，庶補其闕，亦已塞余責云。」據此可知，趙志尚未修成，朱志、錢志失之已久，惟瞻思所修，不僅書名相合，且曾有印本流傳。宋會要輯稿・方域六之三八頁所引此篇文字首行書名，於宋會要下注明出自續東陽志。史文首句稱「宋會要云」，顯示了因續東陽志引宋會要而被用宋會要之名採入永樂大典的特徵。

韶州府曲江志　按今廣東省韶關市，唐宋爲韶州始興郡，元爲韶州路，明清爲韶州府，府治曲江縣，明以前似不當稱府。然中華影印殘本永樂大典，存韶州府曲江志三條，張國淦中國古方志考云：「其通濟倉條歲收本路租税，又廣州路推撥糧，知是元志。曰韶州府，或修大典時所加。」據此，則大典所採爲元志。然宋史藝文志有南宋蘇思恭所纂曲江志十二卷，不過大典所收元志名稱與宋會要輯稿・選舉九之二四頁所注相同，又輯稿此段文字，位於「以上國朝會要」之下，這説明不是原會要中的文字。從這些特點來看，都像是明初修大典時附入的元志。

宋會要輯稿・方域八之二九頁，「宋會要甘州府城」條載：「泰定三年六月三日，樞密院臣火沙王等，奏甘肅省」事，疑出自元修甘州志。盡管此處標題是宋會要，但所記爲元代事，如非誤寫書名，即爲增入的史文。

十三朝會要止於寧宗嘉定末，但在宋會要輯稿中有關理宗以後的記事計有：

後妃一之九　寶慶三年，紹定元年，四年，五年，六年二、四、五月。

樂六之二〇　理宗明堂前朝獻景靈宮二首。
七之一九至二〇　紹定三年。
七之二七至二九　寶祐二年。
八之二八　寶慶三年。
禮二〇之四七　至元二十三年。
二〇之一六六　淳祐戊申(八年)。
三〇之八六至九五　寶慶元年、二年。
四九之九七　寶慶元年、三年。
五四之二〇　理宗嘉熙四年，淳祐十二年。
五四之二一　度宗咸淳十年，德祐二年五月乙未朔，景炎元年。
儀制一〇之一一至一三　淳祐七年、十一年、元年、三年等。
瑞異二之一三　理宗紹定三年。
二之一六至一七　紹定四年、六年，端平元年、二年，嘉熙二年，淳祐六年，寶祐元年、二年、六年，開慶元年，景定五年。
二之三〇　度宗咸淳六年、十年。
三之四七　紹定三年，端平元年，嘉熙四年，淳祐二年，景定三年。
食貨三四之三七　端平三年。
方域三之二九　淳祐七年。

三之三〇　景定東宫堂名凝華。

八之二九　泰定三年。

九之二一至二三　咸淳癸亥，洪武元年、六年，咸淳乙丑。

蕃夷七之五六　理宗淳祐三年、十一年，景定三年，度宗咸淳元年、二年。

這些理宗寶慶元年（一二二五）以後的史文，不論是出自宋史或其他諸書，都應屬於後人附入的部分。

三

上文所考查的二十六種書籍，在宋會要輯稿中的狀況，可分三種類型。

第一種類型，是作爲注文附入，其中又分兩種形式。一種是將原文或節文注於宋會要正文之後。計有：

事文類聚　見輯稿·職官一七之三七頁，四一之九〇頁、九一頁。

編年備要　見輯稿·瑞異二之四頁、五頁。

九朝長編紀事本末　見輯稿·禮二四之七〇、七二、七六、七七頁，輿服六之七頁，崇儒三之十一頁等。帝系四之三一頁，是作爲正文採入的。

鶴林吴泳　見輯稿·職官三九之一二頁。

事類合璧　見輯稿·禮一一之一（共一一處）至二，一五之四二至四三頁。崇儒一之二頁。職官五七之三五、三六至三七頁等。

名臣言行録　見輯稿・職官四一之九二、一〇〇頁等。

景定建康志　見輯稿・方域三之一九頁。

咸淳毗陵志　見輯稿・食貨五九之二二頁。

大一統志　見輯稿・職官四一之八五至八六頁。

廟學典禮　見輯稿・禮一六之三頁。

韶州府曲江志　見輯稿・選舉九之二四頁。

朱子語續録　見輯稿・崇儒一之四七頁。

金玉新書　見輯稿・儀制一三之一二頁。

另一種形式，是用以考訂正文：

存心録　見輯稿・禮二八之三七頁。

這兩種形式，在輯自永樂大典的其他書籍中，也曾經出現過，如大典輯本建炎以來繫年要録，清四庫全書館臣提要云：「原本所載秦熺、張匯諸論，是非錯謬，疑爲後人攙入，又於本注外載有留正中興聖政、吕中大事記、何俌龜鑑諸書，當亦修永樂大典時所附入者。」〔二〕這種於本注之外附入其他書籍的形式，是與輯稿中增入注文的前一種形式相合的。又范行準述現存永樂大典中的醫書一文中説：「寒字傷寒部分，不僅精心校注，有時還作批判分析，這在以往的類書中是没有的。」〔三〕這種情况，和

〔二〕中華書局本建炎以來繫年要録卷首。四庫全書總目卷四七著録本書之提要，文字略有出入。

〔三〕述現存永樂大典中的醫書，范行準，中華文史論叢第二輯。

輯稿中附入注文的後一種形式是相合的。

第二種類型，是作爲正文纂入的，其中亦有兩種形式。第一種形式，是單純用作正文補入的。計有：

維揚志　見輯稿·崇儒七之六一至六三頁、六八頁。

臨汀志　見輯稿·禮二〇之一三四頁。此處因標題書名非宋會要，疑係誤録。

悦生隨抄　見輯稿·職官七七之三〇、四五頁。

百川學海　見輯稿·職官七七之三八、四五頁。

續東陽志　見輯稿·方域六之三八頁。

朝野類要　見輯稿·職官二七之五〇頁。

甘州志　見輯稿·方域八之二九頁（所録書名作宋會要）。

另一種形式，除作爲正文補入外，亦當作注文附入，其中更有以增入書籍爲正文，摘取宋會要作附注的。這種形式，情況較復雜，故對其中增入較多的書籍作重點考察。

玉海　徐松所輯原稿部分，注明出自玉海的文字，約一百多處，分散在樂、禮、輿服、儀制、瑞異、崇儒、職官、方域、蕃夷諸類中，其中以蕃夷類爲最多，大部分是作爲注文附入，有的地方，如食貨六九之一四至一五頁，就是作爲正文增入的。瑞異一之一四頁，有玉海四處注文。此外徐輯原稿殘缺，存於中華影印本永樂大典的，也有附入的玉海注文。如大典卷一一八四九，十八養，享字，燕享二，存有宋會要·燕享一門，其中附入的玉海注文達五處之多。從而可以肯定，玉海的增入，是大典中所存宋會要的原有狀況。

文獻通考　徐輯原稿，注明出自通考的文字，約計亦達一百多處。分布在樂、禮、輿服、儀制、瑞異、崇儒、職官、選舉、食貨諸類中，而以選舉和瑞異兩類爲最多。採入文字，一般是較長的，多數作爲注文附入，有的地方如崇儒七之六二頁，選舉一之三至六頁四處。食貨八之一至四頁等處，則是作爲正文補入的。輯稿・禮四〇之濮安懿王園廟一門，還保存在中華影印本永樂大典中，見大典卷一七〇八五，十三嘯，廟字，親廟，其所附通考注文，大典僅有誤字一處，輯稿則衍一字，脱、誤各二字，符合轉抄多訛的一般現象。

宋鑑　注文見崇儒七之四八頁。正文見崇儒七之五四頁（兩處）。

宋史　徐輯原稿採入宋史的文字，約達一百數十處，分散在輿服、瑞異、職官、食貨、選舉、兵、方域、蕃夷諸類中，而以輿服類爲最多，其中除大部分作爲注文附入外，也有不少是作爲正文補入的，而且有的以宋史作正文，摘取宋會要爲注。　茲將作爲正文補入的部分校勘簡況，表列如後：

徐輯宋會要原稿以宋史爲正文部分校勘簡表

類別卷頁	原著名稱	宋史卷數	校勘簡況	附注
樂　五之二七至二八	（詩樂）	一四二	照録	有誤字、脱文
樂　五之二九至三七	宋會要（教坊樂）	一四二	照録	有誤字、錯簡、脱句
樂　五之三七至三八	（雲韶部）	一四二	照録	

類別卷頁	原著名稱	宋史卷數	校勘簡況	附注
樂五之三八	（均容直）	一四二	照録	錯簡脱句（眉批已補）
樂五之三八至三九	（東西班）	一四二	照録	
樂五之三九	（四夷樂）	一四二	照録	
樂六之二〇		一三五	照録	
樂七之三至六	宋會要（御樓）	一三八	照録	卷首有缺文，首句小異，五六頁附注非宋史文字。
樂七之六	（紹興登門肆赦）	一三八	照録	
樂七之六至二〇	宋會要	一三八、一三九	照録	附注非宋史文字
樂七之二〇至二六	（册寶）	一三九	照録	
樂七之二六	（皇帝受恭膺天命之寶）	一三九	照録	

類別卷頁	原著名稱	宋史卷數	校勘簡況	附注
樂七之二六至二七	（册皇太子）	一三九	照録	
樂七之二七至二九	（皇子冠）	一三九	照録	
樂七之二九至三一	（鄉飲酒）	一三九	照録	
樂七之三二	中興會要	一三九	照録	注文脱一字，衍四字。
樂八之五至三二		一四〇、一四一	照録	空格處皆脱文
禮一一之八	宋史・豐稷傳	三二一	節文	又禮一一之六廣雅稿改作附注
瑞異二之一六	宋史・豐稷傳	三二一	照録	有誤字
瑞異三之四〇	宋史・五行志	六二	照録	摘宋會要爲注
瑞異三之四二至四七	宋史・五行志	六二	照録	摘宋會要爲注
運歷二之三至一三	天文志	四八	照録	有脱文誤字
職官七七之三八	宋史・張士遜傳	三一一	照録	

類别卷頁	原著名稱	宋史卷數	校勘簡况	附注
職官 七七之三八	宋史·張存傳	三二〇	節文	
職官 七七之三八	宋史·章得象傳	三一一	節文	
職官 七七之四九	宋史·劉涣傳	三二四	節文	
職官 七七之五〇	宋史·王素傳	三二〇	照録	
職官 七七之五四	宋史·元絳傳	三四三	節文	
職官 七七之五四	宋史·何郯傳	三二二	照録	
職官 七七之五八至五九	宋史·蘇頌傳	三四〇	照録	
職官 七七之五九	李公麟傳	四四四	節文	
職官 七七之六〇	宋史	三五一	文字小異	
職官 七七之六九	宋史·葉夢得傳	四四五	節文	
職官 七七之八二	宋史	三八七	節文	
職官 七七之八五	宋史·李燾傳	三八八	節文	

類別卷頁	原著名稱	宋史卷數	校勘簡況	附注
食貨 三四之三六至三七	宋會要	一八五	照録	
食貨 六三之一一三	宋史	三八八	節文	
方域 一六之二六	宋史・金水河	九四	照録	摘會要、續會要爲注
蕃夷 五之六八至七一	宋會要・南蠻傳	四九四	節文	摘會要爲注
蕃夷 五之七三至一〇四	宋會要・宋史列傳	四九三、四九四	節文	摘會要爲注

通過以宋史爲正文部分的校對，可以看到如下情况：

（一）有的是照録宋史文字，而摘取宋會要爲附注，像方域類一處，瑞異類兩處即是。有的對宋史文字有節略，而以宋會要爲注，像蕃夷類兩處即是。也有的只照録或節録宋史一段而不加注文，像樂類十五處、禮類一處、瑞異類一處、運歷類一處、食貨類兩處、職官類十四處皆是如此（個别的如職官七七之六〇頁，文字小有出入，尚需進一步考查）。前兩種情况，異常明顯地反映了有意纂入的事實。後一種情况，除食貨及樂類未注明爲宋史的篇幅，有可能是標寫書名的錯誤，或與宋史來源相同外，其餘也都反映出有意纂入的特點，而以職官類致仕上、下兩門（見職官七七之二八至八六頁），表現得最明顯。因爲這門多是採用宋史和其他筆記、文集之類的書籍組成的。其中採自宋史的十多處，皆是節文，並和採自其他筆記、文集的文字一樣，都是作爲正文編入的。

（二）採用宋史爲正文的部分，並不一定是宋會要的殘闕部分。因爲有些地方幾乎每條都摘了宋會要文字爲附注，這説明會要此段文字當時是存在的，只是由於大典編者主要採用了宋史纔被割裂或删除了。如蕃夷四之一八頁於闐門後注云：「餘同宋史・外國傳」，不録原文，更直接證明了這一點。

（三）增入部分的編輯質量不同，有的節録很得體，有的則十分草率，發生不應有的錯誤。如蕃夷五編入宋史・西南溪峒諸蠻上、下節文兩處，其後一處之七三至一〇四頁，乾德至嘉泰一段，應置於前一篇嘉定元年條之前，其八一頁第四行「天禧七年」是「天聖七年」之誤，又此上删去二百七十五字。此「七年」條下到「紹興四年」條前，全删宋史之文，而以十四頁的會要附注作補充。其一〇四頁「五年」一條，宋史原係於嘉定，而此處因將「嘉定元年」一條移於前一篇（六八頁），致使誤係於嘉泰。此外，本門其他各條亦有處理不當之處，反映出加工十分草率的現象。不過這只是一個不好的典型，並不能代表一般。

作爲注文附入的宋史文字是比較普遍的，校對的結果，與上述用作正文修入的情况相類似。雖然篇幅一般較短，有的是完整的節録一段，有的是摘取節文，一般都能判定出自宋史。但極個别的地方，如職官二八之一頁，注明爲宋史・太宗紀，前一半還相似，後一半則多於宋紀，這可能是原會要收入的國史，被後人改作宋史的結果。從輯稿附入書籍的名稱來看，是很不嚴格的。如把江少虞皇朝事實類苑，稱作宋類苑、江少虞類苑；李心傳的舊聞證誤，稱作舊證；葉夢得的石林燕語，稱作石林葉氏；樂史的廣卓異記，稱作宋卓異記等。將書名之前冠一個「宋」字，或將「國朝」、「皇朝」改作宋朝的情况都是存在的，因而把宋代的國史改稱宋史也是可能的。不過這種現象畢竟是個别的，在輯稿中原稱

「國史」的地方很多，一般還是沿用舊稱。如國史·李淑傳、三朝國史、兩朝國史、神宗正史、哲宗正史等皆是。基於上述情況，在輯稿已經增入不少書籍的條件下，對於注明宋史的文字，一方面不應當不加考查就認作脱脱等所修宋史，同時也不能因爲在極個別的情況下出現了將國史改作宋史，而否定增入宋史的事實。

宋史的增入，同樣也不是從大典抄出以後的問題。在輯稿和大典殘本中都有宋會要。濮安懿王園廟一門，見輯稿·禮四〇之六至一二頁及大典卷一七〇八五，十三嘯，廟字，親廟。其「元豐三年正月二十四日」條後有宋史注文一處，見宋史卷一二三。校對結果，大典無誤字，輯稿則脱、誤各一字。

永州府志　見輯稿·方域九之二一至二三頁。標題書名作「宋會要永州府志」。此篇將明初所修府志作正文，大段抄入，不加節選。開頭一段，就涉及洪武元年（一三六八）至六年（一三七三）的修城問題，中間增入宋會要一段注文，爲府志所無，末一段則照録府志中吴之道咸淳年間所作的修城記。增入注文的現象，及標出兩種書名，都反映出是有意纂入的。其對府志有關洪武年間修城一段不予删除，則反映了加工草率。

在輯自永樂大典的其他書籍中，增補或節删原書的現象也是存在的。如永樂大典輯本宋朝事實，篇首提要云：「其書據江陽譜，蓋上起建隆，下迄宣和，凡六十卷，前三十卷，先聞於時，後以餘三十卷上之，以語觸秦檜，寢其書不報，故晁公武讀書志、陳振孫書録解題，但作三十卷，與譜相合，而趙希弁讀書附志、宋史·藝文志乃俱作三十五卷。今書中有紹興、乾道間州縣陞降，淳熙、紹熙間館職員額，及光、寧、理、度四朝神御殿名，殆爲後人所附益歟。」現存永樂大典所收臨汀志，朱士嘉指出：

「是志郡縣題名記至開慶元年，其他各門附元代事蹟；建置沿革則至明代，蓋修大典時補入。」[二]這是增補原書的一個例子。又陳垣跋傳藏永樂大典本南臺備要去：「本名南臺備紀，摘取入永樂大典時名南臺備要，又名南臺類紀」[三]，則是節刪原書並改書名的一個例子。裴汝誠續資治通鑑長編考略，也提出了「明修永樂大典諸臣增益注文」的事例。

第三種類型，因其他書籍徵引宋會要文字而被抄出的。如撫州志，見輯稿・食貨三二之三二至三三頁，題作「宋會要所載」一段文字，原批指明爲「撫州志引」。

這種類型當是輯録時增入的。永樂大典所收書籍皆以紅字標寫書名，異常省目，而輯稿此處在書名的位置上題「宋會要所載」，原批又指明爲「撫州志引」，足見是輯録時因引有宋會要之文而被録出。

四

綜上所述，可以得出如下結論：

（一）從輯稿的原稿部分，並參照現存中華影印本永樂大典所載宋會要的全面情況來看，大典所收宋會要是經過一番加工的。不僅附入了大量注文，也增入了不少正文，並對原會要有所節刪。永樂

[二] 朱士嘉宋元方志傳記索引・書名簡稱表附注。

[三] 陳垣書傳藏永樂大典本南臺備要後，見北京師範大學學報一九六三年第一期。

大典是一部「用韻以統字，用字以繫事」〔一〕，按字匯編資料的類書，這樣處理也是允許的。但作爲對宋會要輯稿的考察，却應當去搞清楚，否則，如果認爲「皆直取全文，未嘗擅減片語」〔二〕，或「一字不易」〔三〕，那就未免脱離實際了。

（二）從增入書籍的成書時間來看，有南宋晚期和元人的著作，最晚有明洪武十六年（一三八三）的永州府志。從而可以推知：對原書加工的時間，上限不早於洪武十六年（一三八三），加工後的宋會要被收入大典中，其下限就不當晚於永樂大典告成——永樂六年（一四〇八）。也就是説在一三八三至一四〇八年之間，所以看作是修大典時所增，是勿容置疑的。因爲：

首先，在輯自永樂大典的書籍中，附入注文、考訂、節删以至增補等情況，均曾經出現過，而宋會要的變動，大體上也是屬於這些方面。

其次，從增入書籍的時間來看，洪武十六年（一三八三）修成的永州府志，早於永樂元年（一四〇三）開始修永樂大典二十年，正是可以採入大典的新書。

最後，從輯稿中所反映的改動質量來看，有的較細致，有的則很粗放，也符合永樂大典編修的情況。大典的編修，是在强盛的封建帝國組織下進行的，有豐富的圖書和充足的人力，不過在五年内修成兩萬多卷的大書，也不能不是草率的。四庫全書總目提要指出：「惟其書割裂龐雜，漫無條理，或

〔一〕明成祖　永樂大典序。

〔二〕全祖望　鮚埼亭集外編卷一七抄永樂大典記。

〔三〕中華書局影印本永樂大典郭沫若序。

以一字一句分韻；或析取一篇，以篇目分韻；或全録一書，以書名分韻；與卷首凡例，多不相應，殊乖編纂之體。疑其始亦如韻府之體，但每條備具始末，比韻府加詳。今每韻前所載事韻，其初稿也。繼以急於成書，遂不暇逐條採掇，而分隸以篇名，既而求竣益迫，更不暇逐篇分析，而隸以書名。故參差無緒，至於如此。然元以前佚文秘典，世所不傳者，轉賴其全部全篇收入，得以排纂校訂，復見於世。」〔二〕在宋會要輯稿中，有的只存宋會要某些片斷文字，有的則是完整一門；有些篇幅未經改動，有些篇幅則經過加工；有的加工質量較高，有的則十分粗放；這些情況，反映了集體修書和體例不一的特點，與提要的分析是相合的。

永樂大典既是按韻分編的類書，它本來就不是像叢書那樣全文收録，不過因爲急於求成，有些是全書、全篇收録了，這對於保存元以前的古籍，却起了重要的作用。大典對所採書籍的分散、節删，本來是正常的，不過紅字標出的書名後附以他書，則是處理上的問題，如要在可能範圍内恢復原書，對這些附入的部分識别出來，就不能不是一個重要的工作了。

〔三〕在輯稿增入部分中，有少量文字是因大典所收其他書籍中引用了宋會要而被抄出的。

〔二〕四庫全書總目卷一三七子部·類書類存目一。

宋會要輯稿重出篇幅成因考

王雲海

前北平圖書館和中華書局兩次影印的宋會要輯稿，（以下簡稱輯稿）是嘉慶十四年（一八〇九）徐松在全唐文館任職期間，從永樂大典中鈔出的原稿。徐松生前曾經根據玉海有關宋會要分類的記載，進行過一些排次和校訂。其後，廣雅書局的屠寄等人，又對帝系、后妃、禮、職官諸類做了整理，並謄出清稿。民國以後，稿本歸嘉業堂，聘劉富曾等在廣雅稿的基礎上編成清本宋會要。由於劉氏未打算保存原稿，「將全部徐氏原稿，痛加删並」〔一〕，且有所丢失。後由前北平圖書館葉渭清先生審查，認爲「改編本分類隸事，頗多失檢」〔二〕，所以仍將徐氏原稿初步排整校訂，影印發行。

在影印本輯稿中，存在着不少整門或較大段落的重出篇幅，對於這些重出篇幅的形成原因加以考察，不僅有利於使用，亦將對該書的進一步整理、校訂，提供方便。

兹將目前所查獲的重出各門簡況表列如後，並據以分析其造成重出的原因。

宋會要輯稿重出篇幅簡況表

〔一〕〔二〕影印宋會要輯稿緣起

重出組次	册	輯稿類卷頁	篇目	原在大典卷數	備注
一	一	帝系一之一—三	帝號僖祖至太祖	一二三〇〇	僖祖至宣祖重出，前一門文字較詳。
	三六	禮四九之一	尊號僖祖至宣祖	一七二八七	
二	八	樂五之三八—三九	鈞容樂太平興國三年至紹興三十年附東西班	二一六九二	互有詳略。
	七二	職官二二之三一—三三		六一三三	
三	八	樂五之三九	四夷樂元豐六年乾德四年至	二一六九二	元豐六年互見。
	七二	職官二二之三三	四夷樂元豐六年	六一三三	
四	一四	禮一一之一	配享功臣太祖朝至寧宗朝	一七〇六四 一一八五三（補）	
	一四	又禮一一之一—二	配享功臣太祖朝至寧宗朝	一七〇六四 一一八五三	
五	一四	禮一一之一—二	配享功臣雜録咸平二年至嘉定十四年	一七〇六四 一一八五三（補）	三門並互見，後一門十六至十七頁脱四條，又篇尾脱紹熙至嘉定四條。
	一四	又禮一一之二—一〇	配享功臣雜録咸平二年至嘉定十四年（原批）	一七〇六四 一一八五三	
	一四	禮五九之一二—一九	删命親王大臣咸平二年至乾道五年	三一八四	

重出組次	册	輯稿類卷頁	篇目	原在大典卷數	備注
六	一七	禮一七之二—九	朝享太廟紹興十三年修行禮儀注	一七〇六〇	後一門脱篇首三十四字。
	一七	禮一七之四三—五六	時享附朝享太廟行禮儀注	一一八四六	
七	一七	禮一七之一〇—一一	親享廟太祖朝至寧宗朝	一七〇五九	
	一七	禮一七之八二—八四	親享廟太祖朝至寧宗朝	一一八四六	
八	二一	禮二一之七	孚祐王廟淳熙十六年	六七七三	
	二一	禮二一之八	西嶽別廟淳熙十六年	一七一四〇	
九	二三	禮二四之三三—四二	明堂御札治平元年至四年	七一九九 七二〇〇	治平元年至四年互見，後一門脱通考注文一處。
	二三	禮二五之七五—九七	祖宗配侑序、建隆四年至紹興十三年	五四五五（疑誤） 五四五六	
十	二三	禮二五之一—一四	郊祀賞賜（熙寧定制）	五五〇四	
	二三	禮二五之二八—四八	郊禮賜例（熙寧定制）	一三七一九	

重出組次	册	輯稿類卷頁	篇目	原在大典卷數	備注
十一	二七	禮三一之一—五三	後喪(二)建隆二年至大中祥符六年	七三六五 七三六六	
	二七	又禮三一之一—三八	後喪(二)建隆二年至大中祥符六年	七三六五 七三六六	
十二	二八	禮三二之一—四四	後喪(三)明道元年至元豐四年	七三六五 七三六七	
	二八	又禮三二之一—三一	後喪(三)明道元年至元豐四年	七三六五 七三六七	
十三	二九	禮三三之一—五〇	後喪(三)至和元年至崇寧二年	七三六七，七三六八 七三六九	
	二九	又禮三三之一—三五	後喪(三)至和元年至崇寧二年	七三六七，七三六八 七三六九	
十四	三二	禮四〇之一—五	濮安懿王園陵治平元年至元豐四年	六七六二	元豐四年以上互見，前一門中間脱五條並注文二處，篇尾脱紹興至乾道十三條並注文一處。
	三二	禮四〇之六—一二	濮安懿王園廟治平元年至乾道七年	一七〇八五	

重出組次	册	輯稿類卷頁	篇目	原在大典卷數	備注
十五	三四	禮四三之一—一六	景獻太子攢所嘉定十三年至十五年	三九九四	
	三四	又禮四三之一—一一	景獻太子攢所嘉定十三年至十五年	三九九四	
十六	三四	禮四三之一七	弔儀乾興元年至淳熙十四年	缺	後一門補入卷數，繫依此上「攢所」門推測。
	三四	又禮四三之一一—一二	外夷入弔之儀乾興元年至淳熙十四年	（三九九四）	
十七	三四	禮四三之一八—一九	弔祭淳熙三年至七年	缺	後一門補入卷數，繫依此上「攢所」門推測。
	三四	又禮四三之一二—一三	弔祭淳熙三年至七年	（三九九四）	
十八	三五	禮四七之一—一四	優禮大臣太祖受禪至隆興二年	三一八七 一〇四五四	
	三五	又禮四七之一—一〇	優禮大臣太祖受禪至隆興二年	三一八七 一〇四五四	
十九	五〇	儀制一〇之一—一五	官誥淳化二年至乾道七年	一七三〇八 （一七一〇八）	淳化二年十月、紹興二年、乾道三年和四年諸條皆重出，後一門較完整。
	六六	職官一一之六〇—七五	官誥院乾德四年至嘉定六年	一四六一五（補）	

重出組次	册	輯稿類卷頁	篇目	原在大典卷數	備注
二十	六六	職官一一之七九	甲庫至道三年至大中祥符七年	一四六一五	食貨「甲庫」門脱大中祥符五年一條，七年條當繫大中祥符。
	一四六	食貨五二之七	甲庫至道三年至大中祥符七年	一四七八八	
二一	七〇	職官一八之一一〇—一一一	鍾鼓院序、紹興三年至淳熙七年	一六六六五（補）	前一門完整，後一門脱序文及淳熙四年、七年兩條。
	七五	職官三一之九	鍾鼓院紹興三年至隆興元年	一九五一四	
二二	七〇	職官一八之一一二	刻漏所 測驗渾儀紹興年間	一〇九四〇	後一門完整。
	七五	職官三一之九	刻漏所紹興三年至隆興元年	一九五一四	
二三	九一	職官五三之一—六	提舉德壽宮紹興三十二年至乾道九年	一〇九四五 一三三二三	紹興三十二年至乾道九年互見。
	九一	職官五四之一—二六	宮觀使大中祥符七年至紹熙五年	（一三三二二）	

重出組次	册	輯稿類卷頁	篇目	原在大典卷數	備注
二四	九一	職官五四之一—二六	宮觀使 大中祥符七年至紹熙五年	一三三三三	熙寧二年至九年諸條互見。
	九一	職官五四之二七—四二	〔外〕任宮觀 序、熙寧二年至紹熙五年。	一六二五一	
二五	一〇七	職官七八之六一—六三	罷免(下) 淳熙十六年至嘉定十四年	一七五九五	
	一〇七	職官七八之六四—六八	罷免(下) 淳熙十六年至嘉定十四年	一一四二五	
二六	一二一	食貨一之一—一四	檢田雜録 建隆二年至乾道九年	四七五〇(四三五〇)	
	一五一	食貨六一(上)之七一—七八	檢田雜録 建隆二年至乾道九年	一七五三九	
二七	一二一	食貨一之一五—四七	農田雜録 建隆三年至乾道九年	缺	乾道九年以前互見，前一門脱淳熙以下十條。
	一五五	食貨六三(下)之一六一—二二五	農田雜録 建隆三年至嘉泰三年	四七四八，四七四九	

重出組次	册	輯稿類卷頁	篇目	原在大典卷數	備注
二八	一二一	食貨二之一—二一	營田雜録(上)(下)序、端拱二年至乾道九年	缺	乾道九年以前互見，後一門多出注文七處，及朝野雜記、宋史正文六處，又淳熙至嘉定十三條。
	一二二	食貨三之一—二一			
	一五四	食貨六三(上)之六七—一〇八	營田雜録(上)(下)序、端拱二年至嘉定十七年	四七六五	
	一五五	食貨六三(下)之一〇九—一六〇		四七七五 四七七六	
二九	一二二	食貨四之一—六	屯田雜録淳化四年至政和六年	缺	政和六年以前互見，前一門脱誤較多。
	一五四	食貨六三(上)之三七—六六	屯田雜録淳化四年至嘉定十七年	四七六九，四七七〇	
三〇	一二二	食貨四之七—一五	方田熙寧五年至宣和三年	四七五一	
	一六三	食貨七〇(下)之一一四—一二三	方田雜録熙寧五年至宣和三年	一七五三三	

重出組次	册	輯稿類卷頁	篇目	原在大典卷數	備注
三一	一二三	食貨五之一九—三七	官田雜録 建炎元年至乾道九年	缺	乾道九年以前互見，前一門二五頁有殘文，後脱淳熙至嘉定三十五條。
	一五一	食貨六一(上)之一—四六	官田雜録 建炎元年至嘉定十二年	四七八四	
三二	一二三	食貨六之一—一〇	限田雜録 紹興元年至慶元五年	四七五〇	乾道八年以前互見，後一門脱淳熙以下五條。
	一五一	食貨六一(上)七八—八〇	限田雜録 紹興元年至乾道八年	一七五三九	
三三	一二三	食貨六之一一—三四	墾田雜録 紹興二年至嘉定十六年	四七五〇	乾道九年以前互見，後一門脱淳熙以下二十三條。
	一五二	食貨六一(下)之八一—一八	墾田雜録 紹興二年至乾道九年	一七五三九	
三四	一二三	食貨六之三六—五二	經界 紹興十二年至二十八年	一七五三三	紹興十二年至二十八年互見，前一門脱紹熙以下三條並注文一處。
	一六三	食貨七〇(下)之一二四—一三四	經界雜録 紹興十二年至嘉定十五年	一五〇七六	

重出組次	册	輯稿類卷頁	篇目	原在大典卷數	備注
三五	一二四 一二五	食貨七之一—五七 食貨八之一—一七	水利(上、下)淳化四年至乾道九年	一一〇六，一一〇七，一一〇八	前一門中二七、三一頁有脱文，後一門脱紹興三十二年二月一條，並文獻通考正文四頁。
	一五二	食貨六一(下)之八九—一二三	水利雜録(上)淳化四年至乾道九年	一七五四〇	
三六	一二六	食貨九之一—一一	受納紹興三年至乾道七年	四六八七	乾道七年以前互見。前一門脱淳熙至嘉定一卷。
	一五九	食貨六八(上)之一—一七	受納紹興三年至嘉定十四年	一七五四四 二二六六九	
三七	一二六	食貨九之一二—三一 食貨一〇之一—三一	賦税雜録(上、下)政和二年至乾道九年	一五四二三	政和二年以下互見，前一門缺序文及建隆至政和元年一卷。
	一六二	食貨七〇(上)之一—六七	賦税雜録(上)序、建隆四年至乾道九年	一七五三三 四四頁以前缺卷數	
三八	一二七	食貨一一之一〇—二五	版籍建隆四年至乾道六年	一七五三一	乾道六年以前互見，前一門脱淳熙以下七條。
	一六一	食貨六九之一六—三四	版籍建隆四年至嘉定十四年	二〇三五九	

重出組次	册	輯稿類卷頁	篇目	原在大典卷數	備注
三九	一二七	食貨一一之二六—三〇	户口總數 開寶九年至淳熙十六年	缺	乾道九年以前互見，前一門中間有脱文十一處。後一門脱淳熙諸條。
	一六一	食貨六九之七〇—七七	户口（總數）開寶九年至乾道九年	一七五三一	
四十	一二七	食貨一二之一—七	户口雜録 開寶四年至乾道七年	缺	前一門篇首及六頁脱二條。
	一六一	食貨六九之七七—八一	户口雜録 建隆元年至乾道七年	一七五三一	
四一	一二七	食貨一二之八—二三	身丁 建炎三年至乾道九年	一七五四四 四六八七	乾道九年以前互見，前一門脱淳熙至開禧二十三條。
	一五八	食貨六六之一—二〇	身丁錢 建炎三年至開禧三年	七八七九	
四二	一二八	食貨一三之一—三七 食貨一四之一—四八	免役錢（上、副本）（下）元祐元年至乾道九年	四六八五 四六八六	三門並互見，前一門脱治平至元豐一卷。
	一五七	食貨六五之一—一〇二	免役（一）（二）治平四年至乾道九年	二〇七二五 二〇七二六	
	一五八	食貨六六之三二—八九	免役 治平四年至乾道九年	一七五四九，一七五五〇，一七五五一。	

重出組次	册	輯稿類卷頁	篇目	原在大典卷數	備注
四三	一三八	食貨三五之一—一八	鈔旁印帖 崇寧三年至乾道九年	一五四三四	
	一六三	食貨七〇(下)之一三五—一五二	鈔旁定帖雜録 崇寧三年至乾道九年	一七五三四	
四四	一三八	食貨三五之一九—二九	經總制錢 建炎二年至乾道八年	缺	乾道八年以前互見，前一門脱淳熙至嘉定二十一條。
	一五六	食貨六四之八四—一一三	經總制錢 建炎二年至嘉定十七年	四六八二	
四五	一三八	食貨三五之三〇—三一	無額上供錢 建炎元年至紹興二十九年	四六八八	
	一五六	食貨六四之六三—六五	無額上供 建炎元年至紹興二十九年	一七五四四	
四六	一三八	食貨三五之三一—四五	上供錢 建炎三年至乾道九年	四六八八	前一門脱紹興三十一年諸路上供錢數一段。
	一五六	食貨六四之四五—六〇	上供 建炎三年至乾道九年	一七五四四	

重出組次	册	輯稿類卷頁	篇目	原在大典卷數	備注
四七	一四一 一四二	食貨四〇之四〇—五六 食貨四一之三—一一	市糴糧艸(三) 乾道元年至九年 〔和糴雜録〕 乾道七年至淳熙十六年	一一五九八 二〇七八七	前一門四十五頁六行至五十三頁六行與後一門三頁十六行至九頁十三行互見。
四八	一四二 一六三	食貨四一之二一—二五 食貨七〇(下)之五二—一五五	均糴 政和元年至宣和七年 均糴雜録 政和元年至宣和七年	二〇七九一 一七五三四	
四九	一四二 一六一	食貨四一之二七—三五 食貨六九之一—一三	量衡 建隆元年至紹興二十二年 宋量 建隆元年至紹興三十二年	八六三三 五二一三(補) 八六三三(補)	紹興二十二年以前互見,前一門中間及篇尾皆有脱文,共十一條,並殘文二處。

重出組次	册	輯稿類卷頁	篇目	原在大典卷數	備注
五十	一四七	食貨五三之一九—三三	義倉 建隆四年至乾道九年	一七五四一	乾道九年以前互見，前一門中間有脱文四處，後脱紹熙至嘉定七條，後一門中間脱五條。
	一五三	食貨六二之一八—五二	義倉 建隆四年至嘉定十四年	七五〇九	
五一	一四七	食貨五四之一—一〇	諸州倉庫 建隆四年至乾道九年	一七五四二	乾道九年以前互見，前一門脱淳熙至嘉定一段，後一門中間脱二十八條。
	一五三	食貨六二之五三—七五	諸州倉庫 建隆四年至嘉定十四年	七五一二	
五二	一四七	食貨五五之一五—一九	雜買務 序、太平興國八年至隆興八二年	一四九九〇	後一門脱序文
	一五六	食貨六四之四〇—四四	和買 太平興國八年至隆興二年	缺	

重出組次	册	輯稿類卷頁	篇　目	原在大典卷數	備　注
三五	一四九	〔食貨五七之一—一二 〔食貨五八之一—一二	賑貸(上下)建隆元年至乾道九年	一〇八九八 一五二三九	前一門(下)十二頁脱二條。後一門二八頁脱正文一條、注文二條。
	一五九	食貨六八(上)之二八—七三	賑貸(上)建隆元年至乾道九年	缺	
四五	一五〇	食貨五九之一—五二	恤災熙寧元年至乾道九年	二六三三三 二〇八九九	前一門十三頁，與下頁重出，又本門有脱文二十餘條。後一門脱一百餘條，並注文二處。
	一六〇	食貨六八(下)之一一一—一二七	〔恤災〕熙寧元年至乾道九年	一七五四三	
五五	一五〇	食貨六〇之三—一七	恩惠(二)(副本)熙寧二年至嘉泰三年	二〇九〇〇 一一六二一	乾道二年以前互見，後一門脱淳熙以下五條。
	一六〇	食貨六八(下)之一二八—一五二	恩惠熙寧二年至乾道二年	一七五四四	

上表所列五五組重出篇幅，可分三種類型：

第一種類型是：原在永樂大典卷數相同。計有第四、五三門重出，後一門與前二門卷數不同，十一、十二、十三、十五、十六、十七、十八共九組。其中十六、十七兩組皆是前一門缺大典卷數。後一門帶括號的卷數，則是後人整理原輯稿時，據第十五組「景獻太子攢所」門推測補入的。實際上都是屬於漏録卷數的部分。在這九組中，具有下列特點：

一、有關重出各門原在大典同一卷中，或同屬漏録卷數部分。

二、有關重出各門都在禮類，而且大體上皆前後相連。

三、在頁次編排上，重出的後一門都加上一個「又」字，單獨編排。

四、在書寫格式上，凡編類前加「又」字的各門，與徐鈔原稿迥然不同，並且有些地方還附有屠寄的按語。

從第一個特點可以知道，這種類型的重出是輯出以後造成的。但究竟是怎樣造成的，還需要作進一步的考察。

徐輯原稿，是徐松在全唐文館時，利用全唐文館書吏，以全唐文的名義私下鈔出的。湯中在嘉業堂曾經對原稿、廣雅清稿及嘉業堂清本進行過比較研究，並寫出宋會要研究一書，書中記載原稿的格式云：「(原)稿本式樣分兩種，均朱絲直格；一種每半頁十一行，每行二十一字；又一種每半頁八行，每行二十八字，雙行。每册第一行頂格有寫全唐文三字者，亦有在版心魚尾之上寫全唐文三字者。每節標題，寫宋會要三字，低本文三格，亦有寫中興會要、續宋會要、十朝綱要、乾道會要、中興禮書者。又有在宋會要三字下注明標目者。版心上方有寫永樂大典卷數者，亦有不著卷數者。版心下方有記頁數者，亦有不迴記者。繕寫工整，紙墨古雅，迴非時下鈔本可比」〔二〕。影印本輯稿除紙及直格顏色無法識別外，其他格式一般都是符合的；但禮類重出各門中，凡是在編排上加「又」字者，就不同了。

湯中記録廣雅清稿的格式云：「廣雅稿本：紅格，闊欄；版心魚尾下書「要」字；每半頁十四行，行二十五字；每卷十餘葉、數十頁不等；每頁首行，小題在上，頂格。大題在下，距行末兩格。凡遇某年號，某年，某月，提行；每條下注永樂大典卷數，如無卷數者，即注永樂大典不注卷數，其注均雙行繕寫。」〔三〕影印本輯稿，禮類重出的，在編類中加「又」字的九門中，其書寫格式，除紅格顏色無法辨認外，其餘均與上述廣雅清稿相合。如上表十一組，又禮三二之一至三八頁「后喪」門；十五組，又禮四三之一至十一頁「景獻太子攢所」門，每頁版心魚尾下皆有「要」字。有關各門，每半頁行數、每行字數，年號、年、月提行，每條下注永樂大典卷數，其卷數相同者，注「同上」；注文均雙行繕寫，都符合廣雅稿的特徵。特别是有不少地方，如又禮十一之五、七、八(二處)、九，及又禮四七之八、九等處的注文，都有屠寄的按語；這些按語，又全是夾在正文中間，與在原稿書眉、篇尾等處批入的按語完全不同。這就清楚地反映了，在編排上加「又」字的各門，全是附入的廣雅清稿，只是在影印宋會要輯稿緣起中未作交代而已。所以因附入九門廣雅清稿，就成爲輯稿整門重出的一個原因。

〔二〕湯中：宋會要研究卷三。
〔三〕湯中：宋會要研究卷三。

第二種類型是：原在永樂大典卷數不同。上表下列各組有關重出各門，皆出自大典不同卷中，計有：一、二、三、五三門重出，前兩門屬第一種類型、六、七、八、九、十、十四、十九、二十、二一、二二、二三、二四、二五、二六、三十、三二、三三、三四、三五、三六、三七、三八、四一、四二三門重出、四三、四五、四六、四七、四八、四九補批兩個卷數中前一個不同、五十、五一、五四、五五，共三十八組。在這三十八組中，有關重出各門，原稿所録大典卷數皆不相同；個別地方如四九組「宋量」一門篇尾所批兩個卷數，其後一個與復文相同的卷數，實繫據「量衡」門復文補入的，前一個與「最衡」門不同的卷數，才是屬於本門的。在輯稿中，有很多被删去及存留的復文，其大典卷數被校訂者補入了有關重出的篇幅中，「宋量」一門就是屬於保存下來，既校補了本門卷數，又批入了復文卷數的一部分。

另一種情況是，編入了少量的原輯稿批作「副本」㈡的復文。像上表所注明的食貨十三「免役錢」篇首、食貨六十「恩惠」門篇首，皆注明爲「副本」。但從所録大典卷數來看，與有關重出各門皆不相同，這就説明編入少量副本，並不是造成重出的原因，只是由於正本的這一部分殘闕了，才採用副本加以補充。雖然在極個別的地方，也有因附入副本造成的重出，如食貨五九之十三頁，附入「恤灾」門副本宣和元年正月二十七日條，而造成與本門及重出另一門的重出；但却是一條，與整門重出的現象是無關的。

㈡ 所稱「副本」，亦是原在永樂大典不同卷中的重出篇幅，後人整理輯稿時，選取其中一篇爲正本，而以另一篇爲「副本」。印本有不少以復文互校所批校語中多見之。詳見拙撰徐輯宋會要原稿的「副本」問題，載河南師大學報一九八三年第四期。

從而可以肯定，上述三九組在永樂大典中本來就是重出的部分，而不是鈔出以後的其他原因造成的。

永樂大典中所收宋會要的重出篇幅，較輯稿現存的部分實際上還要多一些。從輯稿來看，有些由於輯録時發現重出而被省略了。如輯稿選舉二二之一頁「宋考課」，原批「與職官全同，存目不録」。選舉二三之一頁「吏部」，原批「詳見職官」；「審官東院」，原批「與職官同，存目不録」。選舉二四之一頁「審官西院」，原批「與職官全同，存目不録」。選舉三〇之二九頁「自代」，原批「與職官同，存目不録」等皆是。

另外，筆者於一九八一年九月，在北京圖書館善本庫發現被嘉業堂作爲復文剔出的一批徐輯宋會要原稿，與廣雅書局和嘉業堂的幾本零册，共兩捆，爲影印本所無。這些原輯稿，亦是出自永樂大典不同卷中的復文，但實際上有少量史文可補印本之缺。此後一九八八年影印，定名爲宋會要輯稿補編，其重出篇幅均繫出自永樂大典不同卷數，與原影印本中考查的結論是相同的，故不再補充證據，以免徒增冗文。

從影印殘本永樂大典來看，有不少宋會要的文字在輯稿中殘闕了，但輯稿卻保存了大典另一處的復文。兹將有關這方面的情況附表如後：

中華影印本永樂大典現存宋會要中輯稿殘闕、僅存别卷復文簡表

永樂大典		宋會要輯稿					備注
篇目	卷數	類	卷	頁	篇目	原在大典卷數	
城池	一〇五六	方域	一	一一	東京雜録	七六九九	
月椿	六五二四	食貨	六四	七九	月椿錢	（錢字）	輯稿所補卷數現存大典該卷無此文。卷六五二四復文注「詳見錢字」。
常平倉	七五〇六	食貨	五三	六—一九	常平倉	一七五四一	輯稿缺政和一條，並注文九處。
廣惠倉	七五一三	食貨	五三	三四	廣惠倉	一七五四一	
奉迎聖像	一八二二四	禮	五一	一三—一四	徽號二	一七三〇二	
奉安聖像	一八二二四	禮	五一	一四—一六	徽號二	一七三〇二	

中華影印本永樂大典雖只有全書的百分之三强，但與輯稿現存的原稿相較，仍可反映出宋會要在大典中的重出篇幅是不少的； 同時也説明原輯稿丢失和删除的復文，也有相當的數量，其中有的較現存篇幅還要完整些，上表常平倉一門，就是如此。

這就證明： 輯稿中整門及較大篇幅的重出部分（包括兩門互見及三門互見，如四二組免役三門）絶大部分是在永樂大典中本來就重出的。

第三種類型是： 原輯稿存在着漏録大典卷數的部分。計有二七、二八、二九、三一、三九、四十、四四、五二、五三共九組（禮類十六、十七組，已在前面作了考察，不計在内）。在這九組中，雖然各自只有一門漏録卷數，但校勘結果，都存在着文字上的差異和此脱彼存的現象，參照大典中所收宋會要存在着不少重出篇幅的事實，看作是永樂大典本來就存在的復文，還是有根據的。

根據以上論斷，可以得出以下結論： 在影印本宋會要輯稿中，整門及部分較大篇幅的重出問題是由兩種原因造成的： 一種是禮類附入了九門廣雅清稿； 另一種是在永樂大典中本來就重出的。

後記

一九八〇年，上海古籍出版社組織整理歷代會要叢書，邀請河南大學宋史研究室承擔宋會要輯稿的整理工作。一九八一年，中華書局與中國社會科學院宋遼金元研究室合作，亦計畫整理此書，爲避免重復，我們徵得上海古籍出版社的同意，將工作停了下來。此後，又接受中國社會科學院宋遼金元研究室的邀請，承擔該項目的部分工作。

一九八六年春季，王曾瑜、陳智超兩位同志，代表中國社會科學院宋遼金元研究室來開封，專門商討整理宋會要輯稿的工作，並帶來：（一）宋會要輯稿帝系類帝號門等整理樣稿；（二）宋會要輯稿整理凡例初稿；（三）用宋會要輯稿影印綫裝本分條剪貼好的崇儒類工作底本。整理工作從此就正式開始了。本書卷首點校宋會要輯稿・崇儒凡例，就是在上述凡例初稿的基礎上再加以討論後整理而成的。

我們點校宋會要輯稿・崇儒的工作，是結合研究生校勘學課程進行的，共有兩屆八位研究生及一位青年教師參加了點校工作。點校工作的程序是：第一步將每條史文，遍查凡例規定的一七種書中相關的文字，並抄録下來供復校核對；第二步用鉛筆在工作底本上標點、校勘，並寫出校勘記；第三步復校，核對所據史文，修改、補充初校的問題，並統一體例；第四步，將復校後的稿件，用鋼筆或圓珠筆寫定；第五步，審訂第二稿，並將點校及審訂者署名於卷尾。至一九八九年，崇儒類之點校工作完成。這時，由於項目費未能落實，其他合作者尚未開展工作。此後，又在臺灣、美國籌集經費未成，整個工作陷於停頓。

項目停頓後，組織人之一王曾瑜同志兩次來信，希望我們單獨出版。信中提到：「此書太龐大，實非任何個人所能單獨校點，如能將此書的各類分批點校，倒不失爲一條整理此書的出路。」並期望崇儒類出版後，爲點校「其他部分提供一個成功的範例。」這個期望實在難以做到，但我們爲此確已付出了辛勤的勞動，倘使不能刊出，手稿難免散失；如能出版，不論存在多少問題，均可以廣泛聽取學術界的意見，爲將來整理全書提供條件。

承河南大學爲本書出版提供資助，在此謹致謝意。

整理者　一九九七年

附記

該書稿完成於數年前，在編校過程中，受王雲海老師囑托，本人與孔學、陳廣勝對原書稿做了多次通校與修正，減少了一些錯訛。至於疏舛之處，還望讀者不吝賜正。

不幸的是，本書正在出版社校對時，組織領導我們點校此書，令我們十分敬仰的王雲海老師猝然於二〇〇〇年十月十三日辭世。需要説明的是，此書附録的三篇文章，均是王雲海老師生前親自修改並同意編入的。

謹以此書的出版向王雲海老師表示永遠的懷念。

苗書梅

二〇〇〇年十一月